KB001820

사랑의 이해

이서현, 이현정 대본집
사랑의 이해 1

1판 1쇄 발행 2023. 2. 27.
1판 2쇄 발행 2023. 3. 15.

지은이 이서현, 이현정

발행인 고세규
편집 김민경, 김은하 디자인 지은혜 마케팅 김새로미 홍보 반재서
발행처 김영사
등록 1979년 5월 17일(제406-2003-036호)
주소 경기도 파주시 문발로 197(문발동) 우편번호 10881
전화 마케팅부 031)955-3100, 편집부 031)955-3200 | 팩스 031)955-3111

저작권자 ⓒ 이서현·이현정, 2023
이 책은 저작권법에 의해 보호를 받는 저작물이므로 저자와 출판사의 허락 없이
내용의 일부를 인용하거나 발췌하는 것을 금합니다.

표지 및 내지에 수록된 사진 저작권은 에스엘엘 중앙 주식회사에 있습니다.

값은 뒤표지에 있습니다.
ISBN 978-89-349-4304-4 04810
978-89-349-6600-5 (세트)

홈페이지 www.gimmyoung.com 블로그 blog.naver.com/gybook
인스타그램 instagram.com/gimmyoung 이메일 bestbook@gimmyoung.com

좋은 독자가 좋은 책을 만듭니다.
김영사는 독자 여러분의 의견에 항상 귀 기울이고 있습니다.

사랑의 이해

이서현, 이현정 대본집

1

The Interest of Love

김영사

감독의 말

저에게 드라마 만드는 일은 늘 어렵습니다. 이 이야기를 시청자가 좋아할지, 어떻게 받아들일지 늘 전전긍긍하게 됩니다. 그런 부담과 걱정으로 두려움에 휩싸일 때마다 마지막에 남는 생각은 하나입니다. 우선 내가 좋아하는 걸 하자. 〈사랑의 이해〉는 저에게 그런 작품입니다. 대본을 처음 봤을 때부터 좋았습니다.

요즘 사람들은, 특히 TV 드라마 시청자들은 시원시원한 캐릭터, 속 시원한 이야기를 선호합니다. 소위 말해 '쿨'한 인물, '사이다' 같은 이야기를 좋아하는 것이죠. 그런데 이 작품은 그런 이야기는 아닙니다. 생각이 많고, 걱정이 많고, 자격지심으로 가득한 인물들의 꼬이고 꼬인 연애 이야기입니다. 저 같았고, 내 주변의 이야기 같았습니다. 그래서 좋았고 잘 만들어 보고 싶었습니다.

"설령 높은 시청률은 기록하지 못하더라도, 심각하고 어둡다는 말을 듣더라도, 살기 힘듦을 껴안고 있는 사람들을 정성스럽게 그린다. 마음을 구제받는 사람이 한 명이라도 있으면 된다." 일본의 한 각본가가 한 말이라고 들었습니다. 저는 〈사랑의 이해〉를 만들면서 이 말을 생각했습니다. '삶의 무게를 알아버린' 상수와 수영의 이야기를 정성스럽게 만들어 이 시간에도 망설이고 있을 누군가가 조금이나마 마음을 기댈 수 있길 바랐습니다.

원작이 있지만 이 대본은 원작과는 많이 다르다고 생각합니다. 커다란 캔버스에 큰 붓질 몇 가닥이 그어져 있는 상태에서 그것을 바탕으로 그림을 그린 것과 같습니다. 텅 빈 캔버스에 그리기보다 더 어려운 일일 것입니다. 색색의 물감으로, 세밀한 붓질로 그림을 너무 아름답게 만들어주신 두 작가님께 진심으로 감사드립니다. 그리고 함께 그 그림을 걸 수 있게 되어 영광으로 생각합니다. 대본 회의하면서 제가 드렸던 말씀들이 부디 방해되진 않았나 염려되고 조금이나마 도움이 되었길 바랍니다.
드라마 연출자로서 대본이 세상에 공개된다는 것은 너무 두려운 일입니다. 저의 연출력의 속이 훤히 보이고 바닥이 드러날 것이 두렵기 때문입니다. 하지만 작가님들의 좋은 대본을 독자들의 머릿속에서 다시 한번 드라마로 만들어 보시면 제가 미처 화면으로 표현하지 못한 더 풍부한 이야기를 느끼게 되실 것이라고 믿습니다. 〈사랑의 이해〉의 더 깊은 의미와 재미를 대본으로 확인하시길 바랍니다. 감사합니다.

연출 조영민 드림.

일러두기

- 이 책은 이서현, 이현정 작가의 드라마 대본 집필 형식을 최대한 따라 편집하였습니다.
- 드라마 대사는 글말이 아닌 입말임을 감안하여, 한글맞춤법과 다른 부분이라 해도 그 표현을 살렸습니다.
- 띄어쓰기와 말줄임표는 다양하게 표현되어 있습니다. 이는 대사 시 호흡의 양을 다양하게 하고자 한 작가의 의도를 반영한 것입니다.
- 쉼표, 느낌표, 마침표 등과 같은 구두점도 작가의 의도를 따랐습니다. 마침표가 없는 것 역시 작가의 의도입니다.
- 이 책은 작가의 최종 대본으로, 방송되지 않은 부분이 포함되어 있습니다.

차례

사랑의 이해 1

기획의도

치정 [癡情] 국어

남녀 간의 사랑에 얽힌 온갖 어지러운 정

①foolish passion ②blind love ③infatuation

남녀 간의 사랑에 얽힌 온갖 어지러운 정, 치정.
어리석은 열정(foolish passion)이자,
맹목적인 사랑(blind love)이며,
미치게(infatuation) 만드는 감정.

1인분의 감정만 책임지기에도 버거운 시대. 우리의 자산을 가장 안전하게 보관해주는 공간인 은행에서 가장 불안전한 감정, 사랑으로 치정에 휩싸인 네 남녀가 있다. 은행에서 일하는 이들은 창구에 들어서는 고객을 보면 알 수 있었다. 돈을 빌리러 온 사람인지 갚으러 온 사람인지. 그리고 사랑과 맞닥뜨릴 때도 알 수 있었다. 나에게 상처를 줄 사람인지, 내가 상처를 주게 될 사람인지. 그럼에도 그들은 결국 사랑을 향해 치닫는다.

우리는 사랑에 관해서 지나친 결벽을 요구한다. 설레며 찾아간 애인의 집이 자신의 기준에 못 미치면 그날로 결혼을 재고해 보기도 하고, 더 좋은 조건의 사람이 다가오면 길바닥 호객 풍선처럼 마음이 흔들리는 게 현실이면서, 속으로는 온갖 계산을 다 하면서도 겉으로는 아닌 척한다. 마치 불순한 무언가가 섞이면 절대 안 되는 것처럼 사랑을 대한다. 우리는 왜 사랑에 결벽적인가.

그것은 사랑이 인생에서 가장 큰 판타지라서가 아닐까.
사랑을 참기에도 현실을 참기에도 아직은 너무 젊은 네 남녀의 사랑을 통해, 우리의 사랑, 우리가 지나친 사랑, 어쩌면 앞으로 만나게 될 사랑. 그 모든 사랑의 의미를 이해利害해 보려 한다.

연애치정누아르! 은행원들의 사내연애

가변적인 감정, 사랑 따위보다 은행 이자가 더 절실한 시대. 그러나 정작 우리의 자산을 보장해주는 그곳, 은행의 남녀들은 치열하게 연애를 이해利害한다. 하루 10시간, 일주일 중 5일, 1년에 2400시간 이상 한 공간에 담기는 남녀 은행원들. 눈 맞지 않는 게 더 어려운 밀접한 근무환경, 거기에 뜨겁게 솟구치는 젊음의 피! 헤어진 뒤에도 지점발령이 떨어지기 전까지는 꼼짝없이 얼굴을 맞대야 하고, 전여친과 현여친이 한 지점에서 근무하는 것이 희귀한 일이 아니며, 때로는 타지점에서 사귀었다 헤어진 연인이 승진 발령을 받아 다시 눈앞에 나타나기도 한다. 이들은 생각한다. 사랑도 적금 같다면 얼마나 좋을까. 맡긴 만큼 원금이 보장되고 시간이 흐르면 이자가 차곡차곡 쌓이고, 만기가 되면 이율에 맞게 불어나 정확하게 다시 돌아오도록. 하지만 사랑은 은행원들이 다루는 가장 불안전한 투자상품이다. 이자는커녕 원금손실을 각오해야 하고 자칫하다 마음까지 송두리째 파산된다.

강북과 강남의 경계, 창립 62주년을 맞은 KCU은행 영포점. 금융가와 시장통의 경계에 위치한 이 은행에 근무하는 **하상수, 안수영, 박미경, 정종현** 역시 사내연애 중이다. 이들의 사랑은 동화나 영화 속 이야기처럼 아름답지만은 않다. 상수는 수영에게 첫눈에 반했지만, 결정적인 순간에 머뭇거리고 망설인다. 수영은 상수에게 실망하면서도 자신의 계급을 인지하고 체념하듯 종현과의 연애를 시작한다. 미경은 숨겨둔 음지를 밝혀주는 상수를 택하지만, 상수로 인해 더 추운 감정에 갇힌다. 종현은 빛인 줄 알았던 수영과의 사랑이 빚처럼 느껴지자 도망치고 싶어진다. 이들의 연애는 사실, 저녁 데이트로 찾은 레스토랑에서 메뉴판 가격을 보며 오늘 저녁은 누가 사는 걸까 셈하고, 연인의 생일선물을 사기 전에 내가 받은 생일선물의 가격을 되새겨 보기도 하는, 가끔은 사랑하는 이보다 그를 바라보는 주위의 시선을 더 신경 쓰는 우리의 연애와 다르지 않다. 감정을 볼모로 치고받는 사랑싸움. 물리적 폭력 없이 잔인하며, 타락적이기까지 한 연애의 세계. 이기와 타산이 뒤엉켜 더 현실적인, 민낯에 가까운 적나라한 연애담이다.

사회적 계급, 결국엔 사랑의 계급

오전 9시 정각. 은행 정문의 셔터가 올라간다. 고객들이 들어와 일사불란하게 창구로 흩어진다. 그러나 같은 은행 안에 있다고 해서 모두가 같은 고객인 것은 아니다. 그들이 은행에 들어오는 순간, 계급이 나뉜다. 은행에 돈을 빌리러 온 사람은 직접 번호표를 뽑는다. 은행에 돈을 빌려주러 온 사람은 에스코트를 받아 창구에 앉는다. 일정 금액 이상을 예치한 VIP는 번호표도 없이 지점장실로 직행한다. 그리고 진짜 VVIP는 은행에 찾아오지도 않는다. 은행원이 집으로 찾아가니까.

어디 은행뿐일까. 비행기에서, 백화점에서, 인터넷 쇼핑몰에서. 사회 곳곳에서 우리는 쓰는 돈에 따라 등급이 나뉘어 다른 대우를 받고, 그걸 돈의 힘이라 말한다. 어쩌면 조선시대의 신분제도는 고스란히 이어져 오고 있는지도 모른다. 노력만 하면 위로 올라갈 수 있다는 희망고문까지 당하면서. 소수의 별종들을 제외하고는 탯줄부터 잘 타고 태어난 사람을 이길 수가 없는 세상. 그래서 이 시대의 사랑은 더 이상 낭만적일 수 없다. 짝사랑하는 남자를 볼 때보다 학자금 연체 문자를 받았을 때 심장이 더 내려앉고, 누군가의 고백보다 대출 승인 연락을 더 간절하게 기다리게 된 이 시국에 사랑이 대수인가. 2030 젊은이들의 대다수가 연애와 결혼을 포기한 이유도 같은 선상에 있다. 사랑은 밥을 먹여주지 않으니까. 계급의 한 칸이라도 더 올라가야 1원어치라도 행복해질 테니까. 비슷한 계급, 일정한 조건 등이 충족되어야 그제야 사랑에 빠져도 된다는 확신이 든다. 누군가에게는 그 조건이 부질없는 마음 하나고, 누군가에게는 한강이 보이는 40평대 아파트이며, 또 누군가에게는 상대가 거머쥐게 될 미래의 영광일 테다. 총체적인 조건들이 채워지는 순간, 우리는 그때가 되어서야 누군가를 '사랑'한다고 말한다.

그러나 우리는 정말 이러한 사랑을 원하는 것일까.
이 드라마를 통해 그럼에도 사랑의 가치가 중요하다고 외치고 싶다. 우리가 따져대는 그 계급의 정점에는 여전히 사랑이 있기를 바라며, 사랑에는 아직도 모든 현실을 무력화시키는 힘이 있다고, 사랑이 아닌 이유로 연인에게 달려가기 망설이는 이들의 등을 떠밀고 싶다. 이자가 붙지 않는 감정이라 해도 사랑만이 우리에게 낭만의 삶을 줄 수 있을 거라고. 어떤 상대로 인해 망설이고 흔들린다면 소위 계산이라고 하는 셈을 하게 된다 해도, 그 감정 자체가 이미 사랑일지도 모른다고, 당신의 사랑에는 모든 것을 이겨낼 힘이 있다고.

인물 관계도

KCU은행 영포점

애정, 애증

하상수

종합상담팀 계장

후배

박미경

PB팀 대리

상수 가족

한정임

에스테틱 대표원장
/상수모

미경 가족

윤미선

미경모

박대성

미경부

예금창구팀

서민희

팀장

배은정

계장

종합상담팀

이구일

팀장

마두식

대리

애정, 애증

예금창구팀 주임

동료

은행경비원, 경찰공무원 수험생

수영 가족

수영모

수영부

KCU은행 영포점

지점장

부지점장

총무과

계장

대리

주임

등장인물

하상수(30대, 男) • 유연석

KCU은행 영포점 종합상담팀 3년 차 계장

사랑은 상수다.
상황에 따라 달라지는 변수가 아닌
어떤 조건에도 일정한 값을 유지해야 하는 상수.

훤칠하다. 명석하다.
인생의 굴곡에도 흔들리지 않을 것 같은 바위처럼 단단한 사람. 반듯하지만 차갑거나 건조하지 않다. 툭툭 내뱉는 말이 유머러스하고 따뜻하다. 평일엔 은행, 쉬는 날엔 아이스하키장, 가는 곳도 하는 일도 일정하게 정해져 있는 남자. 아부하는 법이 없고 변명하는 법도 없다. 그저 자신 몫의 일을 넘치게 잘 해낸다. 그러나 이건 은행원 하상수의 모습이고 사랑에 빠진 하상수는 조금 다르다. 주춤대고, 어눌해지고, 후회하고, 머리를 쥐어뜯고, 감정에 허우적댄다. 다, 안수영 때문이다.

KCU은행 연수원 수석으로 입사했다.
여자 행원들의 마음을, 남자 행원들의 견제를 독차지하며 등장한 영포점 3년 차 계장. 화려하게 등판했지만, 신입 행원이 칠 수 있는 사고도 착실하게 치며 성장했다. 강남 8학군 출신, 명문대 졸업, 현재 강남 거주, 어머니는 에스테틱 대표원장. 본점행이 유망한 영포점 종상팀의 떠오르는 에이스. 여기까지가 은행 사람들에게 알려진 상수의 표면적인 조건이다. 거짓은 아니었다. 어쨌든 가스요금 고지서에는 강남구라고 떡하니 찍혀있었으니. 하지만 상수가 살았던 집은 강남의 끄트머리, 5층짜리 빌라의 1층 집이었다. 같은 학교 친구의 부모님이 소유한 빌라에 살았던 상수는 평범하지 못한 미운 오리 새끼였다.

평범.
상수가 속한 세상에서 상수는 평범하지 못하고 늘 모자랐다. 친구들에겐 '평범'한 일이, 상수에게는 따라가기 벅찬 벽이었고 허들이었다. 평범은 그들이 가진 걸 조용히 드러내는 표현이라는 것을 그때 알았다. 아버지가 교통사고로 사망하기 전까진 상수도 평범에 가까웠다. 집에 압류 딱지가 붙고, 그날 집을 나선 아버지를 영안실에서 재회하기 전까진 그랬다. 장례식장을 찾은 사람들은 아버지가 교통사고가 아닌 자살로 죽은 거라 수군댔다. 상수는 아버지의 죽음이 부디 사고였기를 바라야 했다. 교통사고로 사망한 아버지. 아버지가 남긴 빚을 고스란히 책임진 엄마 정임. 정임은 어떻게든 아들을 강남 8학군에 올려놓기 위해 발버둥 쳤고, 상수는 정임의 처절한 노력으로 그 안에 빌붙어 있는 철저한 이방인이었다. 엄마가 다려준 빳빳한 교복을 입고 등교할 때마다 아래 반지하 집의 창문을 보며 상수는 생각했다.

'절대로 이 이상 내려가지 않을 거야.
천천히, 그러나 반드시 올라갈 거야.'

아버지의 죽음은 어린 상수와 엄마 정임에게 크나큰 변수가 되었고, 상수는 깨달았다. 행복은 변수가 없는 삶이구나. 흔들리지 않는 삶이구나. 그렇게 일찍부터 어른의 눈빛을 가지게 된 상수는 자신이 할 수 있는 일을 성실히 해나갔다. 열심히 공부했고, 명문대에 입학했고, 신의 직장이라 불리는 은행에 입사했다. 삶은 미션이었고, 자신의 앞에 떨어진 미션을 묵묵히 수행해 나가는 게 인생이라 여겼다.

무리해서 확장한 모친의 에스테틱은 입소문을 타고 점점 더 성황이었고, 상수는 더 이상 가난해질 걱정을 하지 않고 인생을 설계할 수 있었다. 원룸에 가까운 오피스텔과 아버지가 남긴 중고차가 상수가 가진 재산의 전부였지만, 상수에게는 노후가 걱정되는 부모도, 갚아나가야 하는 빚도 없었다. 상수에게 행복은 변수가 없는 삶, 모든 것이 계획대로 성장세를 그리는 삶이었기에, 상수의 30대는 행복에 가까웠다. 여유로울 때는 가로수길이 보이는 카페에 앉아 커피 한 잔을 두고 고전문학을 읽었다. 가끔은 지점장에게 자연스럽게 져주기 위한 골프 연습을 하기도 했다. 주말마다 야유회, 등산, 볼링, 야구, 워크숍, 가끔은 연수원에 불려 다니느라 주 5일제가 보장된 은행원이라는 말에 반감을 가지기도 했지만 그래도 이만하면 행복했다.

그러나 상수에게 그 어떤 변수보다 강력한 변수가 생겼다.
변수의 이름은 안수영, 이었다.

수영은 상수보다 먼저 영포점에서 근무하고 있던 텔러였다. 지금은 본점행이 유력한, 주목받는 떡잎이지만 그런 상수에게도 햇병아리 시절이 있었고, 그때 상수를 가르쳐준 벗바리(사수)가 수영이었다. 수습 행원이었던 상수에게 수신계 업무와 은행의 생리를 가르쳐주고, 상수가 친 사고를 수습하면서도 싫은 기색 없이 세상 어여쁜 미소를 지어 보이던 여자. 반했다. 끌렸다. 자신도 모르게 자꾸만 쳐다보게 되었다. 어떤 돌발상황에도 침착한 담대함도, 상냥함 속에 숨겨진 단단함도 모두 좋아했다. 누가 알아주지 않아도 발버둥 치며 노력하는 모습이 꼭 자신 같아서 응원하고 싶어졌다.

하지만 선불리 다가갈 수 없었다.
삶의 무게를 알아버린 상수는 사랑에 빠지는 순간조차 머뭇거리게 되었다. 평생직장인 은행에서 선불리 연애를 하기에 상수는 신중하고 진중하고 깊은 남자였으니까. 그래서 그날, 확실한 관계를 원했던 수영과 만나기로 했던 그날. 약속장소 바로 앞에서 자신도 모르게 짧은 순간 망설였다. 수영을 두고 잰 것이 아니다. 오히려 수영을 진심으로 좋아했기에 덜컥 두려움을 느꼈다. 연애를 넘어 수영과의 결혼까지, 평생 이 여자를 책임질 수 있을까, 생각이 거기까지 가서. 그 짧은 순간 상수는 저도 모르게 머뭇거렸고, 수영에게 그걸 들켜버렸다.

"왜요? 왜 망설였어요? 내가 고졸이라서?
텔러라서? 집안이 후지대서? 그래서 그랬어요?
아, 평범. 나 만나면 그쪽이 바라는 평범에서 더 멀어질까 봐.
그래서 그랬나?"

매섭게 몰아치는 수영의 서슬에 얼어붙었다.
자괴감, 수치심, 그리고 온갖 감정들이 폭풍처럼 휘몰아쳤다.

"결국엔 갔잖아요! 마음이든 현실이든 뭐가 걸리든!
결국엔 수영씨한테 갔잖아요 내가.
망설인 건 잠깐이었고...! 결국 갔잖아요 수영씨한테!"

수영은 상수를 용서하지 않았다.
더 최악은 수영의 얘기가 어쩌면 모두 사실이라는 것이었다. 강남 사모들의 여드름을 압출하고 하루에도 수십 개의 등을 마사지하느라 지문이 사라진 어머니를 생각해서라도, 평범에 가까운 삶을 살기 위해 발버둥 쳤던 지난 노력의 시간을 생각해서라도, 고작 사랑을 택하면 어떤 삶을 살게 되는지 몸소 보여준 부모의 삶을 생각해서라도. 자신이 가진 감정이 어떤 책임의 결과를 가져오게 될지 두려웠고, 한순간이나마 망설였다는 것. 그렇게 상수는 안수영을 놓쳤다.

그때 상수에게 다가온 또 한 명의 여자, 박미경.
같은 학교 후배였던 미경은 부유했던 대학시절보다 한층 더 부유해진 집안의 외동딸이었다. 확신에 찬 말투, 어디서든 당당한 애티튜드, 은행에서도 상수보다 직급이 높았다. 미경은 상수를 편하게 만들었다. 백미터 달리기처럼 전속력으로 감정을 달리지 않아도 편했다. 결국 상수는 수영에 대한 마음을 접고 미경의 손을 잡았다. 이런 사랑도 사랑이겠지, 상수는 자신에게 다짐하듯 미경에게 충실했다. 미경과 사귀며 사회적 을의 입장인 수영을 이해하게 된 상수는 그렇기에 더 수영을 보지 않았다. 또다시 수영을 원하게 될까 봐. 마음을 속이지 못하게 될까 봐.

그럼에도 수영에 대한 마음은 계절처럼 돌아왔다.
사랑하지 않으려 마음을 다잡아도 때가 되면 돌아오는 봄처럼 여름처럼 가을처럼 겨울처럼, 상수도 수영의 주위를 자전하며 습관적으로 마음을 주었다.
그리고. 마침내 그 일이 일어났다.

안수영(30대, 女) • 문가영

KCU은행 영포점 예금창구 텔러 4년 차 주임

사랑은 해변가의 모래성이다.
예쁘고 반짝이지만 그 안에서 살 수는 없는,
공들여 지어도 한순간에 무너질 수 있는 것.

긴 생머리, 갸름한 얼굴, 청초한 분위기, 속삭이듯 간지러운 목소리.
생긋 지어 보이는 미소 뒤에 세상을 달관한 조소를 숨기고 있다. 소리 내어 울 때보다 환하게 웃을 때 더 슬퍼 보이는, 자신의 마음을 내보이지 않는 것으로 자신을 지키는 쓸쓸한 눈빛을 가진 여자. 힘들수록 꼿꼿하게 버티고, 여린 마음은 가면 뒤에 숨긴다. 은행에서는 절대 그 가면을 벗지 않는다. 상처는 약점과 다르지 않다는 걸 진작 깨달았기에. KCU은행 창립 이래 입사한 텔러 중 가장 뛰어난 미모를 가진, 영포점의 여신. 수영의 빼어난 외모는 남자들에겐 설렘을, 여자들에겐 시기를 유발했다. 시선과 관심을 집중시키는 수영은 여기저기서 공격받기 쉬운 존재였지만, 반반한 얼굴만 믿고 까분다고 했던 이들조차 수영이 일하는 모습을 지켜보면 입을 닫고 돌아섰다.

파트타이머 텔러로 시작해 서비스직군으로 정규 입사, 현재 4년 차 만년 주임. 특성화고를 졸업하고 가장 좋은 선택이었던 은행원이 되었지만 직군전환을 하지 않는 이상, 은행원들 중 가장 높은 실적을 유지해도 예금창구에서 수신 업무만 할 수 있는 위치. KCU은행 영포점에서 부지점장 다음으로 제일 오래 근무했고, 하상수의 수습 행원 시절 그의 벗바리가 되어 하나부터 열까지 상수를 가르쳤지만, 하상수가 계장으로 승진할 동안에도 여전히 이름뿐인 주임으로 멈춰있다. 매해 직군전환에 도전하는 몇천 명 중에서 합격자는 200여 명이었고, 고졸 출신은 거의 없었다. 누구에게나 공평하게 열린 문 같지만,

사실은 보이지 않는 벽이 존재하는 은행. 그 안에서 수영은 소문의 여자로 살고 있었다.

직접 말한 적 없는 개인사가 이력서에 적힌 몇 줄로, 같이 일한 동료의 몇 마디로 부풀려졌다. 지방에서 올라온 고졸 출신에, 후진 집안, (있었던 적도 없는) 복잡한 남자관계. 그러나 수영은 부정하는 일 없이 의연하게 버틴다. 사람들의 뒷말은 길가의 쓰레기 같은 거였다. 더럽긴 해도 굳이 자신이 줍지만 않으면 되는 쓰레기. 수영은 행복하려 노력했다. 현실이 우울할 때면 눈을 감고 더 우울했던 과거를 생각했다.

수영은 경상남도 통영 출신이다.
아버지는 1년에 열 달은 집을 비우는 해외에서 일하는 지게차 기사였고, 어머니는 통영의 중앙시장에서 시락국과 멍게비빔밥을 팔아 수영과 수혁, 남매를 키웠다. 어린 시절 수영은 평범하게 불행했다. 가지고 싶은 것을 다 갖지 못하고, 먹고 싶은 것을 다 먹지 못하는 것이 당연했던 삶. 그러나 그마저도 복에 겨운 행복이었다는 걸 가르쳐주듯이 수영의 가족에게 불행이 몰려왔다.

시작은 아버지였다.
어느 날부터 아버지는 집에 생활비를 부쳐주지 않았고, 어머니는 연락마저 하지 않는 아버지를 기다리다 가게 문을 닫고 이리저리 보험을 팔러 다녔다. 어머니가 퇴근 후, 현관에 앉아 신발을 힘겹게 벗을 때면 높은 확률로 양말에 피가 물들어 있었다. 수영은 한 계절이 지나기도 전에 철이 들었고, 돈을 벌었다. 미술을 전공하려던 꿈은 제일 먼저 내다 버리고, 패스트푸드점으로 고깃집으로 시급이 백 원이라도 많은 아르바이트를 찾아 종종거렸다. 남동생 수혁은 수영이 일하는 곳으로 찾아와서 수영의 손에 삼각김밥을 쥐여주며 말했다.

"누나 딱 기다려. 내가 서울 한복판에 베란다가 있는 집 꼭 얻어줄게. 거기에 누나가 좋아하는 허브도 왕창 놓고 그림도 그리고 피아노도 치고."

수영은 피식 웃으며 삼각김밥을 씹었다. 그런 수영을 보며 수혁이 짓던 그 표정.

"누나 나 몰라? 나 한다면 해. 꼭 해. 그니까 누나는 행복해지기만 해라."

수혁은 정말 약속을 지켰다.
수영이 무너지고 싶을 때마다 수혁과의 그 약속이 수영을 버티게 만들었으니까. 수혁이 지킨 것과 같았다. 수영은 울지 않았다. 모든 분노는 아버지 인재를 향했다. 수혁이 죽었던 그날, 사고지점에서 조금 떨어진 곳에서 발견됐다는 수혁의 핸드폰을 찾으러 간 그날, 연락을 끊고 잠적했던 인재가 낯선 여자의 집에서 나오는 것을 목격했기 때문에. 수영은 넋이 나간 채 중얼거렸다. 수혁은 어쩌면... 죽기 전에 이 모습을 봤던 게 아닐까. 수영은 절대 용서하지 못할 인재를 엄마 경숙은 너무나 쉽게 용서했다. 둘 다 이해할 수 없었다. 그렇게 수영은 수혁이 남긴 보험금을 들고 서울로 상경했다. 엄마가 숨기려고 하는, 아빠가 변명하려고 하는 그날의 비밀을 묻어두고서.

서울로 온 수영은 수혁과의 약속대로 행복해지기로 했다.
90년대에 지어져 낡아빠진, 그래도 넓은 베란다가 있는 집부터 얻었다. 아무것도 없어 집보다는 교도소에 가까웠던 그 공간을 고깃집에서 서빙해서 번 돈으로, 파트타이머 텔러로 일하며 번 돈으로, 서비스직군이 되어 받게 된 첫 월급으로, 천천히 채워 넣었다. 제 손으로 직접 도배를 하고 낡은 집을 고쳤다. 살풍경했던 공간이 수영의 취향으로 채워져 따뜻해질 무렵. 수영은 가끔 웃기도 하게 됐다. 일을 향한 야심도 있다. 고졸에, 예금창구 업무만 가능한 서비스직군인 자신을 무시하는 이들에 대한 반발심도 있다. 근무 3년 차부터 주어지는 직군전환 시험에 매년 응시하고 있고(매년 떨어지고 있지만), 고졸이라는 핸디캡이 문제가 되지 않도록 실적을 쌓기 위해 수단 방법을 가리지 않는다. 그렇게 단단하기만 했던 수영의 마음이 일렁였다. 영포점의 계장 하상수 때문에.

상수는 수영에게 가볍게 치근거렸던 남자들과 달랐다. 정중했고 따뜻했다. 지독히도 외로웠던 일상에 설렘이 되었다. 자신의 마음을 내보이진 않아도 거절하지 않았다. 상수가 은행에서와 달리 자신의 앞에선 긴장된 모습으로 서툰 행동을 하는 것도 좋았다. 모두가 쉽게 반말을 해대는 자신에게 어렵게 대하는 그 모습이 모두 진심 같아서 믿음직했다.

그랬는데, 그날.
둘의 관계를 확실히 하기로 암묵적으로 동의했던 그날. 수영은 상수가 망설이는 것을 보고야 말았다. 허탈했다. 화가 났다. 이럴 거면 왜 다른 사람과 다른 척 자신에게 다가온 건지 분노했다. 그러다 체념했고, 상수를 기어이 이해까지 하고 말았다. 저 남자가 나빠서가 아니다. 결국 현실에서 나란 사람의 조건이 그랬던 것뿐이라고. 그때 수영에게 또 다른 남자가 다가왔다. 영포점에 들어온 지 한 달 된 청경, 정종현이었다. 종현은 열심히 노력하면 행복을 손에 거머쥘 수 있다고 믿는 순수한 청년이었다. 그 모습이 사회초년생이었던 자신과 겹쳐 보여, 애틋하고 서글펐다. 오래전, 춥도록 외로웠던 자신의 손을 잡아주듯 종현의 손을 잡았다. 여전히 상수에 대한 마음이 남아있지만 그래서 더 그 마음을 잘라내야 했다. 상수에게는... 너무나도 부러운 조건의 미경이 있으니까. 그런 여자를 두고 날 택할 리가 없으니까.

자신에게 위로가 된 종현에게 진심으로 잘해주고 싶었다.

종현과 사귀며 사회적 갑의 입장인 상수를 이해하게 된 수영은 그렇기에 더 상수를 보지 않았다. 오히려 보란 듯 종현의 현실적인 문제를 꿋꿋이 감당하려 했다. 종현과의 문제는 상수가 수영을 택했을 때 상수가 겪었어야 할 문제이기도 했으니까. 종현과의 이별은 곧 수영과 상수 역시 끝내는 잘되지 못했을 거라는 반증이니까.

그래서 수영은 견딘다.
종현을, 종현과의 관계를 지킨다. 자신이 받고 싶었던 사랑을 하려 했다. 상수가 미경과 사귄다는 사실을 공표했을 때도 덤덤한 마음이 되었다. 상수의 선택은 당연했다. 미경은 좋은 사람이었다. 내가 만약 좋은 부모 밑에서 자랐더라면, 저런 사람이 되었겠지 싶은. 상수도 그걸 아니까, 결국 자신이 아닌 미경의 손을 잡았겠지, 납득했다. 수영도 상수에 대한 마음을 접으려 했다. 정말이다. 노력했다. 하지만 노력으로 되지 않는 단 하나, 잘라내도 염치없게 자꾸만 채워지는 그 마음, 사랑. 수영은 자신이 하고자 했던 사랑과 끝내 없애버리지 못했던 사랑 사이에서 마침내 결심하게 된다. 그리고 그 끝에서 수영은, 동생 수혁의 죽음에 대한 진실과도 맞닥뜨린다.

세상 어여쁜 얼굴로 굶주린 눈빛을 지어 보이는 안아주고 싶은 사람.
저는 추위에 떨면서도 곁에 있는 이에게 기꺼이 제 온기를 나눠주는 사람.
손을 내민 이에게 혼자서도 견딜 수 있다며 오기를 부리지만,
끝내 그 둑을 허문 뒤 모든 것을 내어주고 마는 굳건하고도 가녀린 여자.

박미경(30대, 女) • 금새록

KCU은행 영포점 PB팀 대리

사랑은 체온이다.
뜨겁게 불타오르지 않아도 곁에 있는 게 당연한,
어떤 순간에도 날 따듯하게 해주는 거.

밝고, 쾌활하고, 남의 눈치 보는 일 없이 본인의 감정에 솔직한 여자. 똑똑하고 강단 있고, 뭐 하나에 꽂히면 그게 뭐든 결국에 손에 넣는다. 그런 삶이 허락된 배경 속에서 자랐다. 그래서인가. 뒤틀림 없이 밝고 천진하다. 내 사람이다 싶으면 직급, 나이, 성별 관계없이 직진, 반드시 자기 사람으로 만들고야 만다. 한번 맺은 관계는 가벼이 여기지 않고 소중히 대하며, 유형의 것이든 무형의 것이든 아깝다는 생각 없이 내주고 퍼준다.

줄 잘 서야 성공하는 시대에 탯줄부터 잘 타고난 내추럴 본 골드스푼.
건설사 대표인 아버지와 명문가 출신인 어머니 덕분에 태어나보니 고향이 강남이었다. 자연스레 사립 초중고를 거쳐 무난하게 명문대 입학. 졸업과 동시에 초고속 은행 입사. 현재는 사무실형 창구를 따로 쓰는 KCU은행 영포점 PB팀 대리다. 날 때부터 보고 자란 부자들의 습성을 체득해, VIP들을 상대로 어려움 없이 실적을 올린다. 미경에게도 마음의 그늘이 없는 것은 아니었다. 다 가진 미경의 콤플렉스는 아이러니하게도 다 가졌다는 확신에서 기인했다. 모자람 없이 주는 부모 아래 미경의 모든 노력은 무화되었다.

'준재벌이나 다름없는 부모가 있는데 저 정도 하는 게 당연하지.
삼신할매 랜덤 덕에 부모덕 보고 살면 나도 저 정도는 하고 살지.'

하지만 미경의 생각은 달랐다.
자신은 노력을 통해 성취해 낼 수 있는 사람이고, 부모의 후광에 기생하는 사람이 아니었다. 박미경이라는 사람의 가치가 부잣집 딸에서 그치지 않기를 바랐다. 악착같이, 마치 흙수저라 불리는 가진 것 없는 친구들처럼 살기 시작했다. 대학 때는 부러 선머슴처럼 커트 머리를 하고 사내아이처럼 굴기도 했다. 온실 속에 곱게 자란 화초가 아니라는, 그 나이대 할 수 있었던 미경의 작은 반항이었다. 보란 듯 열심히 공부했고, 덕분에 대학 내내 한 번도 장학금을 놓친 적이 없었다. 부모 도움 없이 본인의 실력으로 은행에 입사했고, 최연소 대리라는 타이틀까지 달았다. 좋은 집에 시집가는 것이 인생의 목표인 것처럼 구는 친구들과는 성분부터 다르다고 자부했고, 친구들을 만날 때마다 내심 뿌듯했으며, 스스로를 대견하다 여기는 데 일말의 부끄러움도 없었다. 태어나 자란 곳이 반포 80평 집이 아닌 달동네 쪽방촌이었다고 해도, 은행원으로 일하고 있는 현재 자신의 모습과 크게 다르지 않을 거라 확신했는데...

미경은 상수와 수영을 만나고 인정할 수밖에 없었다.
명문대 입학을 가능케 했던 족집게 과외의 과외비는 부모님 지갑에서 나왔고, 도서관과 집을 오가며 공부와 취업 준비에만 전념할 수 있었던 것 역시, 부모님의 무조건적인 지원과 경제력 덕분이었다는 것을. 미경 때문에 장학금을 놓친 누군가는 방학 내내 알바를 세 탕이나 뛰어야 했다는 것과, 자신이 공부만 할 수 있는 상황 그 자체가 다른 이들보다 훨씬 유리한 특혜였다는 걸, 당연하게 살고 있는 한강이 보이는 40평대 아파트 역시 부모로부터 받은 특혜였다는 걸, 상수와 수영의 관계성을 보며 강제로 커밍아웃 당한다.

그럼에도 상수는 포기할 수 없는 남자다.

"책임이 따르니까...
누군가를 좋아하는 마음에도 책임이 따르니까."

왜 연애를 안 하고 살았냐는 미경의 질문에 상수가 던진 대답. 미경은 그가 더 좋아졌다. 마음의 무게를 아는 남자. 남들은 우유부단하게 볼지 몰라도 미경은 그게 진짜라는 걸 알았다. 그렇게 오랜 고민 끝에 마음을 내리면 그 누구보다 소중하게 대해줄 남자라는 걸. 미경은 다정함이 지능이라 생각했다. 상수는 미경을 안심하게 하는 반듯함을 가진 남자였다. 상수의 곁에서라면 어딘지 모르게 늘 불안했던 자신의 삶도 안정을 갖게 될 것 같았다. 사랑하게 됐고, 사랑받고 싶어졌으며, 연애가 아니라 결혼이 하고 싶었다. 상수와 함께라면 남들처럼 평범하게, 또 행복하게 살아갈 수 있을 것만 같았는데.

그런 상수가 자꾸 다른 곳을 본다.
그리고 그곳엔 항상 그녀가 서있다. 안수영.

미경도 수영이 좋았다.
영포점 내에서 묘하게 무시당하는 수영의 처지는 짠했고, 미경이 좋아하는 화가의 그림에 대해 달뜬 얼굴로 감상평을 말하는 수영의 안목엔 놀랐고, 왠지 모르게 자꾸만 챙겨주고 싶은 애달픈 사람이었다. 수영에게 잘해줄 때면 자신이 좋은 사람이 된 것 같았다. 수영과 어울리는 시간을 꽤 좋아했다.

"좋은 사람은 아니어도 좋은 사람이 어떤 건진 알아. 노력했어.
좋은 사람인 편이 마음 편하니까. 근데 나 이제 좋은 사람 안 할 거야.
나쁜 사람 돼서라도 선배 가질 거야."

수영에게 기우는 상수의 마음을 알지만 모른 척한다. 상수를 만나기 전에는 중요한 건 조건 따위가 아니라고 떠들어댔지만, 수영에게 흔들리는 상수를 잡는 데에 있어 자신이 가진 배경은 무기가 되었다.

미경은 스스로를 다시 보게 된다.
자신의 친절함은 남들보다 낫다는 우월함에서 기인했으며, 남들보다 잘났기 때문에 겸손해야 한다는 생각이야말로 거대한 오만이라는 것을. 상수를 사랑하고 자신이 가진 것들을 자각하며, 오히려 계급에 대한 인식이 선명해진다. 자신이 그어놓은 선을 침범하는 수영을 보며 미경은 본인조차 몰랐던 모습을 알게 된다. 상수를 만난 후 생경한 감정에 눈을 뜬 미경은 처음으로 진짜 자신과 대면한다.

'...난 어쩌면 좋은 사람이 아닐지도 모른다.'

미경에게 상수는 가벼운 연애 상대가 아니었다. 평생을 함께하고 싶은 결혼 상대였다. 상수가 미경의 비밀을 알아버리기 전까진, 미경이 상수의 진심을 알아버리기 전까진... 분명 그랬다.

정종현(20대, 男) • 정가람

KCU은행 영포점 경비원, 경찰공무원을 꿈꾸는 고시생

사랑은 빚인 척하는 빛이다.
언젠가 다 갚아야만 하는,
그래서 숨이 막히는 부채감 같은 거.

어리고 잘생겼다...!

종현을 처음 본 사람들이 가장 먼저 하는 생각이다. 마대리 표현에 따르면 알바나 다름없는 청경에 고시생 신분, 그게 잘돼 봐야 고작 경찰인 청년. 그러나 종현은 잘생긴 외모만큼이나 진중하고 분명하다. 자신이 원하는 것이 생기면 최선을 다해 노력할 줄 아는 열정적인 구석도, 정글짐 꼭대기에서 마시는 바나나 우유 한 팩에 행복해하는 천진한 구석도 있다. 겸손하고, 조신하다. 먼저 나서는 일 없이 조용조용 자리를 지킨다.

수영의 고향 통영에서 멀지 않은 곳이 종현의 고향이다. 그곳에는 종현의 부모가 살고, 종현이 두고 온 죄책감이 산다. 시골에서 소를 키우는 아버지, 인공 관절을 박아 넣은 무릎으로 청소 일을 하는 어머니. 보란 듯 성공하고 싶었다. 막연했지만, 희망도 있었다. 순수했고, 어쩌면 순진했다. 고향을 떠나 서울로 가는 기차 안에서 종현은 결심했다. 반드시 성공해서 돌아오겠다고.

고시생의 길을 선택하며 생계를 위해 KCU은행 경비원으로 취직했다.
낮에는 일하고 밤에는 죽어라 공부했다. 어떻게든 지금의 삶보다는 나아지고 싶었다. 하지만 지점장이 객장을 둘러볼 때 쓰레기가 있으면 청소 아주머니가 있어도 가슴이 뛰었다. 밑바닥에 있다는 건 그런 거였다. 남들은 보지 않아도 되는 눈치를 봐야 한다는 것. 그래도 열심히 일한 덕분에 창문 하나 없이 답답하고 갑갑해 꼭 궤짝 같던 고시원을 탈출했다. 서울에서 가장 높고, 가장 후진 옥탑방이었지만 이게 시작이라 생각하니 그저 희망으로 가득했다. 앞으로 노력하는 만큼, 집도 넓어질 거고 처우도 달라질 거니까. 지금은 얼마든지 참을 수 있었다.

KCU은행에 출근했던 첫날, 그녀를 만났다.
영포점의 여신, 안수영. 은행 업무가 서툰 종현의 눈에 수영은 경이로울 만큼 프로페셔널했다. 접객을 하고, 진상고객을 물리치고, 자신의 몸무게보다 무거운 동전통을 옮기면서도, 수영은 단 한 번의 흐트러짐이 없었다. 늘 자신은 아무렇지 않다는 듯 미소를 짓고 있었다.

'저 여자, 너무 멋있다.'

감탄했다. 동경했다.
서울 여자들은 뭔가 달라도 다른 것 같았다. 그래서 동네 편의점 파라솔 의자에 앉아 소주 병나발을 불고 있는 수영의 모습을 봤을 때, 은행에서와는 전혀 다른 모습으로 흐트러진 수영의 모습을 봤을 때, 더욱더 수영에게 끌렸다. 그러나 종현에게 수영은 다가가기 어려운 상대, 그야말로 여신 같은 사람. 종현은 수영이 힘들 때, 지쳤을 때, 사회적 가면을 벗었을 때, 더 다가갔다. 동네친구처럼 편하게. 편의점에서 우연히 마주치면 가볍게 맥주 한 캔씩 마시며 진상고객들 욕을 했고, 날씨가 좋은 날엔 바나나 우유 하나씩 들고 공원 한 바퀴를 돌며 산책을 즐겼다. 삶이 힘들게 해도 삶에 찌들진 않았던 종현은 자신의 풋풋한 사랑을 수영에게 퍼부었다.

폭우가 쏟아지던 어느 날 밤, 비에 젖은 수영에게 우산을 씌워주며 장난처럼 고백했다. 좋아한다고, 이제 나 남자친구 하고 싶다고. 그리고 기적 같은 수영의 대답.

"...그래요. 해요. 동네친구 말고, 남자친구."

수영과 사귀게 되면서 종현은 더 이상 바닥을 보지 않았다. 수영과의 미래를 보게 되었다. 자신이 시험에 붙어 경찰이 되면, 경찰만 되면, 수영에게 어울리는 남자가 될 거란 희망이 있었다. 지금보다 잘살 자신이 있었다. 분명 있었다. 고향에서 걸려 온 그 전화를 받기 전까진. 그 전화 한 통으로 종현의 꿈은 와르르 무너졌다. 아니 와장창 깨졌다. 우사를 꾸려오다 형편이 어려워져 공사 현장에서 일하던 아버지가 사고를 당했다는 소식이었다. 골반뼈가 다 부스러져 재활치료만 6개월. 앞으로 걸을 수 있을지 없을지조차 알 수 없었다. 아버지가 무사하다는 안도보다 수술비 걱정을 더 크게 하는 자신이 혐오스러웠다.

합격하리라 자신했던 시험에도 떨어졌다.
종현에게 불행이 폭우처럼 쏟아졌다. 미래를 위해 노력할 현재 같은 건 종현에게 허락되지 않는 일이었다. 모든 걸 포기한 채 고향으로 내려가기로 한 종현은, 수영에게 헤어짐을 말했다.

"나는 내가 0인 줄 알았어요. 가진 거 없어도 앞으로 채울 수 있는 숫자요.
근데 착각이었어요. 나는 마이너스였는데. 0조차 될 수 없는...
그러니까 수영씨, 우리 헤어져요."

그런데 수영이 종현을 잡아주었다.
1년만 더 노력해 보자고, 다음 시험엔 꼭 붙을 거라고, 자신은 종현을 믿는다고. 지낼 곳이 필요하다면 자신과 함께 지내도 괜찮다고. 그러니까 꿈을 포기하지 말라고. 구원과도 같았던 수영의 그 말에 기대어 종현의 서울살이는 연장되었다. 수영의 집으로 들어간 종현은 매일 다짐했다. 시험에 붙고 경찰이 되면 지금보다 더 떳떳한 남자가 되어 수영을 행복하게 해줘야지. 수영의 말대로 시험에만 붙으면 많은 것들이 해결되니까, 우린 사랑하는 사이니까, 지금은 기대자. 종현은 최선을 다해 수영의 사랑에, 믿음에 보답하려고 노력했다. 자신을 집으로 들인 수영도, 수영의 집에 들어간 자신도, 그 이유는 사랑이라고 믿었다. 그게 아니라면... 너무 비참하니까. 오갈 곳도 없는 남자는, 너무 최악이니까.

다시 종현의 시험 결과가 나왔다.
결과는 불합격. 종현은 암담해졌다. 시험에서 떨어졌다는 사실만큼이나 여전히 자신이 못난 남자여야 한다는 것에 숨이 막혔다. 그 답답함이 수영을 향한 미안함인지, 부담감인지, 자신의 자격지심인지, 다 모르게 됐다. 그리고 그런 감정의 동요는 수영과의 관계에 서서히 균열을 만들었고 종현은 깨달았다. 부채감이 있는 여자에게 미안함과 고마움을 느낄 순 있어도 사랑을 느끼긴 힘들다는 걸. 무슨 일이 있어도 그때 수영에게 빌붙어서는 안 됐었다는 걸. 차라리 관계를 끝내는 한이 있더라도.

사랑을 위해 개츠비가 되고 싶었던 종현은, 서서히 탁한 눈빛의 남자가 되어 간다. 자신을 향한 수영의 사랑을 그저 평생 갚지 못할 거대한 액수의 빚처럼 느끼기 시작한다.

그리고 그때. 그 일이 일어났다.

소경필(30대, 男) • 문태유

KCU은행 영포점 총무과 3년 차 계장

사랑은,
사랑은 그냥 개나 줘버려라.

상수와 대학교, 대학원, 은행까지 함께한 절친이다.
서글서글, 유들유들, 능치고, 까불거리고 변죽까지 좋은 그의 은행 내 별명은 소지랖. 겉으론 헐렁하다 싶을 만큼 생각 없어 보이지만, 그 속엔 팔십 노인이 들어앉은 남자다. 어떤 날은 마대리처럼 철딱서니 없다가도, 어떤 날은 상수처럼 속이 깊기도 하고. 어떤 게 진짜 모습인지 알 수 없는 의뭉스럽고, 종잡을 수 없는 캐릭터. 절친인 상수조차도 경필의 진짜 모습은 모른다.

연수원을 수석으로 졸업한 상수와 달리, 꼴등을 하고도 1등 한 것마냥 화통하게 웃는 남자. 심지어 징계를 받아도 하하하, 욕을 먹어도 하하하, 생각 없이 웃는 경필을 두고, '사람 좋다', '소새끼보다 해맑다', '세상 참 고민 없이 즐겁게만 산다' 평하지만, 자신이 옳다 생각되는 일엔 끝까지 소고집을 부리기도 하고, 아무도 나서지 못하는 싸한 순간에도 훅 치고 나와, 흑소처럼 상대의 허를 찌른다. 그게 이팀장이든, 지점장이든 직급, 대상 가리지 않고 빙그레 웃으며 직격탄을 날린다. 그래 놓고 또 하하하 사람 좋게 웃는 통에 듣는 사람만 민망하고 열불 나게 만든다.

특유의 성격으로 근처 중앙시장 상인들의 공식 귀염둥이로 맹활약 중인데, 사교성이 좋아 마음먹고 시장 한 바퀴 순회하면 없던 떡도 생기고, 식혜도 생기고, 신규고객까지 줄줄이 엮어 오는 일도 꽤 그럭저럭하는 남자다. 소상공인 금융대출 교육부터, 사회공헌 봉사활동, 사랑의 김장 나누기, 회원 노래교실까지 남들이 귀찮아하는 일, 대놓고 꺼리는 일마저 죄 떠맡아 척척 해낸다. 일주일에 한 번 진행되는 영포점 노래교실 일일 강사로 경필이 대타를 뛰는 날엔, 꺄르르르 꺄르르르 아줌마들 웃음소리로 시장통이 들썩들썩거린다. 매일 아침, '이노무 은행, 내가 언젠가 기필코, 반드시 꼭 때려치우고 만다!'를 불경처럼 외면서도, 점심시간, 시장통에 밥 먹으러 갈 때면 여기도 엄마, 저기도 엄마, 밉지 않게 들러붙으며, 생선가게 할머니 빠마는 잘 나왔는지, 야채가게 아저씨 무릎뼈는 잘 붙었는지, 반찬가게 아줌마 남편 문제부터, 방앗간집 막내아들 결혼문제까지 챙기는 걸 보면, 은행원으로서 경필만 한 적역도 없지 싶다.

그러나 경필에게도 비밀이 있다.
극 중후반 부, 사내연애 중인 네 남녀의 관계에 결정적 역할을 하게 되는 인물이다.

<u>상수의 사람들</u>

한정임(50대, 女) • 서정연

 # 상수母, 에스테틱 HAN 대표원장

남편이 죽었다.
거액의 빚을 남기고. 그 후 안정적이라 생각했던 일상의 모든 것이 무너졌다. 번듯했던 집을 팔아 빚을 갚았고, 아들과 함께 살 수 있는 월셋집으로 옮겼다. 슬퍼할 겨를도, 막막해할 여유도 없이 정임은 강남 사모들의 여드름을 짰고, 학벌이 종잣돈이 되는 세상, 아들 상수를 강남 8학군에 넣기 위해 온 힘을 다했다. 다세대 주택가의 허름한 빌라 1층. 이 이상 내 아들의 삶을 내려가게 하진 않으리라. 정임은 아들을 위해 허름한 마사지샵을 24시간 운영하며 밤낮없이 일했고, 다행히 정임의 실력이 강남 사모들 사이에서 소문이 돌아 마사지샵은 잘 자리 잡았다. 다소 무리는 했지만, 최근엔 강남의 좋은 상권에 마사지샵을 확장했고, 목이 좋은 만큼 비싼 임대료를 내느라 정임은 더욱 열심히 살고 있다. 자신의 젊음이, 청춘이, 손가락의 지문처럼 희미해졌지만 정임은 만족했다.

샵에 오는 고객들은 관리를 받으며 대부분 남편 욕을 했다. 제집 남편, 남의 집 남편, 가리지 않고 신나게 욕하는 그 모습을 가만히 보고 있노라면, 정임은 조금 부러워졌다. 자신도 남편 그늘 안 온실 속에 살았다면 꽃잎처럼 보드라운 손을 가졌을까. 누군가의 그늘은커녕 땡볕 맞으며 사느라 거칠어진 손을 보며 가끔은 침잠했다. 힘든 삶을 살아왔지만 청승맞거나 처연하지 않다. 남편이 죽은 후 상수가 큰 의지가 되었지만, 그런 자신의 마음조차 아들에게 부담이 갈까 부러 더 쿨하게 아들을 대했다. 적절한 거리를 두며 아들의 숨통을 트이게 했던 원조 걸크러시 엄마.

그럼에도 상수는 늘 정임을 살피고 보살폈다. 야식배달을 해주는 척 찾아와 물건도 정리하고, 무거운 박스를 옮겨주었다. 그러면서도 정작 저 힘든 건 한 번도 대놓고 내비치지 않는 아들이 안쓰러워 답답했다. 어릴 때부터 뭐 하나 제 욕심껏 사달라 졸라본 적도, 떼써본 적도 없는 아들이었다. 서른이 넘은 지금도 그렇게 살고 있는 걸 보니 꼭 자신이 그리 키운 것 같아 마음이 무거웠다. 좋은 여자와 행복한 가정을 꾸린다면 좋을 텐데... 아들이 평생 외로이 살까 걱정이었다.

그랬는데 상수가, 여자를 데려왔다.
자신의 샵 VIP 고객의 '따님' 박미경. 덮어놓고 좋아하면 되는데 상수의 표정이 자꾸만 마음에 걸린다. 어린이날 선물로 상수가 원하던 로봇이 아닌 신발을 사줬을 때, 딱 저 표정이었는데... 상수가 어떤 선택을 하든 한 걸음 뒤에서, 그 누구보다 단단히 서있어 주는 엄마.

수영의 사람들

심경숙(40대 후반, 女) • 박미현

수영母

타고나길 유순하고, 어질며, 독하지 못한 성격.
그러나 자식들을 위해서라면 악착같은 생활도 버텨내는 사람. 이른 나이에 한 결혼. 해외에서 지게차 기사로 일하는 남편은 대부분 집에 없었다. 전화도 한 달 한 번 겨우 5분 남짓이었고, 그마저도 못 하는 달이 부지기수였다. 외로웠지만, 아이들은 빠르게 커갔고 들어갈 돈도 배로 불어났다. 남편을 그리워하며 외로워할 여유 같은 건 경숙이 처한 현실에선 사치였다. 통영 중앙시장에서 국밥집을 하던 경숙은, 식당이 쉬는 날이면 보험까지 팔러 다녔다. 남편의 빈자리를 메꾸고, 생활비를 충당하기 위해 양말에 피가 얼룩지도록 열심히 일했다. 정이 많고 사람을 잘 챙기는 경숙의 진심이 통했는지 보험은 꽤 잘 팔렸다. 지인에게 소개를 받아 보험을 팔러 간 집에서... 그 사람을 만나기 전까진.

그리고 아들이 죽었다.
대학 진학도 포기하고 아르바이트를 하던 누나 수영을 돕겠다며, 오토바이 면허를 따고 배달 일을 돕던 착한 아들 수혁이가, 죽었다. 보험 실적을 올리기 위해 자식들 앞으로 들어두었던 생명 보험금, 아들의 목숨값이 입금되던 날. 경숙은 거울 속 자신에게 침을 뱉었다. 머리채를 쥐고 흔들었다. 이 모든 게 자신의 탓이었다. 경숙은 보험금에 손도 대지 않았다. 가족을 버린 아버지를 다시 받아주었다는 이유로 절연 선언을 한 수영에게 통장을 내밀었다. 다 잊고, 서울 가서 행복하게 살아. 엄만 이 돈 못 쓴다.

그러나 수영이 떠난 자리엔, 형벌처럼 통장이 남아있었다. 경숙은 다시 울었다. 지난날을 돌이켜 보며 자식새끼들과 걸었던 통영 시내를 밤새도록 맨발로 걸었다. 그때 발에 박힌 것이 유리 조각인지, 통렬한 죄책감인지 알 수 없으나 그 후로 다리를 절었다. 그런 경숙의 손에 숟가락을 쥐여주고, 등을 두드려준 건 남편 인재였다. 차라리 욕을 했으면, 자식 죽인 년이라고. 머리채를 쥐어뜯고 빰이라도 한 대 올려붙여 줬으면. 하지만 인재는 아무 말도 하지 않았다. 그저 매일, 경숙의 앞에 밥상을 내밀고, 등을 쓸어줬다.

"자식 잃은 심정 아는 건 나랑 당신뿐이잖아.
다 묻어둡시다."

인재의 말에 경숙은 그날의 진실을 가슴 깊이 묻어두기로 한다. 내 마음 편한 것보다 내 새끼 상처받지 않는 게 더 중하니까. 그 정도 염치는 있는 엄마니까. 경숙은 수영을 위해 더 큰 형벌을 자처하며, 뜨거운 진실을 삼키고 속죄로 살아간다.

안인재(50대, 男) • 박윤희

수영父

통영에 살던 치기 어린 남자는 동네 처녀를 보고 첫눈에 반해 결혼을 한다. 먹고살 길이 막막했던 남자는 지게차 기사로 해외를 돌며 처자식을 먹여 살렸다. 통영의 시원한 바닷바람 대신 시커먼 모래 먼지를 마셔가며, 머리가 하얗게 세는지도 모르고 치열하게만 살았다. 머나먼 타국 땅에서 외롭다고 느낄새도 없이. 인재가 정작 외로워지는 순간은 몇 달에 한 번 집에 돌아갈 때였다. 그토록 그리워했던 가족이고 집이었는데, 참 이상하게도 그 집 안에서 자신은 꼭 이물질 같았다. 가족들이 하는 말도, 대화도, 사춘기를 지나 달라진 아이들의 무서운 성장세도, 낯설었다. 그럼에도 가족들을 위한 자신의 삶을 감지덕지했는데.

보지 말았어야 했던 것을 보게 됐다.
알지 않았으면 좋았을 것을 알게 된다.

큰 충격에 빠진 인재는 집에 돌아가지 못한 채 은둔하는 시간을 가졌다. 멀리서나마 보고 싶어 수영과 수혁이 아르바이트하는 곳에 찾아갔을 때, 자신의 부재로 고생하고 있는 자식들을 보고 정신이 들었다. 상황을 바로잡을 수 있는 건 오직 자신뿐이란 각성을 했다.

그런데 그날.
비가 억세게 쏟아지던 그날. 아들 수혁이가 죽었다. 그리고 외도를 한 것이 인재라고 착각한 수영은 맹렬한 분노를 쏟아냈다. 아들이 죽고, 딸은 자신을 경멸하고, 경숙은 정신줄을 놓았다. 인재는 자신을 혼돈에 빠지게 했던 일이 사실이든 아니든 더 이상 중요하지 않아졌다. 긴 세월 자식을 함께 키워낸 부부의 사랑이란 그런 것이기도 했다. 인재를 오해하는 수영에게 사실을 말하겠다는 경숙을 막아섰다. 이미 애비 미워하며 가슴에 칼 꽂힌 자식, 애비한테 미안해하게 하지 말자고. 이번엔 엄마를 미워하며 살게 하지 말라고. 그게 다 무슨 소용이냐고. 당신 마음 편하자고 자식한테 또 상처 주지 말자고. 우리 벌은 그렇게 받자고.

자신을 미워하게 두는 게, 딸에게 해줄 수 있는 아버지로서의 최선의 선택이었다. 절연 선언을 한 딸 수영을 그리워하다, 수영이 일하는 영포점 옆의 시장통으로 식당을 옮긴다. 딸이 자신을 차갑게 봐도 좋았고, 아는 척도 안 해도 좋았다. 그저 오며 가며 출퇴근길에 얼굴을 보는 것만으로도 좋은 애잔한 아버지다.

미경의 사람들

윤미선(50대, 女) • 윤유선

미경母

외로움 많이 타고, 유약하기도 한, 새침데기 공주이고 싶었으나 푼수데기 사모가 된 여자. 젊은 시절 대한민국을 떠들썩하게 할 유명 여배우가 되고 싶었으나, 평생 돈 걱정 없이 살게 해주겠다는 미경부의 박력 있는 프러포즈에 결혼을 선택했다. 교환도 안 되고 환불도 안 되는 거액의 쇼핑처럼, 리미티드 에디션 백을 사듯 택한 결혼. 다행히 남편은 돈 버는 게 천직인 사람이라, 정말 평생 돈 걱정은 안 하게 해줬는데.

외로웠다.
남편은 묵언 수행하는 수도승보다도 말이 없는 사람이었다. 남들 눈에 넘치게 부유하고, 넘치게 행복해 보였지만, 넘치는 남편 덕분에 사무치게 외로웠다. 식탁에서 오손도손 얘기하며, 밥숟가락에 반찬도 올려주고, 그렇게 살고 싶었는데... 미선이 심통 나서 국에 소금을 한 숟가락을 넣어도, 남편은 그저 묵묵히 떠먹었다. 말 못 하는 짐승도 이거보단 소통하고 살겠다. 정말, 미치고 팔짝 뛸 거 같았다. 친구들을 보면 남편이랑 하루가 멀다 하고 싸운다던데, 미선은 차라리 그들이 부러웠다. 이 집에서 자신은 그저 자리를 지키면 되는 가구, 가전, 그것도 아니면 관상용 화분 정도 같았다.

외로운 날이면 배가 고플 때 음식을 먹듯, 백화점으로 가 물건을 산다. 명품을 보는 안목도, 딱히 새 물건을 사고 싶은 물욕도 없지만, 일일이 고르는 것도 귀찮아 VIP룸 소파에 앉아 카탈로그를 보고 구입한다. 그래서 미경이 집에 올 때마다 재고 처분하듯 태그도 안 뗀 명품들을 인수인계한다. 사실 엄마가 이렇게 많이 외로웠다고. 그니까 너라도 나랑 좀 놀아달라고. 마음 여린 엄마는 다 커버린 딸에게 그렇게 말한다.

미경이 여자가 되어가는 동안 미선은 다시 소녀가 되어가고 있다. 누군가에게는 온실 속 화초마냥 부러운 일일지 몰라도, 미경모에게도 나름의 삶의 무게는 있다. 그 무게에 눌려 행여라도 타고 태어난 꿀피부에 주름이 갈까, 회사에 출근하듯 마사지샵에 출근 도장을 찍는다. 외관은 좀 후져도 원장 손맛이 일품이었던 에스테틱 HAN. 근데 미경이 결혼하겠다고 데려온 남자가 에스테틱 HAN 원장의 아들이란다. 아니, 건물주도 아니고 하필 내 친구 건물에 세 들어 있는 후진 마사지샵 원장 아들이랑 사귄다고? 이건 뭐 찍어 붙여도 유분수지!

무조건 반대해야지 결심하고 나간 자리에 상수가 있다.
반대해야 하는데 자신의 남편과 달리 다정하고 따스한 상수를 보며 소녀 같은 미소가 나온다. 미경이 꼭 상수 같은 남자와 결혼해서 자신과 달리 따뜻하게 살았으면 좋겠다.

박대성(60대, 男) • 박성근

미경父

대성건설 대표. 묵묵하게 처자식을 먹여 살리는 말 없는 남자.
거래처 고객 집에 방문했다가 미경모에게 한눈에 반해 다음 만남에서 바로 프러포즈를 했다. 해맑은 소녀 같았던 미경모는 고개를 끄덕였고, 두 사람은 부부가 되었다.

가난한 집안의 아들로 태어나 힘들게 공부했고, 어렵게 자수성가했다. 사람 좋고 인자한 아버지는 여기저기 돈 빌려주고 떼이기 일쑤였고, 자식들은 굶어야 했다. 손가락 빠는 자식들을 보며 아버지는 인자한 표정으로 미안하다 사과했지만, 미안하다는 말로 배가 채워지진 않았다. 쌀 한 톨 생기지 않는 감정이었다. 대성의 인생에서 목표는 하나였다. 미경모와 미경이 먹고살 걱정을 하지 않게 하는 것. 천성이 무뚝뚝하고, 변명하는 것 없이 감내하는 것이 관성인 사람인지라, 아이가 태어나도 과장된 감흥은 느끼지 않을 거라 생각했는데...

갓난아이였던 미경과 처음 마주한 날. 막상 보니 이 핏덩이에 부성애가 절절 끓어올랐다. 단풍잎처럼 빨갛고 작은 손으로 자신의 손을 움켜쥐는 아이를 보고 대성은 결심했다. 좋은 아비 대신 쓸모 있는 아비가 되자. 아무짝에도 쓸모없는 다정한 말 한마디보다, 지폐 한 장을 더 쥐여주자. 자신이 직접 보고 듣는 것만 믿기 때문에, 예수나 부처는 물론 사람도 쉽게 믿지 않는다. 오로지 손에 잡히는 돈과 돈을 벌어다 줄 저 자신만 믿는다. 그렇게 경주마처럼, 앞만 보고 달렸다. 작게 시작했던 사업이 점점 커지고 건설사 대표가 되어가는 동안, 갓난아이였던 미경도 어느새 결혼을 앞둔 나이가 되어있었다.

적지 않은 나이지만 은퇴를 생각하기는커녕, 사업 확장을 생각하는 대성의 큰 고민은... 미경이다. 사랑으로 자신을 보던 미경의 눈빛이 어느 순간 건조해지고, 마치 직장에서 보는 상사, 아니 그보다 더 데면데면하게 구는 자신의 딸 미경. 대성은 크게 당황했다. 무능한 아버지처럼 자식들 고생시키기 싫어, 일만 하고 살았는데. 이제 와 보니 미경이 바랐던 건 '아무짝에도 쓸모없는 다정한 말 한마디'였다. 비뚤어진 딸자식을 달랠 방법을 몰라 다시 입을 꾹 다문다. 그게 대성이다.

그러던 어느 날.
미경이 처음으로 남자를 소개시키겠다고 데려왔다. 결혼하고 싶단다. 상수의 조건이 눈에 찰 리는 만무했지만 어쩌면 이게 미경과 화해할 마지막 기회일지도 몰랐다. 게다가 조건이란 대성이 채워줄 수 있는 것이었다. 내 딸에게 어울리지 않는 남자라면 이 박대성이가 나서서 어울리는 남자로 만들어주면 그만이다.

육시경(50대 초반, 男) • 정재성

지점장

KCU은행 영포점의 대감마님.
타고난 금수저에 비슷한 수준의 여자를 만나 실적 스트레스 없이 탄탄대로의 인생을 살았다. 지점에 실적이 모자라면 지인에게, 그것도 안 되면 와이프에게 전화해 단칼에 해결한다. 잔챙이 같은 고객을 상대하는 대신 우량 고객만 상대하면서 굵직한 성적을 내고, 그게 통하니 '육지점장이 상대하는 고객은 거물급이다'라는 평판이 퍼져 VIP들이 더 몰린다. 위에서는 예쁨받고 밑에서는 충성을 아끼지 않는 선순환이 계속된다. 상대를 높여주는 척 늘 존댓말을 사용하고, 세상 공평한 사람인 척 원칙주의를 내세우지만, 자신이 시키는 일엔 늘 '네, 알겠습니다' 소리가 당연히 나와야 한다 생각하고, 본심이 튀어나올 땐 저도 모르게 반말이 튀어나온다.

회의시간 습관 때문에 생긴 별명은 육기립.
칭찬을 할 때도 구박을 할 때도 행원들을 자리에서 일어나게 해서 붙여진 별명이다. 그래도 지점장실 책상 한가운데 떡하니 부인과의 사진을 올려두는 가정적인 면도 있다. 이팀장과 마대리는 '지점장처럼 든든한 와이프 얻어 잘 살아야겠다' 다짐하고 있지만, 모두가 부인이라고 알고 있는 여자는 사실 지점장의 내연녀다. 극 중반 이 사실이 밝혀지며 은행이 발칵 뒤집힌다.

노태평(40대 후반, 男) • 이화룡

부지점장

승진 시기를 한참 놓친 짠내 나는 중년.
나이 차이 얼마 나지도 않는 육지점장에게 굽신거려야 하는 자신의 처지가 처량하면서도, 지점장이 눈앞에 있으면 본능적으로 허리가 폴더폰처럼 접히는 애잔한 사람. 2년 이내에 지점장 승진을 하지 못하면, 은행이 문제가 아니라 마누라한테 잘리게 생겼다. 이런 초조함 때문인지 가끔 분노조절장애가 감기처럼 찾아온다. 그럴 땐 아무도 몰래 화장실에서 육시경 지점장의 이름을 '육시럴'로 중얼거리며 속을 달랜다.

이름대로 NO 태평한 그의 처지란...
2년 후까지 지점장으로 승진하지 못하면 명퇴 명단에 올라갈 목숨. 늦게 낳은 자식들은 이제 중학생, 아직 초등학생이고, 집도 아직 전세인데. 암만 기를 쓰고 해봐야 실적이라고는 늘 잔챙이들뿐이니, 태평할 턱이 있나. 사실 그는 사랑밖에 몰랐던 로맨티시스트라 집안의 완강한 반대도 무릅쓰고, 찢어지게 가난한 여자와 결혼해, 찢어지게 가난하게도 살았다. 그 결혼을 두고두고 후회하며 회식 때마다 '니들은 사랑만 보고 결혼하지 마라' 토로하지만, 막상 퇴근길엔 술에 떡이 되어도 마누라가 제일 좋아하는 전기구이 통닭 두 마리에, 자식들 좋아하는 떡볶이며, 순대, 아이스크림까지 양손 가득 사 들고 들어가는 가장이다.

이구일(40대, 男) • 박형수

 # 종합상담팀 팀장

조직에서 출세욕 좀 있는 40대 남자의 표본 같은 캐릭터.
행복을 추구하는 욜로족이자, 그중에서도 나의 행복이 가장 중요한 홀로족. 부모·형제는 이구일의 도움 없이 잘 먹고 잘살고 있으니, 앞으로도 이렇게 잘 살려면 처자식 안 만드는 게 무엇보다 중요하다. 자존심 팔아서라도 먹여 살려야 하는 대상이 없으니 그야말로 파워 당당, 눈칫밥 사절! 가장 역할 하느라 비굴하게 사는 노태평 부지점장을 볼 때마다 안도의 숨을 내쉰다. 휴, 까딱하면 저렇게 살 뻔했네...

스스로를 마초라고 생각하는 공능제.
공능제는 입사 동기 서민희 팀장이 붙여준 별명이다.

'...공능제? 로마황제, 진시황제 같은 뭐... 그런 건가?'

아니다. 공감능력제로. 줄여서 공능제다. 저밖에 모르니 희생, 배려, 공감 따위 알 리가. 심하게 남의 말에 공감을 못 하는 탓에 서민희 팀장에게 눈총받는 일이 다반사. 적절한 처세술과 사바사바의 기술로 은행 내에서는 지점장, 부지점장에 이어 서열 3위다(지점장 파문 이후 실세가 부지점장으로 바뀌자 덩달아 짠한 포지션으로 보직변경 된다). 마두식 대리와 더불어 대부계의 잡일은 팀의 막내 상수에게 모두 몰아주고, 어떻게든 빨리 퇴근해 술 마시러 가려는 생각으로 꽉 차있다.

마두식(30대, 男) • 이시훈

종합상담팀 대리

인간 확성기, 주접 메이커.
이구일 팀장과 함께 영포점 갈(수록)비(호감) 2인분 중 1인분으로 활약. 머리에 있어야 할 뇌가 식도 끝에 달린 탓에 생각을 거쳐 말하는 법이 없다. 미운네 살마냥, 따박따박 남의 심기 건드리는 말을 툭툭 잘도 한다. 영포점에 온 첫날, 빠르게 상하관계를 파악하고 이팀장에게 찰싹 붙어 충성을 맹세했다. 허세와 허풍이 묻어난 말투에, 밉상밉상 개밉상인 아부형 인간이지만, 생각보다 소심하고 의외로 순진한 구석까지 있는 만만한 캐릭터다.
아부와 아첨에도 성실함이 필요하다. 매일 아침 출근길, 버스 맨 뒷좌석에 앉아 핸드폰을 보며 열심히 외워대는 건, 영어문장도 아니고, 그날의 환율표도 아닌 싸바싸바를 시전할 때 필요한 각종 유행어들. 열심히 찾아보고, 달달 외워서 이팀장과 지점장 앞에서 아부할 때 요긴하게 써먹는다.

"...지점장님 유모차 회사에서 스카웃 제의받으셨죠?
제 마음을 애태우니까...☆ 체크!
...지점장님 완전 폐인이시네요...
절 취하게 하는 샴페인...☆ 체크!"

지점 사람들 중 자신의 라이벌은 이팀장도, 상수도, 경필도 아닌 얼굴천재 종현이라고 생각한다. 은행경비원으로 일하면서 저렇게까지 생길 필요가 있었을까? 볼 때마다 얄밉고 부아가 치민다. 그래서 종현에게 개인적인 심부름을 시키고 작은 실수에도 과한 면박을 줬는데. 아니, 은행의 말단 정종현이가 안수영과 사귄다고...?! 우씨...나도 안수영보다 좋은 여자 꼬옥 찾고야 만다.

서민희(40대, 女) • 양조아

예금창구팀 팀장

인자한 미소, 다정한 말투, 지장보살을 떠올리게 하는 외모 때문에 영포점 보살로 통한다. 은행에서는 노련미 만렙의 과장이지만, 집에서는 아들딸 둘을 키우는 워킹맘. 은행 일은 만만해졌는데 육아는 해도 해도 체질에 안 맞는다. 아이들 반찬 만들기도 배변교육도 조기교육도 뭐 하나 수월한 게 없어 집보다 은행이 편하다. 내가 왜 잘하는 거 두고 육아로 고생해야 하는지 한탄스럽다.
'원랜 안 되는데, 살짝 해드려야지 뭐...'가 단골 멘트. 그래서였을까. 어딘지 모르게 추워 보이는 수영을 유독 잘 챙겨주는 인물이다. 수영을 볼 때마다 그녀는 진심으로 생각한다. '어쩜 저렇게 나 젊을 때랑 똑같이 생겼지...가끔 거울 보는 거 같다니까.' 그런 그녀를 볼 때마다 은행 사람들도 생각한다. '똑같은 건 눈코입 개수 말곤 없는 거 같은데...'

배은정(30대, 女) • 조인

예금창구팀 계장

칼 같다. 매몰차고, 가차 없다.

창구에서도 최대한 내 앞으로 오지 말라고 고객들에게 레이저를 쏜다. 번호표가 코앞에서 지났다며 사정하는 고객에게도, 환자복을 입고 온 고객에게도, 인정사정 안 봐주고 칼같이 쳐낸다. 그러면서 희열을 느낀다. 때문에 영포시장 상인 내에 기피 행원 1호다. 푸근한 서팀장, 공주님처럼 상냥한 안수영, 푼수데기 지윤의 창구가 모두 차야 은정의 창구로 간다. 그러나 대상을 가려가며 비굴하게 싸가지 없는 캐릭터는 아니다. 두루두루 공평하게 싸가지가 바가지인 나름 개념 있는 싸가지다. 그런 은정을 보며 서팀장은 심히 걱정스런 얼굴로 진심을 담아 말한다.

"배계장아... 그러다 너 돌 맞어."

지점의 꽃이라 불리는 수영을 시기하지만, 동경하는 마음도 있어서 사실 친해지고 싶다. 수영보다 늦게 일을 시작했으나 일반직군이라 승진은 더 빨리했고, 그런 자신을 수영이 혹시라도 무시할까 주기적으로 수영의 기를 죽이려고 한다. 그럼에도 꼿꼿하게 예의를 지키는 수영을 보며 처음엔 짜증이 났지만, 저도 모르게 전우애를 느끼며 지점장 사건 때 수영 편에 서게 된다. 욕하려는 생각으로 눈에 불을 켜고 지켜보다 저도 모르게 수영을 인정하게 된 것. 까도 내가 까지, 알지도 못하면서 수영을 욕하는 게 괜히 짜증스럽다. 그러면서도 '수영씨 편들어 준 게 아니라 사실만 말한 거다'라고 뻰대는 캐릭터.

양석현(30대 중반, 男) • 오동민

총무과 대리

하상수, 소경필과 함께 영포점의 세 얼간이로 활약 중이다.

실적이 낮다고 부지점장에게 깨지던 날, 아빠 찬스로 바로 5억을 예치하며 행원들을 놀라게 한 인물. 그 뒤로는 실적이 낮아도 부지점장에게 혼나지 않는 유일한 사람이 되었다. 결혼은 사랑으로 하겠다며 푸세식 화장실이 있는 집의 장녀와 열렬한 연애를 했으나, 결혼을 준비하는 과정에서 계급의 차이를 온몸으로 느끼며 파혼했다.

"현실을 뛰어넘는 사랑은 로미오 줄리엣이나 하는 거였어.
...개넨 그래도 집안 형편은 비슷했잖아."

그 뒤론 인생관이 바뀐다. 선결혼 후연애로.
생각해 보면 우리의 선조들은 혼인날 처음 만나도 애 숨풍숨풍 낳고 잘 살지 않았던가. 왜 조선시대 이혼율이 더 낮고, 출산율은 더 높겠는가. 문제 될 게 없는 상대랑 결혼 먼저 하는 건 역사적으로 검증된 시스템이다. 금감원 부원장 딸과 선을 보고, 선본 지 한 달 만에 상견례에 식장 예약까지 해치운다. 가난하던 연인과는 죽어라 애써도 안되던 게, 금감원 부원장 딸과는 뭐가 이렇게 순탄한지. 물 흐르듯 일사천리로 척척 진행되어 가는 결혼을 앞두고 생각이 많아진다.

김지윤(20대, 女) • 오소현

총무과 주임

영포점의 실질적 막내.
1급수마냥 맑고, 깨끗하고, 자신 있는...것까진 좋았는데. 과한 해맑음으로 매일같이 실수 연발이다. 고객들 사이에서도 영포점 째깐한 폭탄으로 통한다. 일 처리에 30분은 기본이고, '고객님 잠시만요'를 연발하는 통에 나이 지긋하고 시간 넘쳐나는, 영포점에 처음 와서 뭘 모르는 고객들만 지윤의 앞자리에 배정된다. 고객들은 지윤이 답답하게 굴어도 '죄송해요, 헤헤', '어머 이를 어째, 헤헤' 하면, 가슴을 팡팡 내리치긴 해도 기다리게 된다. 어린애한테 화 못 내는 것과 같은 심리랄까.

영포점에는 서비스직군이 딱 두 명 있는데 한 명은 안수영이고, 한 명은 지윤이다. 금융창구 행원들 사이에서 미운 오리 새끼처럼 동동 떠다니기 싫어 은정에게 착 붙었다. 수영에게 언니라고 부르는 법 없이 꼬박꼬박 수영씨, 수영씨, 하면서 동급인 것처럼 굴지만, 은정이 수영을 서비스직군이라며 무시하고 끌어내릴 때면 꼭 자신에게 하는 말 같아 뜨끔한다. 생존전략상 수영과 거리를 두려고 하면서도, 수영이 수모라도 당하는 날엔 '내가 죽도록 노력해 봐야 안수영일 텐데...' 저게 꼭 자신의 미래 같아 슬프다. 아니, 자신은 안수영만큼도 못 될 거 같다.

그 외 인물

차선재(20대, 女)

종현과 같은 스터디를 하고 있는 여대생.
사실 요즘 공무원이 대세니까, 친구들도 다 하니까, 가벼운 마음으로 스터디에 한번 나가본 건데. 공부보다 종현에게 푹 빠져 스터디원 중 가장 열정적으로 스터디에 참여한다. 밝다. 맑다. 자기가 어떻게 웃으면 귀여운지 아는 아홉 살짜리 여자아이 같은 면도 있다. 종현이 좋아하는 사람이 누군지도 알지만, 상관없다. 종현의 마음은 종현이 거고, 내 마음은 내 거다.
그리고 무엇보다 자신은 나이가 어렸다. 종현과 함께 보낼 시간도, 가능성도, 누구보다 훨씬 많았다.

#S 장면(Scene)을 표시하는 것으로, S 뒤에 숫자를 달아 장면의 순서를 표기한다.

인서트 INSERT 화면의 특정 동작이나 상황을 강조하기 위해 삽입한 화면으로 이 화면을 삽입함으로써 상황이 명확해지고 스토리가 강조되는 효과가 있다.

플래시백 FLASHBACK 과거 회상을 나타내는 장면 효과로, 현재 일어나고 있는 사건의 인과를 설명할 때 쓰이기도 하고, 인물을 성격을 말하기 위해 쓰이기도 한다.

(E) 이펙트 Effect 대사와 음악을 제외한 효과음을 뜻하며, 보통 등장인물은 보이지 않고 소리만 나는 경우에 사용한다.

(F) 필터 Filter 전화기를 통해 들려 오는 대사나 마음속으로 하는 이야기를 표현할 때 사용한다.

(N) 내레이션 Narration 등장인물 사이에 오가는 대사가 아닌 독백이나 시청자를 향한 설명을 뜻한다.

(OL) 오버랩 Overlap 현재의 화면이 사라지면서 뒤의 화면으로 바뀌는 기법이다. 대사에서 OL은 앞 사람의 말을 끊고 틈 없이 말을 할 때 쓰인다.

몽타주 Montage 따로따로 편집된 장면들을 짧게 끊어서 연결해 하나의 긴밀하고도 새로운 내용으로 만드는 편집 기법을 의미한다.

1부

S#51. **놀이터(D)**

석현 첨부터 만나지 말걸. 왜 사랑해서.
현실을 뛰어넘는 사랑은 로미오 줄리엣이나 하는 거였어.
걔넨 그래도 집안 형편은 비슷했잖아. 마음이, 맘이 너무 아파.

S#71. **거리 일각(N)**

상수N **안수영을 향한 내 마음은 인출사고였다.**
마음을 꺼내면 안 됐던 상대에게, 마음을 줘버린 사고.

2부

S#1. **프롤로그**

수영N **사람들은 선을 긋는다. 때론 아주 사소하게.**
때론 너무나 노골적으로.
그리고 그걸 당연하게 여긴다. 출발이 다르니까.
공평한 기회처럼 보이는 일도 교묘한 차별일 뿐.
선 밖에 있는 사람은 선 안쪽으로 쉽게 넘어갈 수 없다.
상처받지 않는 방법은, 그냥 인정하는 것.
이곳에서 나는...선 밖에 서있는 사람이다.

3부

S#25. **스카이빌딩 바(N)**

상수 쉽게 만나고 쉽게 헤어지는 거 싫어서.
책임이 따르니까.
누군가를 좋아하는 마음에도, 책임이...따르니까.

S#33. **공원(D) – 회상**

수영 내 꿈은 평범이다. 평범하게 사는 거.
평범하단 건 부족한 게 없단 거야.
두루두루, 잘 산단 뜻이지. 그렇게 살고 싶다.

4부

S#2. **은행 용품고(N) – 과거**

상수 내가 자라온 곳에서 나는...미운오리 같았어요.
누가 대놓고 말한 것도 아닌데 그냥 알게 됐어요.
누군가한텐 평범한 게 나한텐,
가랑이 찢어지게 발버둥 쳐야 가능한 벽이란 거.
그들이 말하는 '평범'은 자신들이 가진 걸
조용히 드러내는 표현이라는 거.

S#21. **몽타주**

상수N **내게 있어 행복은 되돌리고 싶은 순간을 만들지 않는 거였다.**
어떤 이의 죽음은 남은 사람의 삶을 바꾸고,
평생을 따라다니는 족쇄가 된다.
삶의 무게를 알아버린 사람은 늘 머뭇거린다. 망설이게 된다.
그럼에도 내가 한 선택들은 늘 행복과 어긋났다.

S#58.	**은행 옥상(D)**
수영	시간도 기회도 행복도...사랑도. 공평하게 주어지지 않는다는 거 잘 알고 있는 줄 알았는데 아니었어요. 사는 건 제로섬 게임 같은 건데. 누가 행복해지는 만큼 내가 불행해지는 거. 아무리 노력해도 닿지 않는 거.

5부

S#48.	**포장마차(N)**
상수	사람들은 다...각자의 불행과 상처를 안고 사니까. 선불리 판단하는 것도 선불리 위로하는 것도 못 하겠어 그래서.

S#69.	**도로 + 버스 안(N)**
수영N	**이런 거다.** **괜한 오기를 부리게 하고. 흔들렸으면서도.** **끝내 솔직하지 못했던 이유.** **그 남자의 망설임을 나조차 이해해버렸으니까.** **감정에 솔직할 수 있는 권리가 나한테 없다는 거.** **발버둥 쳐봤자 내가 가진 처지라는 게...고작 이 정도라는 거.**

6부

S#32.	**은행 문서고(N)**
수영	우린 결국 잘 안됐을 거예요. 너무 다르니까.

S#41.	**은행 흡연구역(D)**
경필	사랑이 뭐. 뭔데. 그렇게 대단해? 사람들은 참 이상해. 물건 하나를 사도 재고 따지고 후기까지 샅샅이 따져보면서.

사랑이란 감정에만 무진장 결벽을 떨어요.
속으로는 온갖 계산 다 하면서 아닌 척.
다른 게 섞이면 천하의 나쁜 놈, 속물 취급.

S#81. **한강공원 조깅로**(N)

미경 다치면 좀 어때. 달리는 동안 기분 좋았잖아.
상처는 날 수도 있는 거고.

7부

S#38. **종현의 옥탑방 안**(N)

종현 난 내가 0인 줄 알았는데,
가진 게 없어도 채우면 되는 그런 숫자.
근데 착각이었어요. 나한텐 0도 과분했고,
내 인생은 마이너스였고. 그냥 다, 다.

S#54. **몽타주**

수영N **숫자는 많은 걸 말해준다.**
재산. 사회적 지위. 가능성의 모든 것.
그리고 알게 한다. 미래가 힘든 사람이라는 거.
내가 감당하기 어려운 상대라는 거까지.

8부

S#69. **결혼식장 피로연장**(D)

상수N **눈앞에 있다.**
수영N **가질 수도 있었던 사람이.**
상수N **그러나 놓쳐버린 사람이.**
생각하지 않는다.

수영N 바라보지 않는다.

상수N 또다시 원하게 될까 봐.

마음을, 속이지 못하게 될까 봐.

수영N 바라보지 않는다.

상수N 또다시 원하게 될까 봐.

마음을, 속이지 못하게 될까 봐.

The Interest of Love

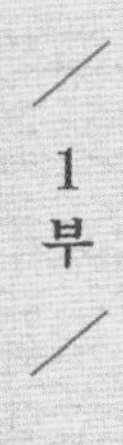

Ep 1

S#1. 은행 객장(D)

화장기 없는 수영의 옆모습. 앉아 있는 행원들 사이로 보였다, 안 보였다, 몽환적이기까지 하다. 수영의 속눈썹, 콧날, 새초롬한 입술, 고개를 돌리면 드러나는 가느다란 목선...입술을 동그랗게 모아 숨을 뱉다가, 옆 동료에게 지어 보이는 옅은 미소까지...수영, 문득 시선을 느끼고 돌아보면, 그와 동시에 황급히 시선을 내리는 사람, 상수다.

상수 (쳐다보는 게 들켰나...? 침을 삼키며 눈알을 굴리는데)
수영 (상수를 보고 있다)
상수 (다시 수영 쪽에 시선이 가다가 헉....! 고개 획 돌리는)

땡! 경쾌하게 울리는 종소리.
화면이 확장되면, 업무 준비를 마치고 각자의 자리에서 대기 중인 은행원들의 모습이 보인다. 객장 왼쪽부터 종합상담팀, 예금창구팀 행원들 앉아 있고, 창구 안쪽으로 총무과가 자리하는. 은행 메인데스크에 놓인 황금색 교탁종, 육지점장이 다시 한번 땡! 하고 치면, 그게 신호탄인 것처럼, 정문 앞에 선 은행경비원 종현이 양손으로 중앙문을 활짝 열고. 우르르 쏟아져 들어오는 고객들. 성큼성큼 다가오는 고객들을 바라보며 직업적인 미소를 지어 보이는 상수의 위로,

상수N **오전 9시 정각. 은행의 문이 열린다.**

S#2. 은행 소개 몽타주(D)

은행 위 항공샷. 은행을 중앙에 두고 왼쪽에는 증권가가, 오른쪽에는 시장통이 보인다. 상수의 내레이션에 맞춰 왼쪽과 오른쪽이 번갈아 가며 보

여진다. 슈트를 빼입고 높은 빌딩에 들어가는 회사원 군단, 얼음 위로 생선을 놓고, 카트에서 배추포대를 내리는 등의 시장사람들이 대조되며 보여지는 위로,

상수N **창립 62주년을 맞이한 KCU은행.**
왼쪽으로는 화이트칼라들이 일하는 증권가가,
오른쪽으로는 50년 전통의 재래시장이 있는 곳.
이곳 영포점에는 매일 300명 이상의 고객들이 방문한다.

S#3. 은행 객장 몽타주(D)

종합상담창구 푯말이 달린 창구, 상수가 자리에 앉는 고객에게 깍듯이 인사한다. '어서 오십시오. 사랑합니다, 고객님.' 말하는 상수의 위로,

상수N **그러나 모든 고객을 똑같은 크기로 사랑하는 것은 아니다.**

/번호표를 뽑는 손, 손, 손.
자신의 차례를 기다리며 마냥 대기 중인 일반 고객들.
허리에 전대를 찬 시장 상인도 섞여 있고, 평범한 서민의 모습들이다.

상수N **은행에 돈을 빌리러 온 고객은 직접 번호표를 뽑고 대기한다.**

/서팀장의 에스코트를 받아 예금창구에 앉는 고객.

상수N **은행에 돈을 빌려주러 온 고객은 에스코트를 받는다.**

/거드름 피우는 자세로 지점장실로 들어가는 VIP 고객.
소파에 앉아 있다가 벌떡 일어나 VIP 고객을 맞이하는 지점장 위로,

상수N **일정 금액 이상을 예치한 VIP는 번호표도 없이 지점장실로 직행하고, 진짜 VVIP는 은행에 찾아오지도 않는다.**

/인서트 >대저택의 거실.
팸플릿을 내려놓는 은행 직원, 'VVIP 고객님들께만 한정 판매되는 상품인데…' 팸플릿을 들어 올리는 50대 여인의 뒷모습.

상수N **은행원이 직접 집으로 찾아가니까.**

/다시 객장.
상수가 '무담보 신용대출은 아무래도 한도가 많이 나오긴 힘드시구요' 등 상담멘트를 날리는데, 대기 시간이 길어 종현에게 컴플레인하던 고객, 지점장실에서 나오는 고객 보며 '저 사람은 뭔데! 지금 사람 차별하는 거야?!' 항의하는 위로,

상수N **맞다. 우리는 차별한다. 통장에 얼마가 찍혀있는지, 한 달에 얼마나 쓰는지로. 조선시대의 계급은 신분이 정했고, 2022년 대한민국의 계급은 돈이 정한다. 은행을 찾는 사람들에게도, 은행에서 일하는 우리들에게도, 계급이 있다. 그리고…**

파란색줄(일반직군) 명찰 목걸이를 차고 있는 상수, 그 왼쪽으로 이어지는 자리에 앉은 마대리, 이팀장의 목에도 같은 색의 목걸이가 걸려있고. '안수영 주임' 명찰은, 노란색줄(서비스직군) 목걸이에 달려있는데…

업무 중인 수영의 책상 한 켠으로 쓰윽, 올려지는 귀여운 형광펜 세트.
수영이 옆을 올려다보면, 상수가 어색하게 눈인사를 하고 지나간다.

수영 (피식 웃으며 형광펜 안쪽으로 챙겨 두는데)
상수 (수영이 좋으면서도 복잡미묘한 표정이고...)
상수N **나와 그녀의 사이에도...**

접객 중인 행원들 사이로 상수도 자리에 앉으면...타이틀, **〈사랑의 이해〉**

S#4. 아이스하키장(D)

경기복을 입은 상수, 몇몇 팀원들과 아이스하키 중이다. 그 모습을 담고 있는 카메라. 헬멧 안으로 보이는 상수의 집중한 표정, 거친 공격으로 수비수를 따돌리고 골대에 퍽을 넣는 등. 화면 바뀌면, 경기복 입고 인터뷰 중인 상수. 상수 옆으로 사내아나운서, 앞에 카메라 든 PD.

사내아나운서 지난달 열린 직장인 하키 대회에서 우승하셨는데요. 소감 한마디 부탁드립니다.
상수 (어색하고, 경직된)네. 굉장히...기쁘게 생각합니다.
사내아나운서 (상수에게 작게)저, 좀 기일게, 길게 좀 말씀해주세요.
상수 (아...알아듣고)네. 행원들의 자기계발과 여가활동을 위한 KCU은행의 사내동호회 지원 덕분에, 우승이라는 좋은 결과를 거두게 된 것 같습니다. 감사합니다. (핸드폰 진동 오자 양해 구하며)이제 끝났나요? 지점에서 계속 연락이 와서요.

은행원 모드로 돌아가 통화하며 걸어가는 상수.

상수 (통화하며)네, 마대리님. (듣고)그 고객님은 보증기금으로 빼려구요. 보증재단은 한도가 높긴 한데 심사기간이 길잖아요. 제가 가서 마무리할게요.

S#5. 은행 객장(D)

마대리, 전화 끊고 이팀장에게 다가와서.

마대리 이제 끝났대요. 와서 처리한다구.

이팀장 상수 갠 지가 지금 멋있을 때야? 빨리 와서 실적 한 건이라도 더 올려야지. 사내방송팀도 그래. 뭔 촬영을 평일에 하고 그러냐.

마대리 그 사람들도 주말엔 쉬고 싶으니까?

이팀장 (마대리 홱 째려보는)

S#6. 은행 갱의실(D)

좌측엔 남자탈의실 문, 우측엔 여자탈의실 문, 가운데 공간에 소파, 테이블, 소형냉장고, 싱크대, 전자레인지 등이 마련되어 있는 탈의실 겸 휴게 공간. 서팀장, 은정, 지윤, 도시락 먹고 있다.

지윤 (은행 SNS에 올라온 상수 영상 보며)은행 SNS에 하계장님 인터뷰 올라왔어요.

은정 (옆에 붙으며)나도 봐봐. (감탄)뭐야. 이렇게 보니까 느낌 다르다.

지윤 그쵸. 경기복 입은 거 보니까 진짜 선수 느낌도 좀 나구?

서팀장　　좋으면 대시해보든가.

지윤　　(에이)하면. 넘어오겠어요. 요즘은 남자들이 조건 더 따져요. 전 대학도 지방대, 은행에서도 서비스직군.

서팀장　　그게 뭐. 다 같은 은행원인데.

은정　　(은근한 자부심)다 같진 않죠. (인서트>지윤 노란색줄)서비스직군은 예전으로 따지면 무기계약직이구. (자신의 파란색줄 당기며)일반직군은 공채출신인데. (지윤에게)너도 한 살이라도 어릴 때 직군전환 해. 안 그럼 안수영처럼 어정쩡해진다.

서팀장　　넌 말을 해도. 안수영은 또 나갔어?

은정　　(못마땅)점심은 혼자 먹잖아요, 맨날. 어딜 그렇게 가는지.

S#7.　　은행 앞 + 일각(D)

단정하게 머리를 묶은 수영, 어딘가로 향하고 있는데...은행 모퉁이를 돌자마자, 빠른 걸음 유지한 채 머리고무줄을 당겨 내린다.
바람에 흩날리는 머릿결. 알 수 없는 표정의 수영.

S#8.　　공원 벤치(D)

벤치 위에 놓이는 페트병 음료, 삼각김밥. 수영, 긴장이 풀어진 얼굴로 삼각김밥을 먹고 있다. 천천히 밥알을 씹어 넘기다 가슴께에 떨어진 부스러기를 터는데...문득, 명찰목걸이에 시선이 가고.

수영　　(색이 바랜 줄을 괜히 당겨보았다가...명찰 위 '주임' 글자를 손으로 문지르는)

후...숨을 깊게 내뱉더니...쓸쓸한 눈으로 산책하는 이들을 바라본다.

S#9. 시장통 전경(D)

시장 아케이드 문주에 새겨진 '영포중앙전통시장'. 호객하는 상인들의 목소리, 가격을 묻는 손님들의 목소리가 뒤섞여 왁자지껄한 분위기.

경필 (생선 파는 상인에게)엄마! 빠마 마셨네! 이쁘다! / (배추 쌓는 상인에게)아구 아부지! 벌써 나오심 어떡해요! 무릎 수술한 지 얼마나 됐다구! / (젓갈 상인에게)어무닌 또 왜케 야위셨어! 어디 아프셔?

젓갈상인 레몬디톡시(스) 했어! 턱선 사니까 인물도 살지!

경필 (웃으면서)적금 만기 되시잖아요, 한번 오세요.

상수 (경필 곁으로 합류하며)소지랖, 영업 잘 한다. (젓갈상인에게)안녕하세요, 어머니.

젓갈상인 아이구. 상수 오늘 장가 가? 신수가 훤하네. 우리 딸 만나볼텨?

상수 (친근하게 받아치는)에이, 맨날 자랑하시는 따님 아까우셔서 어떻게 그래요.

S#10. 시장 안 국밥집(D)

상수, 경필, 자주 오는 곳인 듯 자리를 잡고 앉는다.

경필 (물통 꺼내며 주방 향해)엄마! 우리 국밥 두 개!

상수 (자리에 앉아 숟가락 놓는데)

경필 (상수 인터뷰 SNS 화면 보여주며)너 화면빨 좀 받는다. 주가 오르겠는데?

상수　　그럼 뭐 해.

경필　　뭐 하긴. 연애하지. 뭘 모르는 척. (슬쩍)아님, 맘에 둔 사람이 따로 있어? 안수영..이라든가?

상수　　(뜨끔)뭐라냐.

경필　　아침에 둘이 막. (S#3의 눈인사 우스꽝스럽게 따라하며)이러던데. 눈병 난 줄.

상수　　(표정)

국밥사장, 국밥을 상수, 경필 앞에 놔주며 '다 먹음 싱크대 담가놓고 가' 하고 가고. 경필, 과장된 동작으로 하트 날리며 '엄마, 이따 은행 꼭 오는 거예요!' 하고.

상수　　(젓가락 종이로 수저 받침대 만들어서 놔주는데)

경필　　디테일한 새끼. 반하겠다.

상수　　사절이다.

경필　　안수영이 너 신행 때 사수도 해주지 않았나.

상수　　...그랬나. 근데 그게 뭐.

경필　　그게 벌써 3년 전이고. 썸을 탔어도 열댓 번은 탔을 시간인데.

상수　　...밥이나 잡솨.

경필　　(상수 속이 보이는)하긴. 본점 가려면 조용히 일만 하는 게 현명한 거지. 사내연애하면 인사부에서 제일 먼저 안다더라.

상수　　(표정)

S#11.　　　놀이터(D)

나른한 표정의 수영, 막대사탕을 먹으며 그네를 타고 있다. 하늘도 보고...구름도 보고...조용히 시간을 보내는데, 요란하게 울리는 핸드폰 벨소리. 수영, 핸드폰 액정을 힐긋 보더니 받지 않고 핸드폰 울리게 놔두는. 그래도 계속 울리자,

수영　　　(받아서, 싸늘한)전화하지 말랬잖아. 나 좀 내버려 둬 제발. (끊는)

그때 수영 앞에 와서 서는 어린아이. 수영을 빤히 쳐다본다.

수영　　　(주머니에서 사탕 꺼내며 미소)먹을래?

S#12.　　　시장 떡집 앞(D)

떡집사장, 대형찜기의 뚜껑을 열면, 모락모락 피어나는 김 사이로 맛있게 쪄진 옥수수 술빵. 상수, 경필, 고등학생들마냥 얌전히 서서 차례를 기다리고 있다.

떡집사장　　　지견(지겨운) 놈들. 카드도 만들어줬구만 왜 맨날 와싸.

상수　　　에이, 하루만 걸러도 섭섭해하시면서.

떡집사장　　　(갓 찐 술빵 한 개. 반으로 뚝 잘라 상수, 경필에게 나눠주며 심드렁)식혜루 줘?

경필　　　오늘 기분이 딱 수정과에 뜬 잣같애서 수정과! 많이 주세요, 아부지! (떡집사장 들어가면 상수에게 속닥)내가 이 시장에만 엄마아부지가 서른 명이 넘는다.

상수 (웃고)

경필 은행은 신의 직장이 아냐. 은행이 신이고 우린 그냥. (개떡 들어 보이며)이거. 개떡. 그냥 개떡이야.

웃던 상수, 윙— 공사 소리에 앞 골목을 보는데,
식당 한 곳(인재의 식당)이 싱크대 공사 중이다.

S#13. 은행 일각(D)

수정과 쪽쪽 빨며 경필과 들어오던 상수, 뒷문으로 들어가려다 문득 정문 쪽을 본다. 허름한 차림의 사내(인재), 정문 주위를 서성이며 들어갈까 말까, 머뭇거리는 발걸음.

상수 (인재를 보는데)

경필 (상수 툭 치며)왜?

상수 아니.

S#14. 은행 자동화실(D)

상수와 경필, 은행 안으로 들어오는데, 청경복 입은 종현이 곤란한 얼굴로 서있다. 보면, 유모차에 의지한 거동 불편한 노인(낡은 옷차림), 카드 들고 울상이고. 경필은 관심 없다는 듯 안으로 휙 들어가는데. 상수, 마음에 걸리는 듯 노인을 바라본다.

노인 아들이 오늘 꼭 부친다고 했는데. 오늘 집세도 내야하구 라면도 떨어졌는데...

종현 (곤란한)고객님, 그럼 아드님께 다시 전화를 해보는 게 어떠실까요.

노인 (주눅)전화가 꺼져 있대잖아.

종현 (아.....노인이 안 됐고...)

상수 (상황 알겠는, 노인에게 다가가)고객님.

노인 (상수 보고 반색)상수 왔어? 상수야, 니가 좀 해봐봐.

/ATM기 액정에 떠있는 잔액조회 화면. 5,320원이다.
상수, 잠시 고민하다가 등 돌린 채 자신의 지갑을 꺼내는. 만 원짜리 대여섯 장 정도 있는데. 은행 봉투에 3만 원 정도 넣는 상수. 잠시 망설이다, 그냥 지갑에 있는 지폐를 다 꺼내 넣는다.

상수 (노인에게 다가가 웃으며)우선 이 금액만 들어온 거 같아요. 우선 이걸로 라면이랑 생수 사시고. 아드님이랑 다시 통화해보세요.

노인 (밝아지며)그치? 들어왔지? 세상 효자거든, 우리 아들이.

상수 (웃으며)생수는 배달해달라고 하세요. 무거운 거 들지 마시구.

노인, 상수에게 손 흔들며 나가고.

종현 (상수가 하는 걸 봤다. 좋은 사람이다.)

상수 (검지를 입술에 대고 비밀이라고)

종현 (지퍼 채우는 동작 하며 끄덕)

상수 점심 먹었어요?

종현 이제 가려구요.

상수 (카드 건네며)이거 가져가요. 이번 달 진행비 남았어요.

종현 안 주셔도 되는데...감사합니다.

상수 (미소로)맛있는 거 먹어요.

S#15. 은행 객장(D)

비교적 한산한 종합상담창구와 달리 예금창구는 꽉 차있고,
대기고객도 여럿이다.

/은정 (타성에 젖은, 칼 같다. 고객에게)네, 안 되세요. 저분들도 다 기다리시는 분들이세요. / (단호)네, 안 되세요. 번호표 뽑고 오실게요.

/서팀장 (고객이 내민 서류 보면서)원랜 안 되는데, 살짝 해드려야지 뭐.

/지윤 (서랍 여는데, 초콜릿, 사탕, 과자류로 빼곡하고, 하나 꺼내 우물우물 씹는다. 고객이 오자 황급히 삼키며 웃는데, 이에 초콜릿이 껴있고)사랑합니다. 고객님.

/마대리 (고객의 말 듣고 하하하 웃으며)아뇨! 팀장은 저분이시고 전 대리...제가 인생을 얼굴로 맞짱뜨는 바람에 숙성이 빨리 됐습니다. 하하하!

/이팀장 (고객 보며)대출이 아니라 환급 건이요. (귀찮은)이 건은, (상수 보고)저기 하상수 계장이 도와드리겠습니다. 하계장?

상수 (손 들며)네 고객님. 이쪽에서 도와드리겠습니다.

수영, 언성 높여 질문해대는 고객 상대로 친절한 미소 장착하고 접객 중이고. 상수, 밀려있는 예금창구와 수영을 신경 쓰며 서둘러 자신의 고객을 보내려 하는.

상수 (마무리)은행으로 오지 않으셔도 저희 은행 어플 들어가시면 원금상환 메뉴가 따로 마련되어 있습니다. 더 궁금하신 사항 없으시구요? (고객 보내고, 수영 쪽으로 가는, 수영 앞의 고객이 뭔가 기입하는 사이에)제가 좀 당길까요?

수영 (창구 너머로 대기 몰린 고객들 보고, 미소)감사해요.

상수 (그 미소에 마냥 좋은, 미소 참는 얼굴로 대기 버튼 누르고) 418번 고객님. 3번 창구에서 도와드리겠습니다.

고객 (창구 앉으며 신분증 건네는)카드 받으러 왔는데요.

상수 (신분증 확인하며)김성훈 고객님. 잠시만 기다려주세요. (창구 뒤 카드 보관함 서랍 열어 카드 찾으며)옷이 아주 멋지시네요.

고객 바로 공항 갑니다. 제주도. 동창들이랑 여행하거든요.

상수 와, 좋으시겠어요. (하는데)

진상고객E 이게 뭔 정성스런 개소리예요?

상수 (수영 창구 쪽이다! 놀라서 보면)

수영 앞에 앉은 진상고객, 판매 리스트 종이를 흔들며 따지고 있다.

진상고객 최대 이자가 꼴랑 30인데, 최대 손실액은 350이라는 거 아니에요, 결국에는!

수영 (침착한)그렇긴 한데요, 말씀드렸듯이 미국 지수가 두 배 이상 하락하는 경우는,

진상고객 (OL)그쪽이 책임질 수 있어요? (종이 가리키며 점점 분노) 여기도 있네, 원금손실가능상품! 그쪽 같음 30 받자고 350 손해날 짓을 할 거 같냐구!

수영 (미소 잃지 않고 침착한)고객님께서 예금보다 이율이 높은

상품을 권해달라 하셔서 안내해드린 거구요,

진상고객	(OL)그 말은 잘 모르니까 속이려던 게 맞다는 거네!
수영	(흔들림 없는 미소로)오해하시게 했다면 죄송합니다. 고객님.
상수	(도와주고 싶다. 마음이 급한. 카드를 서둘러 찾아 자신의 자리로 와서)김성훈 고객님. (카드 내밀고 서둘러 마무리)즐거운 여행 되세요.

상수가 접객하는 와중에도 '내가 멍청해 보였나 보지! 진짜 어이가 없어!' 라고 소리치는 진상고객. 쩌렁쩌렁 울리는 목소리에 대기 고객들도 쳐다보고, 다른 행원들도 접객하며 신경 쓰이는 눈치.

진상고객	이런 건 그쪽이나 하세요! (안내 종이를 쫙쫙 찢어 수영의 얼굴에 확 뿌리는데)
수영	(반사적으로 눈을 감고)
상수	(결재파일을 가림막 삼아 수영의 얼굴 가려주고, 자신은 종이파편 고스란히 맞는)
수영	.....(눈을 뜨면, 자신의 눈앞에 가림막...그리고 상수)
상수	(안쓰러운, 씩 웃는)

S#16. 은행 갱의실(D)

서팀장, 수영에게 커피를 내민다. 수영을 달래주려는 서팀장.

서팀장	직군전환 하려고 실적에 애쓰는 거지? 나야 자기 응원하는데. 고객 봐가면서 해. 백날 실적 올려봐야 컴플레인 받아서 시끄러워지면 마이너슨 거, 알잖아.

수영 (웃는)그러게요.

서팀장 서비스직군 일반직군 나누는 것도 참 유별스러. 대학 나온 사람 백 트럭보다 안수영 한 명이 낫구만.

수영 (그저 웃는데)

은정 (들어와서)수영씨, 김성훈 고객님 카드 어딨어요? 지금 찾으러 오셨는데. (손에 든 카드 흔들면서)이건 VIP신 김성훈 고객님 카든데.

수영 ?

S#17. 지점장실(D)

부지점장, 얼굴이 시뻘겋게 달아올랐다.
그 앞에 고개 숙이고 있는 상수와 덩달아 불려온 수영.

부지점장 (플러스펜으로 상수의 어깨를 쿡쿡 찌르며)하계장아. 집안에 우환있니? 나한테 불만 있니? 캐리어 넘버도 안 보고 카드 교부를 해? 말도 안 되는 실수를, 왜! 하필이면 VIP한테 다른 사람 카드 주는 실수를 하지? 정신 얻다 팔아먹었어!

상수 (부지점장 고함 소리가 익숙. 반성하는 척 고개만 숙인, 찌르는 박자에 맞춰 어깨를 살짝씩 뒤로 젖히며 충격을 최소화하는 스킬까지..)

인서트 > 상수, 진상고객에게 시달리는 수영을 흘깃 보고.
보관함에서 카드 찾는 손길이 다급하다.
'김성훈' 이름 적힌 카드를 뽑아가는 상수.
바로 다음 카드에도 '김성훈' 적혀있는.

상수 (정신이 정말 나갔었고)

수영 죄송합니다. 제가 바빠서, 하계장님께 부탁드렸어요.

부지점장 그래? 안주임이 부탁했어? 김성훈이란 이름 가진 고객이 두 명일 리는 절대 없으니까 캐리어 넘버도 확인하지 말고 얼렁뚱땅 대충대충 설렁설렁 일하라고? VIP한텐 프렌즈카드 주고, 프렌즈고객한텐 VIP카드 주면서 부의 재분배에 앞장서라고?

수영 (아.....)

상수 (죽겠고)

부지점장 뭐해! 당장 제주도로 안 텨가고! 안주임도 가. 그 고객 안주임이랑 오래됐잖아. 이번 일로 심사 뒤틀려서 주거래은행 바꾸겠다고 하면 완전 골치 아파져. 무조건 오늘 마감 전에 없었던 일로 만들어놔 무조건!

상수 ! (수영과 같이? 이 와중에 물색없이 순간 설렘!)

S#18. 김포공항 입구 + 국내선 출발층(D)

상수와 수영, 비행기 시간이 촉박한 듯, 여행객 사이를 헤쳐나가며 뛴다. 상황은 심각하지만 상수의 얼굴에는 스멀스멀 미소가 번지고.

S#19. 비행기 복도 + 좌석(D)

자리를 찾아 들어가는 상수와 수영. 상수, 수영의 뒤에서 걸어가며 짐 올리는 사람들에게서 수영을 보호하듯 양손으로 가드를 쳐준다. 상수의 배려는 모른 채 자리 찾아 들어가는 수영. 창가 석에 앉은 수영과, 가운데 자리에 앉은 상수. 상수 옆으로 체구가 좋은 남성이 앉아 있다. 수영과 남자승객 사이에서 샌드위치 된 상수, 꼼짝달싹하기도 힘들 정도.

수영 (상수 쪽 흘깃 보고)이륙하면 팔걸이 올려줄게요.
상수 (밀착해 앉은 수영에게 온 신경이 다 가있는, 긴장된)

이륙하는 비행기. 좌석벨트 사인이 꺼진다.

수영 (상수와의 사이에 있는 팔걸이 올리고)이제 좀 괜찮죠?
상수 (팔걸이가 사라져 수영과 닿는다! 나는 덤덤하다 나는 덤덤하다...)네.
수영 하계장님이랑 제주도를 다 가보네요.
상수 (흘깃)아...네...그러게요...
수영 (긴장한 상수 여유로 보다가)괜히 죄송해요. 저 때문에.
상수 아뇨. 제가 실수한 건데요. 제가 죄송합니다.
수영 ...그래요. 그럼 하계장님이 죄송한 걸로 해요. (문득 웃는)
상수 왜 웃어요? (나는 붙어 앉아서 긴장돼 죽겠는데...)
수영 옛날 생각나서요. 하계장님 처음 왔을 때.
상수 (아...! 하는 표정 위로)
다른지점장E 우리 은행에 뉴페이스가 들어왔어요!

S#20. 은행 회의실(D) – 회상

현재와 다른 지점장, 행원들(수영, 노부지점장 외에는 현재 영포점 행원들이 아님)에게 상수, 경필 소개한다. 행원들, 앉은 자리에서 상수와 경필을 호기심으로 보고, 수영도 앞을 보고 있다.

다른지점장 이번 연수생들 중에 무려 1등!과 꼴등!을 차지한, 하상수, 소경필 수습 행원.

경필 (넉살 좋게)참고로, 제가 꼴등입니다.

일동 (웃고)

다른지점장 넉살은 1등이구만. 총무과에 딱이야.

수영 (그럼 연수원 1등은 너구나, 하는 시선으로 상수 보고)

상수 (자신을 보는 수영을 보고, 어떤 느낌...! 첫눈에 마음이 가는)

다른지점장 육아휴직 간 서민희 과장이 다음 달에나 복귀하니까 수신계 업무는 우리 영포점의 여신! 안수영 주임이 책임지고 교육해주시고.

수영 (예쁘게 웃으며)네. (상수에게 잘 부탁한다는 의미로 작게 목례하는데)

상수N **(저도 모르게 꾸벅, 고개 숙이는 위로)**
수습 행원으로 처음 왔을 때. 안수영은 영포점의 여신이었고,

S#21. 은행 객장(D) – 회상

현재보다 머리숱 풍성해 보이는 노부지점장, 마감 후 객장에서 상수에게 고래고래 소리치고 있다.

부지점장 인출사고? 오자마자 인출사고오? (플러스펜 뚜껑 쪽으로 상수의 어깨를 쿡쿡 찌르며) 하상수 너 연수원 1등이래매! 제대로 된 인물 하나 들어왔나 했더니만 어디서 이런 얼간이가 왔어! 왜 돈을 두 번 인출해줘! 그게 니 돈이야? 니 돈이야?

상수 (S#17과 달리, 바짝 쫄아붙은 모습. 어깨를 찌르는 플러스펜 뚜껑, 너무 아프다..)

수영 (으이구...한심함과 불쌍함이 섞인 표정으로 상수 보고)

상수 (수영 앞에서 혼나는 게 너무 쪽팔린)

상수N **나는 근무 첫날. 영포점 여신 앞에서 고객의 돈을 잘못 인출해주는 사고를 쳤다.**
연수원 1등이 얼간이로 강등되는 순간이었다.

/수영, 상수에게 시재 마감 알려주고 있다.
창구 안 작은 테이블에 앉아 돈다발 쌓아놓고, 100장씩 센 돈, 띠지로 묶어 사무인을 찍는 작업.

수영 (스피드에 손가락 적시고 돈다발 야무지게 세며)연수원에서 배우셨죠? 왼쪽 중지와 약지 사이에서 끼우고 고정한 뒤에, (시범 보이고)이렇게 오른쪽 엄지는 위아래로만, 지폐를 쳐주는 건 약지. (해보란 듯 보면)

상수 (작게 떨리는 손, 어설프게 돈을 세다가 우르르 놓치고)죄송합니다.

수영 (돈다발을 다시 건네고)

상수 (받고, 자세 잡으면)

수영 (상수 오른손 약지를 꾹 누르며)여기를 움직여요.

상수 (여기...? 따라 해보고)

수영 (깨끗한 지폐 골라서 앞뒤에 놔주며)계수기 돌려도, 꼭 확인해봐야 해요. 마지막엔 제일 깨끗한 지폐를 앞뒤에 놔주고, (지폐다발 한가운데에 띠지를 두고 휘리릭, 경쾌하게 돌리며)이렇게, 고정. (사무인 찍고)누가 확인했는지 알 수 있게 도장. (할 수 있지? 하는 표정으로 보면)

상수 (수영 앞에서 잘하고 싶은 마음)

상수, 의욕이 충만한 얼굴로 지폐다발 가운데를 띠지로 감싸고 휘리릭, 돌리는데. 스냅조절 실패로 느슨하게 조여졌던 돈다발이 상수의 손을 빠져나가 공중으로 흩뿌려진다...! 당황한 상수, 허우적대며 돈을 잡으려는데 그 바람에 더 솟구치는 돈! 마감 중인 행원들, 하늘에서 펄펄 내리는 돈을 황당한 얼굴로 쳐다보고 있다.

S#22. 제주도 호텔 앞(D)

흩날리는 돈다발이 꽃잎들로 바뀌면서...조금 떨어진 곳에서 S#15의 고객에게 꾸벅 사죄하는 상수와 수영, 보인다.

/상수 (부지점장에게 전화)네, 카드 다시 전해드렸고 다행히 고객님께서도 이해해주셨, (잔소리 들은 듯)네, 죄송합니다. (듣고)바로 복귀하겠습니다. 네. (끊고)

상수, 전화 끊고. 어느새 산책로에서 꽃구경하는 수영을 바라본다.
기분 좋은 듯 미소 짓고 있는 수영.
상수, 누가 꽃인지...제주도에 목적이 뭐였는지 잊게 되는 기분이고...

S#23. 호텔 앞 산책로(D)

상수, 핸드폰으로 사진 찍고 있는 수영에게 다가온다.

상수 (수영 앞에 서는)보내줄 사람이라도 있어요?
수영 (핸드폰 내리고, 상수 보는)
상수 아니, 열심히 찍는 거 같아서...그, 남자친구한테?

수영 (꿰뚫는 시선으로 보며)없어요. 남자친구. 그냥 예뻐서 찍었어요.

상수 (입가가 씰룩인다)아..그렇구나. (고개 살짝 돌리고 미소)없구나. 남자친구.

수영 (조금 떨어진 나무 아래를 유심히 보는)

상수 (수영 시선 따라가다가)...왜요?

S#24. 일각(D)

커다란 나무 아래. 수영이 무언가를 가리킨다. 동박새 정도의 새알.

수영 (나뭇가지 틈 둥지를 올려다보며)저기에서 떨어졌나 봐요. (알 건드리려 하면)

상수 (수영 소매 잡으며)그냥 둬요.

수영 (보면)

상수 사람 손을 타면 어미 새가 둥지에서 떨어트린대요.

수영 이대로 두면 살 수 있어요?

상수 (그건 아니지만)...어차피 깨질 거예요.

수영 아닐 수도 있잖아요.

상수 (표정)

수영 (품에서 손수건 꺼내며)이걸로 감싸서 놔주면 괜찮을 수도 있고. 어미 새가 결정하게 우린 그냥 도와줘요. 어차피 깨질 거라고 해도 불쌍하잖아요. 혼자.

상수 (표정)

/상수, 재킷 소매를 걷어붙이고 나무에 올라타기 시작하고.

수영, 알을 든 채 기다리는데. 구두 신은 상수의 발, 자꾸 미끄러진다.

상수 (수영 앞에서 버벅이고 싶지 않은데, 헛발질 계속되자 민망하고)
수영 (작게 웃음이 터지는데)
상수 (멋쩍은 얼굴로 수영 돌아보는)
수영 제가 올라가는 게 더 빠를 거 같은데.
상수 (잠시 생각하다)제가 엎드릴까요?
수영 ?

상수, 수영이 나무에 올라가기 쉽게 엎드린다.
막상 상수의 등을 밟고 올라가자니, 망설여지는 수영.

상수 (엎드린 채 수영 돌아보며)괜찮아요. 밟으세요.
수영 ...정말 괜찮으세요?
상수 (등 대준 채로)네. 정말 괜찮아요. 얼른 밟아요. (하면)
수영 (나무 아래에 구두 가지런하게 벗어두고, 조심히 상수 등을 밟는데)
상수 (윽! 순간 표정관리 안 되고 신음소리 냈다가, 얼른 수습)올라갔어요?

상수, 돌아보면, 수영, 나뭇가지 사이에 발 디디고 올라섰고.

상수 (벌게진 얼굴로 수영 올려다보며)조심해요.
수영 (미소로)네. (손 내밀면)
상수 (손수건에 쌓인 알 건네고)

수영　　(조심스레 받는)

둥지 너머로 쏙 고개를 내미는 수영, 손에 든 알 조심스레 놔두는.

수영　　무사해야 한다. 떨어지지 말구.
상수　　(그 모습 올려다보는데, 수영이 예뻐 보이고)
수영　　(내려가야 하는데, 올라올 때보다 높아 보이는)
상수　　손 잡아요. (손 내밀면)
수영　　(잠시 망설이다, 상수의 손을 잡는데...)

손잡은 채 눈이 마주치는 상수와 수영. 두 사람, 잠시 그렇게 서로를 바라본다. 떨림의 순간...! 아래로 내려오는 수영, 순간 체중이 상수 쪽으로 쏠리고. 상수, 수영과 포옹하듯 닿는다.

상수　　(심장이 쿵쿵...!)
수영　　(어색하고)
상수　　(어쩔 줄 모르는)
수영　　(어딘가에 시선 보내며)어? 저거 어미 새 같은데.
상수　　(돌아보면)

둥지로 돌아오는 어미 새.
상수와 수영, 긴장으로 둥지를 보는데, 아무 일도 일어나지 않는다.

수영　　(환해지며)제 말이 맞았죠?
상수　　(수영의 미소에...)네. 제가 틀렸네요.
수영　　도와주기 잘했다.

상수	(수영 보다, 용기 내서)...비행기 시간까지 좀 남았는데...가까운 데라도 들를까요?
수영	(보면)
상수	(긴장 감추는데)
수영	아뇨. 미리 공항 가 있는 게 좋을 거 같아요.
상수	! (아...민망하고)네, 그럼...
수영	(핸드폰 내밀며)사진 하나 찍어주세요. (둥지 가리키며)기념으로.
상수	(표정)

수영, 나무 아래 자리 잡고 상수를 바라보고 있고.
상수가 들고 있는 핸드폰 프레임 안에 들어오는 수영, 예쁜 미소 짓고.
하나둘셋, 수영이 찍힌다.

S#25. 은행 외경(N)

S#26. 은행 객장(N)

8시를 가리키는 시계. 셔터 내려가 있고. 마감 중인 행원들.
상수, 수영도 자리에 복귀해 마감 업무 중이다.

수영	(전표 정리하며)시재 맞습니다!

행원들, '수고하셨습니다' 주고받으며 퇴근 준비.

경필	(상수에게)한잔 해야지!
상수	(수영 힐긋 보며)한잔은 무슨.
경필	양석현 여친이랑 깨질 거 같대.
상수	(석현 돌아보면)
석현	(경필 뒤에서 기운 쪽 빠져서 서있는)
상수	(으이구 저 한심한 인간)그래...가자 가...

상수, 경필, 석현 나란히 나가려는데,

이팀장	니네 또 술 푸러 가냐! 하상수 사고 친 뒤풀이야 뭐야. 어제는 양석현이, 오늘은 하상수, 내일은 소경필이 차렌가? 고만 붙어 다녀 고만. 니들이 그렇게 붙어 다니니까, (마대리에게)저때 마대리가 뭐랬지?
마대리	영포점 세 얼간이.
이팀장	어어 맞어맞어. 영포점 세 얼간이! 상수야. 넌 다르잖아. 품격있게 가야지.
상수	(저놈의 인간)
경필	(보기 싫다 진짜)
석현	(그러거나 말거나, 세상 끝난 얼굴로 서있고....)
이팀장	(상수 어깨 툭 치며)가자! 형님이 기분 풀어줄게.
마대리	바쁘신 와중에 사고 친 후배들 사기 진작까지!
이팀장	내가 왜 홀로족으로 살겠냐. 먹여 살릴 처자식 없으니 퇴근하면 완전 프리.
마대리	(쌍따봉 하며)형님, 존경합니다.
이팀장	니가 형님이라 그럴 때마다 내가 왠지 버릇없어지는 기분이야. (손으로 얼굴 훑으며)비주얼론 니가 지점장인데.

마대리 아유, 형님이 계신데 무슨! 전 소박하게, 부지점장 하겠습니다. (하하하)

상수/경필 (놀고들 있다...)

마대리 안주임도 같이 가죠? 이팀장님도 가시는데.

은정/지윤 (또 안수영한테만...남자들도 안수영도 짜증 난다)

수영 (가방 챙기며)선약 있어서요. 내일 봬요. (목례 후 가고)

상수 .....

S#27. 와인바 일각(N)

파인다이닝, 고급스러운 와인바가 많은 거리. 지나다니는 사람들에게서 여유가 느껴지고, 수영도 이질감 없이 섞여서 걷는다. 수영, 입구에 와인 모형이 놓인 곳으로 들어간다.

마대리E 백퍼 남친 있는 거지.

S#28. 호프집(N)

병맥주에 마른안주 놓고 술 마시는 상수, 경필, 이팀장, 마대리.
석현은 어딘가 가고 자리에 맥주만 놓여있고.
상수, 또 수영을 안주로 삼는 마대리를 반감 담긴 눈으로 본다.

마대리 딱 봐도 남자들이 번호표 빼서 기다리게 생겼잖아.

S#29. 와인바(N)

바에 앉은 수영, 기본 안주로 나온 크래커와 글라스와인을 앞에 두고 핸드폰 사진을 본다. 지금보다 앳되어 보이는 수영과 수영에게 어깨동무를 한 남자의 사진(남자 얼굴은 보이지 않음). 그리고 마치 약속한 상대처럼 수영에게 다가가는 한 남자.

마대리E　　한 명만 있음 다행이게. 요일마다 있을 수도 있어.

S#30. 호프집(N)

상수, 마대리 말에 뭐라 대꾸는 못 하고 맥주만 벌컥벌컥 마신다.

경필　　마대리님이 보셨어요? 안주임이 요일마다 남자 바꾸는 거?
상수　　(마대리가 잔 따르라며 제 잔 툭툭 치면, 마대리 잔에 맥주 따르는데)
마대리　　전체회식 말곤 맨날 빼잖아. 남자가 아님 왜 빼.
상수　　(부러 맥주잔 넘치게 맥주 가득 따르는)
마대리　　보니까 안수영이는, (하다가, 맥주 흘러넘쳐 바지에 젖자) 으악!
상수　　(얼른 냅킨 건네며)죄송합니다. 괜찮으세요? (닦아주는데)
마대리　　(바지 털며)에이, 오랜만에 각 잡아 다렸구만.
상수　　(표정)
경필　　(상수 흘깃 보고)
이팀장　　(상수에게)근데 둘이 제주도 가서 좋았냐? 뭐 했냐?
상수　　...고객 만나 사죄드리고 바로 복귀했는데요.
이팀장　　에이, 진짜 뭐 없었어?

상수　　(이런 대화가 답답한...)뭐 없었습니다. (경필에게)석현이는 어디 갔냐.

경필　　여친이랑 통화하러. 참 힘들게 연애하고들 산다.

상수　　......

S#31.　　와인바(N)

수영의 자리로 안주 플래터가 서빙된다.

수영, 플래터를 보고, 뭐냐는 듯 앞에 선 남자를 본다.

껄떡남　　(내가 보냈어, 들고 있는 와인잔을 허공에 건배)

수영　　(표정)

껄떡남　　(슬쩍 옆에 앉으며)혼자 왔어요?

수영　　(자주 있는 일, 대응도 귀찮은)갈 때도 혼자 갈 거예요.

껄떡남　　(아....)

수영　　(잔에 남은 와인 쭉 비우고 일어나는)

S#32.　　갤러리 앞(N)

불 꺼진 갤러리. 메인 쇼윈도 안에 걸린 그림에는 핀 조명이 비춰지고 있고. 수영, 잔잔한 눈빛으로 그림을 보고 있다. 어딘가 허기가 느껴지는 표정. 퇴근길에 와인 한 잔, 이 갤러리에서 그림을 보는 것, 수영의 일상 루틴이다.

S#33. 호프집 앞(N)

상수, 수영의 메신저 프로필 사진을 찾아본다.
제주도에서 상수가 찍어준 사진으로 바뀌어있다.

상수E 제주도에서 내가 찍어준 사진이다. 뭐지. 무슨 의미지? 혹시 나 보라고...?

상수, 핸드폰을 들고 똥 마려운 강아지마냥 이리 갔다, 저리 갔다 서성이다 문자창을 켠다. 문자 인서트>어디예요? (썼다 지우고) /지금 뭐 해요? (다시 지우고) /사진 잘 나왔네요. (지우고)

상수 (큰 숨을 뱉으며)뭐 하냐, 하상수....

상수, 다시 마음을 먹고 메시지를 입력한다.
드디어 완성된 문장.
문자 인서트>'잘 들어갔어요? 제주도 같이 가줘서 고마웠어요.'

상수E 잘 들어갔어요? 제주도 같이 가줘서 고마웠어요.

S#34. 갤러리 앞(N)

그 자리에 멈춰 서서 그림을 보고 있는 수영.
문자 소리에, 핸드폰을 확인한다.

S#35. 호프집 앞(N)

편의점에서 쭈쭈바 하나 사서 나오는 상수.
목이 타는 듯 쭈쭈바를 빨며 핸드폰 액정을 보고 있다.

상수 괜히 보냈나...아 진짜...(머리 벅벅 긁으며 쭈쭈바 먹는데)

띠링! 경쾌하게 울리는 문자 소리.

상수 (얼른 확인하는 위로)

수영E 저도 덕분에 바람도 쐬고, 즐거웠어요.
(문자 인서트 >'저도 덕분에 바람도 쐬고, 즐거웠어요')

상수 (씩 웃는, 그러다 누가 봤을까 싶어 괜히 두리번. 다시 문자 확인하며 미소 짓는)

S#36. 수영의 집 일각(N)

경사로에 위치한 주택가.
지은 지 오래되어 보이는 낡은 건물로, 수영이 들어간다.

S#37. 수영의 집 – 거실(N)

신발을 벗고 들어오는 수영. 불이 켜지면서 보이는 실내.
90년대 유행했던 빛바랜 꽃무늬 벽지, 낡은 싱크대, 체리색 몰딩 등 오래된 연립주택의 내부. 찢어진 벽지를 가리듯 붙인 엽서, 푹 꺼진 소파 위를 덮은 린넨커버, DIY 가구로 나름대로 꾸민, 수영의 취향이 드러나는 공간이다. 소파 위에 가방을 올려두고 거실 커튼을 열어젖히는 수영.

그제야 보이는, 집 평수에 비해 널찍한 베란다.

S#38. 수영의 집 – 베란다(N)

베란다의 오른쪽에는 전자피아노, 전자피아노 위에는 신인 화가의 그림이 걸려있고. 왼쪽부터 중앙까지는 레몬밤과 라벤더, 로즈마리와 바질 등의 허브부터, 꼬리난초, 다양한 색으로 모아둔 제라늄 등의 화분까지 놓여 있다. 애정이 느껴지는 공간. 수영, 허브잎 몇 개를 톡톡 따내고.

S#39. 수영의 집 – 거실(N)

미등만 켜진 거실. 허브티를 마시고 있는 수영, 편안하고 부드러운 표정이다. 핸드폰으로 음악을 틀면, 블루투스 스피커에서 흘러나오는 짐노페디...수영이 가장 좋아하는 시간. 그때, 핸드폰 진동음이 울리고... 액정에 뜨는 이름, '엄마'다.

수영 (속을 알 수 없는 얼굴로 차만 마시는)

S#40. 은행 객장(D)

이팀장, 서팀장, 용품고에서 전단지 뭉치 들고나온다.

서팀장 (전단지 들어 보이며 예금팀에)가두 누가 갈래?
은정 (갑자기 지윤에게)지윤씨! 중요하게 할 얘기 있다며.
지윤 (엥?)제가요? (은정 눈짓에)맞다맞다. 네네. 있죠있죠.
서팀장 (은정 가는 것을 으이구...보는데)

수영 (미소로)제가 갈게요.

상수 (오! 눈이 번쩍!)

이팀장 (테이블에 전단지 내려놓으며)이번엔 마대리 차례지?

상수 (얼른)제가 가겠습니다. (띵해서 보는 마대리에게)아, 점심 때 과식을 해서요. 소화를 좀 시켜야 할 거 같아서.

마대리 그래? 나야 고맙지.

상수 (씩 웃는 표정)

S#41. 거리 일각(D)

화면 가득 웃고 있는 상수의 얼굴. 보면, 나란히 서서 자기 몫의 전단지를 들고, 행인들에게 돌리고 있는 상수와 수영.

상수 (수영의 전단지 뺏어들며)제가 좀 들게요.

수영 (상수가 다 가져가서 열 장도 안 남았고....반면에 상수는 전단지 가득 쌓여있는)

상수 (수영의 나머지 전단지도 뺏으며)아직도 무거울 거 같은데. (이럴 게 아니라)저기 가서 앉아 있어요. 이거 금방 다 돌릴 수 있어요.

수영 아니, 그래도.

상수 (뒷주머니에서 초콜릿 꺼내주며)이거 먹으면서 쫌만 기다려요. 저기 앉아서.

수영 (웃음이 나는)

/수영, 벤치에 앉아 초콜릿 까서 입안에 넣는다. 달다. 기분이 좋아진다. 상수는 신이 나서 행인들에게 꾸벅꾸벅 고개 숙이며 전단지 나눠주고.

수영　　(상수를 찬찬히 보는)

상수　　(고개 돌리다가 수영 쪽을 보는데 자신을 보고 있다! 피하지 않고 보고)

수영　　(조용한 미소)

상수　　(기분 좋아져서 다시 열심히 전단지 돌리고)

수영　　(상수가 귀엽다)

S#42.　　은행 앞(D)

전단지 배부 마치고 돌아오는 상수와 수영.
땀에 젖은 몰골의 상수, 수영과의 시간이 끝나는 게 아쉽다.

상수　　(앞서 걷는 수영에게)저기!

수영　　(돌아보면)

상수　　주말엔 보통 뭐해요?

수영　　(질문의 의도를 알겠지만)하계장님은 뭐 하세요?

상수　　(떨림 감추며)이번 주말엔 안주임님 만나고 싶은데요.

수영　　...왜요?

상수　　아...꼭 무슨 의미가 있는 건 아니고, 우리 같이 일한 지도 오래됐는데 둘이 밥 먹은 적도 없고. 제주도 같이 가준 것도 고맙고 해서.

수영　　그래요.

상수　　...네?

수영　　좋다구요.

상수　　(쿵..쿵....심장이 뛴다...!)

S#43. 상수의 집(D)

책장으로 침실과 거실을 분리해둔 원룸형 오피스텔. 깔끔하게 정돈되어 있다. 침대에서 자고 있던 상수, 눈을 번쩍! 뜬다. 오늘이다. 오늘 안수영과 데이트를 한다. 샤워 후 젖은 머리를 수건으로 털고, 옷 고르고, 갈아입은 옷차림으로 거울 보는 모습 컷컷으로. 상수, 거울 보며 꼼꼼히 로션을 바르다가...문득 거울 옆에 놓인 작은 박스를 본다.

/ 현관에서 들리는 도어락 해제소리. 이내 김치통 든 정임이 빠르게 들어오다가, 멈칫! 놀라는. 보면 상수, 얼굴에 마스크팩 붙인 채, 뭔가를 들킨 사람처럼 얼어붙어 서있다.

정임　　(빤히 상수 보면)

상수　　(정신 차리고 얼른 마스크팩 떼어내며)아 엄마는! 벨 좀 누르라니까. 비번 바꾼다!

정임　　넌 내 집 올 때 벨 누르냐. 지도 비번 치고 들어오는 게.

상수　　(민망해 죽겠고)

정임　　(냉장고에서 반찬통 꺼내며)저번에 주문한 데는 간이 좀 세더라. 슴슴하게 먹어야 건강에 좋아.

상수　　(마스크팩 휴지통에 버리며)그럼 슴슴하게 하는 반찬가게 직접 찾아보시든가요.

정임　　(가져온 빈 반찬통에 반씩 덜어 담고)너나 나나 싱글인데 반띵하면 좋지 뭘 그래. (돈봉투 내려놓으며)반찬비. 됐지? 김치값이 더 비싸단 건 알아두시고.

상수　　손은 왜 그래. (핸드크림 찾아 꺼내고)

정임　　단체 받아서 손이 좀.

상수　　아니 무슨 대표원장이 직접 마사지를 해. (정임의 손에 핸드크림 짜 주면)

정임　　(펴바르며)골방에서 할 때부터 알던 손님이야. 그리고 확장비는 공짜야? 부지런히 벌어야지.

상수　　(속상하고)그러게 무리해서 확장하지 말라니까.

정임　　(말 돌리듯)어떤 여잔데?

상수　　...뭔, 뭔 여자.

정임　　얼굴 까칠할 때 하라고 준 팩을 1년 넘게 거들떠도 안 보던 니가. 데이트 아님?

상수　　(변명이라고)유통기간 끝나가길래. 그냥 한 거예요, 좀.

정임　　...퍽이나.

상수　　(눈 피하며)아우 왜 그래, 자꾸. (정임의 등 부드럽게 밀며) 가세요, 가.

정임　　(등 떠밀려 가면서)뭐 하는 여잔데. 부모님은 뭐 하시구. 대학은 어디 나왔어? 너 요즘 시대엔 그런 거 더 따져야 하는 거 알지? (하다)아니다, 일단 해. 일단 해.

상수　　(얼버무리는)아! 아니라니까...

정임　　(다시 장난스레)용돈 좀 줘?

상수　　엄마는 무슨 다 큰 자식 용돈을 준다고 그래, 용돈은 무슨...(씩 웃는)그르까?

S#44.　　영화관 앞 + 1층 에스컬레이터 교차(D)

지하 1층 하행 에스컬레이터 앞. 상수, 거울에 얼굴을 비춰보고, 이제 됐다 싶은 얼굴이고. 핸드폰 꺼내 문자 보내는 위로,

상수E　　어디쯤이에요? 난 도착했는데.

/1층 에스컬레이터 앞.
은행에서와 달리 곱게 화장한 수영, 아래로 내려가려다 문자를 확인한다.
수영, 지하 1층을 내려다보면, 초조한 모습으로 핸드폰 보고 있는 상수 보이고.

수영 (문득 장난기가 도는, 문자 작성하고)

/상수, 문자 알림이 울림과 동시에 바로 눌러 확인하는데,

수영E 어쩌죠. 오늘 못 나갈 거 같은데.
상수 ! (청천벽력!)

실망으로 얼굴이 구겨지더니 스르르 자리에 주저앉는 상수.
수영, 그 모습을 내려다보며 웃음이 나온다.
더 놀려줄까 싶다가, 문자를 입력하는 수영.

수영E 농담이에요. 10초만 세봐요.

수영의 시선으로 보이는 상수, 문자를 확인하며 환하게 웃고 있다.
무방비로 자신을 향한 마음을 드러내는 상수를 보며 웃음이 나는 수영.
/상수, 문자를 보고 좋아하다가. '근데 10초...?' 어떤 느낌에 앞을 보면, 에스컬레이터를 타고 내려오는 수영이 보인다.

상수 !
수영 (편안한 미소로)내가 늦은 거 아니에요.
상수 (설마...)혹시, 나 봤어요?

수영　　(시치미)네.

상수　　(쪽팔리고)어디서부터?

수영　　(그만 놀리자 싶고)지금요. 지금 보고 있잖아요.

상수　　(진짠가. 놀리는 건가...싶다가 수영을 보고)...오늘 뭔가 다르네요.

수영　　(픽 웃는)

상수　　(수영이 예쁘고)

S#45.　　몽타주(D)

/ 영화관

영화가 상영되고 있는데, 상수는 영화가 눈에 들어오지 않는다. 수영이 먹기 편하도록 팝콘통을 기울여주고, 그 바람에 팝콘 몇 알이 수영의 무릎에 떨어지는. 상수, 화들짝 놀라 팝콘을 주우려다, 팝콘 위치 보고 '아...이건 아니지' 얼른 손 거두고. 수영, 안절부절못하는 상수를 느끼고 있지만, 태연하게 영화를 보며 웃음을 터트리고.

/ 레스토랑

파스타를 먹고 있는 상수와 수영. 오물오물 맛있게 먹는 수영.

수영, 포크로 피클을 찍으려고 하는데...상수, 과장된 동작으로 피클컵을 들어 수영 앞에 놔준다. 피클을 씹으며, 상수를 관찰하듯 보는 수영.

S#46.　　수영의 집 일각(N)

수영을 바래다주는 상수. 두 사람, 적정한 거리를 유지하며 나란히 걷고 있다. 썸을 타는, 연애를 막 시작할 것 같은 간지러운 긴장감.

수영 (긴장한 상수 옆모습 보다가)하계장님, 은행에서 볼 때랑은 다르네요.

상수 (무슨 뜻이지?)

수영 그냥 좀...

상수 (할 말을 찾다가)수영씨도 좀 달라요. (하다, 아...)수영씨라고, 불러도 돼요?

수영 (옅은 미소로)네.

상수 (무슨 말이라도 해야 할 거 같아서)고향은 어디예요?

수영 ...통영요.

상수 (짝사랑하는 사람 특유의 오버)와 나 굴 진짜 좋아하는데! 생굴도 좋아하고, 굴국밥도 좋아하고, 아, 굴전! 막걸리에 먹음 진짜 맛있는데.

수영 ...난 싫어해요 굴.

상수 (아...)가족은...(어떻게 되나)

수영 (표정)

상수 (실수했나? 눈치 보다)난 어머니랑 둘이에요. 아버진...돌아가셨어요 어릴 때.

수영 ...부모님은 통영에 있어요. 그리고...남동생이 한 명.

상수 수영씨 누나구나. 남동생은 몇 살이에요?

수영 (살아 있었으면...)스물일곱요.

상수 아...좋은 나이네요. 하하하.

수영 .....

상수 (정적이 흐른다. 대화가 끊기면 안 되는데...)왜 바로 취업했어요? 공부 더 했어도 잘했을 거 같은데.

수영 (덤덤한)그럼 그리는 게 더 좋았어요.

인서트>통영 벽화마을 전망대.

바다를 내려다보며 그림 그리고 있는 여고생 수영.
같은 교복을 입은 남학생(수혁)뒷모습, 수영의 뒤에 서서 '누구게' 하며 수영의 눈을 가린다. 눈이 가려진 채 천진하게 웃는 수영.

수영E 공부하기엔 너무 예뻤거든요. 모든 게 다...

상수 (순전한 의문으로)미대도 있는데.

수영 (모르고 하는 소린가?)미대 가기엔 집에 돈이 없었고.

상수 (앗...)미안해요.

수영 (픽 웃음이 난다)왜 하계장님이 사과해요.

상수 (긁적이다 또 오버)대학이 대순가. 대학 안 나왔어도 우리 은행에서 수영씨가 일 제일 잘하잖아요. 나 봐봐요. 저번에 큰 사고도 치고. 그거 하나도 안 중요해요.

수영 (나 좋아하는구나. 잔잔히 보면)

상수 (옆을 보지 않아도 수영이 쳐다보는 거 알겠고)

수영 (앞을 보며 걷는데)

상수 (닿을 듯 말 듯한 수영의 손. 잡고 싶지만 선을 넘기가 쉽지 않고)

수영 (상수가 손을 잡고 싶어 하는 걸 느끼는, 작게 미소)

상수 (고개를 옆으로 돌려 긴장의 숨을 뱉는데)

수영 다 왔어요 이제.

상수 (수영의 집 올려다보며)와...전망 좋은 데 사시네요.

수영 가세요. 즐거웠어요 오늘. (가려는데)

상수 (마음이 다급해지는)저기.

수영 (보면)

상수 (잡아놓고 막상 할 말 생각 안 나는)

수영 (차분히 보고)

상수 저기, 또...또 볼 수 있나...?

수영 (깊게 보다가)...또 보면요? (우린 어떤 사이가 되는데?)

상수 (무슨 뜻이지...?)또, 또 보면 좋지 않나...해서...

수영 난 애매한 관계는 싫어요.

상수 !

수영 (알아들었어?)

상수 (무슨 뜻인지 알겠고)...나도 확실한 거 좋아해요. 깔끔한 거.

수영 (표정)

상수 저기, 다음 주에 우리 다시 봐요. 월요일!..은 정신없으니까 화요일! 어때요.

수영 (아...)그날 저 오프날인데요.

상수 저녁 같이 먹어요. 맛있는 거 살게요 내가. (다짐하듯)확실하게.

수영 (천천히 퍼지는 미소)

S#47. 수영의 집 일각 주차장/차 안(N)

주차된 자신의 차로 걸어오는 상수.

차에 타자마자 긴장 풀린 얼굴로 쑥스럽게 미소 짓는다.

S#48. 은행 전경(D)

S#49. 은행 회의실(D)

전체회의 전. 지점장, 부지점장을 제외한 모든 행원이 모여있다.
상수와 수영, 마주 앉아 있고.

이팀장 (청첩장 보며)무슨 짝짓기를 시도 때도 없이. 난 이게 고지서로 보인다.

서팀장 너 내 결혼식에도 그런 생각으로 왔냐.

이팀장 난 니 결혼식 안 갔다. (청첩장 흔들며)고지서 받고 돈만 이체했거든.

서팀장 (콱! 저걸 그냥)

은정 사내커플이라 얼굴은 자주 보겠네요.

이팀장 부럽냐. 이혼이라도 하면 헬인데. 평생직장에서 눈에 뵈는 거 없이 연애하다 훅 간 애들 여럿 봤다. 나처럼 화려한 홀로로 사는 게 트렌드야.

서팀장 ...(미친 놈)

마대리/경필 (아유 알죠 일이 최고죠 / 최고는 아닌 거 같은데)

은정/지윤 (그럼 우린 누구랑 연애해요 / 맨날 퇴근도 늦는데)

이팀장 그렇게 하고 싶어 사내연애? (수영 보며)안주임도?

상수 ! (수영의 대답이 궁금하고)

수영 (생각하다)상대에 따라서요. (하고 상수 보는)

상수 (내가 될 수도 있단 얘긴가? 나 들으라고 하는 얘기...?)

지점장, 부지점장 들어온다. 일동, 회의 모드로 정숙하고.

/지점장 본부장님 메일, 다들 받았지요? 부행장님이 기획하신 레디고카드 스팟!

일동 (헐...)

지점장 예금팀에서 열두 개, 종상팀에서 다섯 개, 총무과에선...세 개는 가능하죠? 프로모션 달성하면 백화점 상품권! 당상지점에 또 이깁시다! 파이팅!

은정 (지윤에게 속닥)이미 사돈에 팔촌에 헤어진 전남친 새 애인한테까지 팔았는데.

지점장 (전쟁 예고하듯)그리고 오늘 25일입니다. 객장 혼잡이 예상되니 주의하세요.

일동 (헉!)

S#50. 은행 객장(D)

영업 준비를 마친 객장.

지점장, 메인데스크에 놓인 황금색 교탁종을 경쾌하게 내리친다.

경필 (자신의 자리로 가다 상수에게 속닥)내가 저노무 종 조만간 엿바꿔 먹는다.

상수 (속닥)응원한다.

셔터가 올라가고. 종현이 중앙문을 열면, 우르르 쏟아지는 고객들. 대부분 노인들이다. 수영, '입출금 전용 창구' 떠있던 자신의 창구 모니터에 '다른 창구 이용바랍니다' 띄워놓는다. 번호표도 뽑지 않고 수영의 창구에 차례로 줄 서는 노인들. 종현, 노인들 줄 서는 것 도와주고.

노인 (수영에게 대뜸)나 돈 줘!

수영 (상냥한)노령연금 찾으러 오셨죠? 통장, 도장 주세요.

바로 도와드릴게요.

경필E　　사는 게 뭔가 싶다.

S#51. 놀이터(D)

기분 좋은 얼굴로 쭈쭈바 빨고 있는 상수. 경필과 시소 타는 중이다.

경필　　한 달에 한 번 받는 연금 기다렸다가 쌀 사고, 라면 사고, 그러는 어르신들 보면. 저분들도 열심히 살았을 거 아냐.

상수　　(딴 생각에 빠져 건성)그치...

경필　　(상수 유심히 보다)너 무슨 일 있지. 요새 텐션이 좀 수상허다.

상수　　(뜨끔)넌 그 오지랖 폭 좀 줄여라. 세상만사 다 알아야겠냐?

경필　　어머 자기! 지금 나한테 선 그어? 경필이 슬프다?

상수　　(경필 너머 터덜터덜 걸어오는 석현 보며)슬픈 건 니가 아니라 쟤 같은데.

경필　　(돌아보고, 상수에게)여친이랑 결국 깨졌대.

석현　　(손에 캔맥주 들고 오는)

경필　　(석현 손에서 맥주 뺏으며)미쳤어? 근무시간에. 노부지(점장) 지랄이 그립냐?

석현　　(다시 뺏고)무알콜이야.

경필　　(아...)

상수　　(한심하게 보다)왜 깨졌는데. 결혼하고 싶대매.

석현　　(모래바닥에 털버덕 앉고)니들 푸세식 화장실 본 적 있냐.

상수/경필　　(뭔 소리야....석현의 앞으로 가 앉는)

석현　　난 실제로 봤다. 걔네 집이 푸세식이더라.

상수/경필　　(아....)

석현 (회상에 잠긴. 덤덤히 말하다 복받치는)반했다. 설렜다. 고백했고 사겼다. 그리고 알았다. 개네 집이 우리 집보다 심하게 기우는 거. 상관없었다. 우리 집 돈 많으니까. 근데. 언제부턴가 배려하게 되더라. 데이트할 때도, 여행 갔을 때도, 결혼 얘기 꺼낼 때도, 내 사정이 아니라 개 사정 생각하면서 눈치 보게 되더라.

상수 (표정)

석현 진짜 최악인 게 뭔지 아냐. 개가 먹는 밥이, 우리 엄마돈 아빠돈 내 돈으로 보이는 거야. 인사 가서, 앉기도 민망한 그 집에서 백숙을 먹는데, 아...이제 내가 버는 돈은 내 돈이 아니겠구나. 돈이 줄줄 새겠구나. 물 새는 것처럼. 누수처럼.

상수 그건 사귀기 전에 했어야 할 고민이지. 사랑한다며. 끝까지 갈 각오도 없이.

석현 (울컥)내가 알았냐? 내 사랑이 이 정도로 옹졸할 줄? 나만 쓰레기야? 나만?

경필 (달래는)아니지아니지. (상수 나무라며)넌 왜 석현이 뼈를 때리고 그러냐.

석현 후회돼. 첨부터 만나지 말걸. 왜 사랑해서. 현실을 뛰어넘는 사랑은 로미오 줄리엣이나 하는 거였어. 개넨 그래도 집안 형편은 비슷했잖아. (눈물이 줄줄)마음이, 맘이 너무 아파.

상수 (쭈쭈바 빨며...생각에 잠기는)

S#52. 은행 객장(D)

수영, 계수기에 돈 넣고 기다리는 동안, 앞에 앉은 고객의 화려한 액세서리들을 유심히 살피고...서랍 안에서 실반지를 꺼내 손가락에 끼운 뒤,

칼톤에 통장을 올린다.

입금녀	(통장 챙기다가)어머, 반지 너무 예쁘다. 어디서 샀어요?
수영	아, 산 건 아니고 카드 포인트로요.
입금녀	포인트요? 어떤...?
수영	제가 쇼핑을 좋아해서요. (생각난 듯)아, 고객님도 이 카드 한번 보시겠어요?

자연스럽게 카드 판매하는 수영, 그리고 뒤에서 흰 눈으로 수영을 보는 은정과 지윤. 상수도 수영의 일하는 모습을 물끄러미 본다. 어딘가 생각이 복잡한 표정이고.

S#53. 은행 갱의실 복도(D)

수영, 갱의실에서 나오는데. 지점장, 수영에게 다가온다.

지점장	안주임이 할당 다 채웠던데? (손 덥석 잡으며)역시 안주임이야.
수영	(불편하지만 티 안 내고)
지점장	(마치 응원하듯 나머지 손으로도 수영의 손등 두드리며)지금처럼만 해.
수영	(침을 뱉을 수도 없고...그저 미소 짓는다)네.

S#54. 은행 지점장실 + 밖(D)

지점장실 테이블에 고급커피머신 놓여있고.

마대리, 은정, 지윤, 커피 마시며 잡담 중이다.

마대리　　(커피 한 모금)역시 커피는, 지점장실 커피야. 권력의 맛이랄까.

지윤　　(불만)수영씨가 또 상품권 타갈 거 같아요.

은정　　저렇게 독하니까 파트타이머로 들어왔다 정직원 꿰차고 버티는 거지.

마대리　　그럼 뭐해. 직군전환 못 하면 계에속 창구업무만 하는데. 아니, 직군전환을 해도 문제야. 지금 일반직군으로 전환하면 차수 깎여서 또 주임으로 몇 년 고생.

지윤　　(남일 같지 않고)그래도 실적 올리는 거 보면 직군전환 하려는 거 같은데.

마대리　　그 경쟁률을 뚫는다고? 안수영이가?

은정　　(그건 그렇다. 왠지 고소하고)근데 마대리님도 첨에 수영씨 좋아했잖아요.

지윤　　(몰랐고)대리님 까이신 거예요?

마대리　　(발끈)누가! 내가? 하! 내가 왜 까여! 안수영 얼굴 좀 반반한 게 뭐! 그게 스펙이야? 스펙은 이력서에 적을 수 있어야 스펙이지! 고졸에 텔러에 집안까지 별 볼일 없는 여자한테 내가 까여?

/상수, 보고용 서류 손에 든 채, 들어가지 못하고 서있다.

상수　　.....

S#55. 몽타주

/ 와인바(N)

조용히, 와인 한 잔을 비워내는 수영.

상수N **남자란 남자는 모두 그녀를 마음에 두었을 것이다.**

/ 갤러리 앞(N)

수영, 불 꺼진 갤러리 앞에서 그림을 보고 있다.

상수N **그러나 그녀는 감정적 욕구를 당장에 만족시키는 것이 아니면,**

/ 수영의 집 – 베란다(N)

허브잎을 톡톡 따내는 수영. 고요하게 반복되는 수영의 일상.

상수N **무엇이나 다 무용한 것이라 여겼다.**

/ 수영의 집 – 거실(N)

수영, 허브차를 마시며 핸드폰 문자를 작성한다.

상수N **필요 없다고 생각한 것은 모두, 버렸다.**

S#56. 상수의 집(N)

상수, S#55의 내레이션이 적힌 책(마담 보바리) 무릎에 올려둔 채, 수영이 보낸 문자를 보고 있다.

수영E	내일 어디서 봐요?

상수E	(문자 작성하는 위로)7시에 타원호텔 스시집 예약해놨어요.

상수, 핸드폰을 엎어놓으며 설핏 미소. 마냥 설레하던 첫 데이트와 뭔가 다른 느낌이다.

**S#57.	은행 객장(D)**

4시 55분을 가리키고 있는 시계.
얼굴이 시뻘게진 채 객장을 돌아다니며 마감을 독촉하는 부지점장.
마감 끝낸 행원들은 눈짓 주고받으며 '으휴...' 하는 표정이고.
종합상담팀 상수와 총무과 경필, 석현, 시재를 맞추지 못해 분투 중이다.

부지점장	하상수 소경필 양석현! 또 니들이야! (상수에게)상수야. 요즘 사춘기니. 잘 하는가 싶더니 왜 이래?

상수	죄송합니다. (시계를 본다. 약속에 늦을까 봐 긴장되고)

석현	(옆자리 경필에게)경필아...좀 도와주겠니.

경필	(동전통 시재 확인하며 예민)동전 시재 딸 땐 건드리는 거 아니다. 말 걸지 마라.

석현	(시무룩. 실연의 상처에 의지가 없다. 느릿느릿 지폐를 세는)

경필	(짜증 나는)아 왜 또 안 맞아.

지점장, 지점장실에서 나와 '아직이야?' 하는 시선으로 객장 둘러보면.
꼬리 내린 표정의 부지점장이 양 손바닥을 비비며 지점장에게 다가가고.

이팀장	(슬쩍 와서)빨리해. 노부지(점장) 저러다 코에서 불 뿜어.

상수 (전표와 서류를 번갈아 보며 확인하는. 초초해진다.)

S#58. 수영의 집 – 수영방(N)

평소와 달리 화사한 느낌으로 화장을 마친 수영. 거울을 보며 상태를 확인하던 수영의 시선이 화장대에 놓인 달력으로 향하는데…오늘 날짜에 동그라미가 쳐진 달력.

S#59. 수영의 집 – 주방(N)

수영, 달궈진 프라이팬에 계란물을 넣는다. 식탁에는 1인분의 식기와 수저가 세팅되어 있고. 다 익은 계란을 쌀밥이 담긴 그릇에 붓고, 참기름, 간장을 차례로 두르는 수영. 완성된 계란밥을 세팅된 자리에 예쁘게 놓는다.

수영 (묵념하듯, 선 채로 세팅된 자리를 보는)

소파에 둔 가방을 들고 나가는 수영. 식탁에는 잘 차려진 계란밥, 조각케이크 놓여있는. 식탁 한 켠에 놓인 사진액자. S#29에서 수영이 핸드폰으로 보던 사진이다. 앳된 얼굴의 수영, 그리고 수영의 어깨를 감싸 안고 밝게 웃는 야구모자를 쓴 남자(수혁)의 모습.

S#60. 은행 객장 + 호텔 스시집 교차(N)

/은행 객장.

경필, 전산에 마지막 전표를 입력하고, 시재박스에 넣은 뒤 '시재 맞습니다' 외치는. 석현, 핸드폰을 흘깃거리며 아직도 마음 못 잡은 얼굴로 세월아 네월아 하고 있고.

경필	(상수에게)얼마나 비는데.
상수	28만원. (시계 보고, 처음부터 다시 전표 확인 시작하는)
경필	도와줘?
상수	(집중하고)석현이 도와줘. (또 시계 올려다보는데)

/호텔 스시집.
6시 50분을 가리키고 있는 시계.
수영, 직원의 안내를 받아 자리에 앉는다.
밖에서도 들여다보이는 통창 인테리어.

/은행 객장.
부지점장, 포효하기 일보 직전의 얼굴로 상수를 노려보고 있다.
경필, 석현 대신 서팀장(출납 대직자)에게 남은 시재 갖다 주고.

은정	(서팀장 눈치 보며)안주임 대직잔 전데...제가 해야 하는데 출납...죄송해요.
서팀장	빨퇴하려고 나선 건데, 개망이다.
상수	(서두르는 기색 역력하게 서류와 전표 대조 중이고)
경필	(유난히 서두르는 상수 보며)너 뭔 일 있어? 왜 이렇게 급해. 그러면 더 빽나.
상수	.....

/호텔 스시집.
수영, 핸드폰 액정을 터치해 시계를 띄운다. 7시.

수영 (살짝 망설이다, 립밤을 꺼내 바르는)

/은행 객장.
상수, 마침내 시재 맞춘 듯 돈다발에 띠지 두르고 휘리릭 돌린다.
사무인까지 탕탕 찍고 시재박스에 돈 넣은 뒤 경쾌하게 닫는.

상수 (서팀장에게 시재통 급하게 넘기며)서팀장님, 부탁드려요!
(바로 튀어 나가고)
서팀장 (얼떨떨)뭐야 지금? 저러고 간다구?

S#61. 도로 + 호텔 스시집 + 밖 교차(N)
/도로.
상수, 전속력으로 달려가며 핸드폰에서 수영의 연락처를 찾는다.
통화 버튼을 누르려는 그때...!
지나가는 행인과 부딪쳐 핸드폰을 떨어트리는 상수.
바닥에 떨어지는 핸드폰. 헉! 보면, 액정에 여러 개의 금이 가 있다.

상수 (액정을 터치해보지만 먹통이고...! 잠시 패닉이다가, 다시 서둘러 달려가는)

/호텔 스시집.
핸드폰 액정의 시계, 7시 30분이다.

수영 ......

/호텔 밖.
상수, 전력 질주로 달려온다.
비뚤어진 넥타이, 땀으로 뻗친 머리카락, 헉헉대는 숨, 얼굴에 흐르는 땀, 몰골이 말이 아니다. 그래도 도착했다! 호텔 문을 밀고 들어가고.

/스시집.
식사 중인 몇몇 손님들. 들어선 상수, 급하게 이리저리 둘러보며 수영을 찾는다. 직원이 다가와 '예약하셨습니까' 묻는데...직원 너머로 보이는 시계, 8시 10분. 상수의 시선으로 수영이 앉아 있던 테이블이 보이고, 테이블에는 물잔만 놓여있다.

상수 (갔구나....)

S#62. 버스정류장(N)

금이 간 액정을 여러 번 터치하는 상수.
그러나 전원이 켜지지도 않는 핸드폰.

상수 (미치겠는)

땀에 젖은 채, 후회 가득한 얼굴로 서있는 상수의 모습에서.

S#63.　　은행 갱의실(D)

남자탈의실에서 옷 갈아입고 나오는 상수, 맞은편 여자탈의실에서 수영이 나온다. 상수, 주변에 아무도 없는 것 확인한 후, 수영에게 다가간다.

상수　　어제요. 시재 때문에. 핸드폰까지 고장..(하다, 변명 같아 다물고)...못 가서 미안해요. 많이 기다렸어요?

수영　　(그 말에 더 냉랭한 시선으로 보더니, 그냥 나가버리는)

상수　　(하...미치겠고)

S#64.　　몽타주

/은행 객장(D)

영업 준비를 마치고 커피 마시는 행원들. 상수, 사람들의 시선 딴 데에 가 있는 동안, 밖에서 사 온 커피를 수영의 자리에 올려놓는다.

상수　　(아무도 안 봤겠지? 하는 얼굴로 두리번거리는데)

수영　　(상수 앞에 떡하니 서있는)

상수　　(헉 놀라서 자리 비켜주면)

수영　　(차가운 표정으로 자리에 앉는다)

/동. 시간경과(N)

마감 시간. 상수의 신경은 온통 수영에게 쏠려있다. 아침에 올려둔 자리에서 꼼짝도 못 한 채, 수영에게서 외면 받고 있는 커피고.

/동. 여러 날 경과(D)

수영의 자리에 올려진 커피가 비타민 음료로, 마카롱으로, 캐릭터 볼펜으로, 여러 번 바뀐다. 아는지 모르는지 한결같이 상수와 상수의 조공품까지 무시하는 수영. 상수, 울컥한다. 해도 해도 너무하는 것 같다. 수영이 원망스러워 보면, 사람들과 이야기 나누며 밝게 웃고 있는 수영.

/상수의 집(N)
새벽 2시. 분노에 차 수영에게 메시지 폭탄 날리는 중이다.
침대 옆에는 맥주캔 여러 개가 널브러져 있고.

상수E 약속 못 지킨 건 미안한데 /이렇게까지 해야 해요? /미안하다고 했잖아요. /저기요 /여기요 /안주임님 /수영씨 /자니...?

/상수의 집(D)
아침햇살이 들어오고 있다.
침대에 누운 상수, 퀭한 눈으로 자신이 새벽에 보낸 문자창 확인한다.

상수 (남의 일처럼 보면서)미쳤구나. 돌았구나. 미쳤고 돌았구나.

/은행 객장(D)
객장으로 들어오는 상수, 자존심도 상하고 자기가 그렇게까지 잘못한 건가 싶고...수영, 사람들에게 인사하며 자리로 와서 앉는데, 이제 인사할 전투력도 생기지 않는 상수고. 서로 말없이 영업 준비를 하는 두 사람의 모습에서.

S#65. 은행 갱의실 복도(D)

상수, 세상만사 체념한 표정으로 커피 타서 나오는데.

복도를 휙 지나가는 경필, 암호처럼 손가락으로 밖을 가리킨다.

경필 밖으로. (휙 나가고)

상수 (또 뭐야 저건...)

S#66. 은행 밖 흡연공간(D)

상수, 방금 들은 얘기에 얼이 빠진 표정이다.

마대리, 의기양양한 얼굴로 상수, 이팀장을 둘러본다.

이팀장 근데 그렇다고 사귀는 건 아니잖아.

마대리 안주임이랑 정청경이 점심시간에 은행에서 멀리 떨어진 공원에 마주 앉아 도시락을 먹고 있었는데. 최소 썸 아니면 사귀는 거죠!

상수 (흔들리는 눈빛...!)

이팀장 이야. 콧대 높은 안수영이. 그렇게 빼더니만 정청경한테 도시락까지 싸다 바쳐?

경필 그 도시락을 안주임이 직접 싼 건진 모르죠.

마대리 그럼 그걸 정청경이 쌌겠어?

상수 (그저 혼돈이고...)

마대리 들이대던 계장 대리 다 제치고 들어온 지 한 달도 안 된 청경이랑, 안주임 제정신 아닌가 봅니다.

경필 뭘 그렇게까지. 그림은 딱 잘 어울리던데요.

상수 (표정)

이팀장 뭐...끼리끼리 어울리는 거지.

마대리 확신이 듭니다. 그냥 도시락 까먹는 게 아니었어요. 정청경 얼굴도 불그죽죽하니, 두 사람 분위기 완전 요상했다니까요. 촉이 와요 촉이.

상수 먼저 들어가 보겠습니다. (고개 꾸벅하고 가는데)

경필 (급하게 따라와서)어디 가.

상수 (얼버무리는)어, 어어 담배 사러. (가고)

S#67. 공원 일각(D)

상수, 빠른 걸음으로 수영과 종현을 찾아다니고 있다.
자신의 눈으로 확인하고 싶은 심경.

플래시백 >S#24. 제주도. 상수를 향해 예쁘게 웃던 수영.
S#41. 거리. 지나가는 행인들 속에서 서로를 바라보고 있는 상수와 수영.
S#46. '애매한 관계는 싫어요' 하던 수영

상수 (안수영이 정종현과 정말 사귀는 건가....! 우리 잘 되어가고 있던 거 아니었나...!)

마대리E 최소 썸 아니면 사귀는 거죠! 두 사람 분위기 완전 요상했다니까요.

상수, 빠르게 걷던 걸음 멈추고 우뚝 선다. 지금 내가 뭐 하는 건가, 자신이 한심하고 뭔가 억울하기까지 하다. 감정을 삭이는 모습에서.

S#68. 고깃집(N)

1분기 결산 회식. 은행의 전직원이 다 모였다.

지점장, 부지점장, 이팀장, 마대리, 상수, 수영이 한 테이블, 나머지 사람은 일렬로 붙은 테이블에. 수영, 늘 해온 일처럼 지점장의 맞은편에 앉아 고기 자르고 있다. 수영의 옆엔 상수가, 상수 옆에는 경필이, 수영과 종현은 끝에서 끝으로 떨어져 있다. 수영의 옆에 앉았지만, 말 한마디 걸 수 없는 상수.

이팀장 (숟가락으로 맥주병 땡땡! 집중하라고 신호 주면)

일동 (지점장에게 시선 주고)

지점장 1분기 결산이 끝났습니다. 목표 실적은 달성하지 못했지만, 다음 분기엔 더 똘똘 뭉쳐서 힘내자는 의미로, 모두 고생하셨다는 의미로, 오늘의 이벤트!
(양복 안주머니에서 만 원짜리 백 장 정도 꺼내고)

일동 (환호성 지르는데)

수영 (미소 짓고)

상수 (유일하게 흥이 없는 얼굴)

지점장 오늘은 누구부터 도전?

부지점장 (팔 걷어붙이며)짬밥순이죠!

이팀장 부지점장님 다음은 우리 종상팀입니다!

서팀장 (코웃음)왜 이래? 은행의 꽃은 예금팀이야?

이팀장 야, 은행의 핵은 종합상담팀이지!

서팀장 야아아? 동기라도 예의는 지키시죠 이구일 차장님.

이팀장 반말은 니가 먼저 하셨습니다 서민희 과장님. 같은 팀장이래두 직급은 내가 위라는 걸 잊지 마시고.

서팀장 (저 새끼가)

이팀장 (메롱메롱)

부지점장 (돈다발 만지며)백만원 같지만, 백만원이 아닌, 백만원 같은...?

이팀장 어어어, 부지점장님 직접 세는 건 반칙입니다. 딱 느낌으루다!

부지점장 95만원!

이팀장 (돈다발 넘겨받아 만져보고)93만원 가겠습니다!

/은정 89만원...?

/지윤 94만원?

/석현 (힘없이)100만원.

/경필 (눈을 감고 세보며)101만원이 확실합니다.

/상수 (건성으로)90만원요.

/수영 (넘겨받고는 한 번에)99만원이요.

지점장 (두구두구 발표하는)정답자는!

일동 (기대로 시선 집중하는데)

지점장 안수영 주임! (돈다발 건네며)축하해 안주임.

수영 (받으며 웃고)

일동 (아, 또 안주임이야 /안주임 보너스타임이야 뭐야 /수영씨 우리 반띵해요!)

상수 (밝게 웃는 수영 곁눈으로 보고...밉다...)

/지점장, 부지점장은 떠난 자리. 술이 얼큰하게 오른 사람들.
이팀장, 수영과 종현을 번갈아 보더니, 마대리를 툭! 친다.

마대리 (신호 받은 듯)오늘 분위기는 특히 좋네요. 잘생긴 정청경이 와서 그런가.

이팀장 그치그치. 정청경 잘 생겼지. 이목구비도 나랑 비슷한 편이고.

서팀장 (코웃음)뭐래. 그쪽 이목구비는 천지분간을 못 하는 편이지.

이팀장 (서팀장 보며 눈으로 콱! 그냥...!)

종현 (쑥스럽게 웃고)

이팀장 (수영 떠보듯)정청경은 요새 아이돌 스타일이고, 진짜는 하계장 같은 남잔데. 그 왜 고전 영화에 나온 험프리 보가트 같은. 그런 남자잖아. 안 그래?

마대리 (장단 맞추며)안주임은 어때요. 아이돌 타입이에요, 고전영화 타입이에요?

상수 (지금 뭣들 하는 건가)

경필 (상황이 재밌게 돌아가네...?)

수영 전 고전영화 별로예요.

상수 (내가 별로란 소리겠지...)

마대리 (이팀장과 눈빛 주고받고)오. 하상수보단 정종현이 타입이다? (종현에게)정청경은 어떤 타입 좋아해?

종현 (망설이다가)저도 고전영화는 안 좋아합니다.

상수 (표정)

서팀장/지윤/은정 (안주임이 좋다는 얘기야? / 비주얼 커플이긴 하다 / 오오)

이팀장 (짐짓 장난처럼)뭐야. 안주임이랑 정청경. 설마?

마대리 설마 둘이, 사겨요?

수영 (가볍게 분위기 맞추는)왜 이러세요.

종현 .....

마대리 (편 들어주는 척)에이, 피 철철 끓는 나이에 사귈 수도 있는 거지! 진짜 사귀는 거면 팀장님이 축하해주려고 이러시는 거잖아.

수영 (아직까진 미소로)그런 거 아니에요.

이팀장 (수영 직시하고, 웃음기 걷힌 얼굴로)정말, 아닌 거지?

수영 ! (농담처럼 물어보는 게 아니다)네. 정말 아니에요.

마대리 (내가 본 게 있는데...몰아붙이는)에이, 아닌 게 아닌 거 같은데. 두 사람 뭐 있는 거 같은데? 솔직히 말해봐요. 사귀죠 둘이?

수영 (공개적으로 저격당하는 느낌...불편함에 얼굴이 굳고)

이팀장 그래 솔직히 말해봐. 왜. 정청경이 은행 들어온 지 한 달도 안 됐는데 사귄다 그럼, 두 사람 우습게 볼까 봐 그래?

수영 (사람들의 시선이 자신에게 쏠려 있는 걸 본다. 표정이 싸늘해지는...)

상수 (도저히 안 되겠다, 뭐라고 한마디 하려는데)

경필 (그러지 말라는 듯, 상수의 무릎을 꾹 누른다)

상수 .....

서팀장 즐거운 회식 자리를 왜 청문회로 만드셔? 사귀면, 뭐 커플링이라도 해주시게?

이팀장 (벌컥벌컥 마시고 술잔 비우고서)진짜 아니야 안주임?

수영 ...네.

이팀장 (확답받듯)종현씨도 확실히 아니고?

종현 아닙니다.

이팀장 ....혹시 잘 되면 말해줘. 내가 무슨 형사 나부랭이도 아니고 고작 팀장인데. 좋은 일에 축하 좀 해주겠다는 거잖아.

수영 (테이블 아래로 주먹을 꾹...쥔다)

상수 (그런 수영을 봤고)

마대리 (너스레)팀장님, 형사나부랭이라 그럼 큰일 납니다! 정청경이 고시 패스해서 형사 되면 어쩌시려구요.

일동 (하하하 웃는 분위긴데...)

상수/수영 (웃을 수 없고)

종현 (일어나며)저 먼저 가보겠습니다. 즐겁게 보내시고 내일 봬요.

일동, '벌써 가게?', '아쉽다' 입으로는 말하지만 적극적으로 종현을 잡지는 않는다. 상수, 이런 분위기가 불편하고...술잔만 비워낸다. 옆에 앉은 수영에게, 뭐라도 한마디 하고 싶은데...뭐라 해야 할지도 모르겠는 심정. 경필, 상수를 툭 친다. 손가락으로 담배 피우러 가자는 시늉.

S#69. 고깃집 일각(N)

상수, 경필, 가로등 아래서 담배를 피우고 있다.

상수 왜 말렸냐 아까.

경필 안 말리면. 너 뭐라고 할랬는데.

상수 (화나는)안수영이 정종현이랑 사귀든 말든, 그게 저렇게 공개적으로 추궁당할 일이야? 뭐야 저게. 이팀장 마대리 미친 거 아냐?

경필 하루 이틀이냐. 은행 사람들한테 스캔들만큼 재미난 게 어딨어.

상수 그래서 너는, 이팀장이 저러는 게 아주 기쁜가보다? 좋아? 애초에 마대리랑 니가 그런 얘기 안 꺼냈으면! 이런 일도 없었을 거 아냐!

경필 (억울한)야. 내가 했냐? 바다에 빠져도 조동아리만 동동 떠다닐 마대리가 설친 거지? 그리고 니가 가만 안 있으면 어쩔 건데. 이 상황에 니가 나서서 뭐라도 하면, 안수영이 고맙고 기쁘고 위로되고 그럴 거 같아?

상수 (울컥!)나 걔 좋아해! (처음으로 내뱉는 말이다)나 안수영 좋아한다고.

경필 (표정)

S#70. 고깃집 밖(N)

회식 마치고 나오는 사람들. 인사 주고받고 헤어지는 분위기다.
상수, 서팀장과 대화하며 태연하게 웃고 있는 수영을 보고 있다.

상수 (멀쩡할 리가 없는데...)

S#71. 거리 일각(N)

걷고 있는 수영, 몇 걸음 떨어진 곳에서 상수가 뒤따라오고 있다.

상수 (나를 무참하게 무시하는 저 여자지만...도저히 안 되겠다. 성큼성큼 다가가 수영의 앞에 서는)

수영 (무심하게 뭐냐는 듯 보고)

상수 괜찮아요?

수영 뭐가요?

상수 (어딘가 적대적인 수영의 태도에, 일순 주눅)아니, 아까...사람들 앞에서 이팀장님 마대리님이...너무 했잖아요. 미친 것처럼.

수영 (진심으로 우습고)근데 하계장님께서, 왜 저한테 그걸 물으시는 건데요?

상수 (말문이 턱 막히는)

수영 (독기까지 느껴지는)불쾌한 일일 거 알면서, 왜 다시 꺼내냐구요. 제가 그 얘길, 하계장님이랑 다시 꺼내고 싶어 할 거라고 생각해요? 그게 이팀장 잘못이라고 생각하면 이팀장님한테 가서 뭐라고 하면 되잖아요.

상수 (수영의 태도에 말 한마디 못 꺼내는)

수영 이팀장이 미친 짓거리 했는데, 뭘 어쩌라구요. 더 참으라구요? 아님, 왜 한 마디도 못 하고 미친 년처럼 웃었냐구요?

상수 아니 난, (답답한)그냥, 수영씨가 걱정돼서, 괜찮은가 해서.

수영 당연히 괜찮죠. 괜찮지 않으면 어쩌라구. 본사에 가서 투서라도 해요? 혼자 다른 사람인 척 구는 게 더 짜증 나요. 그 자리에 딴 사람들이랑 똑같이 그러고 있었으면, 지금도 딴 사람들이랑 똑같이 가만히 있기나 하세요.

상수 (억울해진다. 나한테 이렇게까지 화낼 일인가! 그동안 무시당했던 일들이 모두 터지는)저기요, 안수영씨. 약속 못 지킨 건 미안한데, 그날 이후로 나한테 너무한 거 아닙니까? 내가 말했잖아요. 시재가 안 맞아서, 약속 못 지킨 거라고.

수영 (차분히 보다)내가 약속 한 번 안 지켰다고 이러는 거 같아요?

상수 그럼 왜 그러는데요. 수영씨 알잖아요. 내 마음!

수영 (냉랭한)모르고 싶은데요.

상수N **안수영을 향한 내 마음은 인출사고였다.**

수영 더 할 말 있어요?

상수N **마음을 꺼내면 안 됐던 상대에게, 마음을 줘버린 사고.**

수영 (한심하게 상수 보다 획 돌아서는데)

상수 (감정이 확 터지는)좋아해요. 좋아한다고요.

수영 (뒤돌아선 상태에서 멈칫하는)

상수 (이러다 울겠다...입안 꾹 깨물며 감정 누르고)진심이에요.

좋아해요. 내가 그날 약속 못 지킨 건 맞는데. 미안해요, 미안한데. 좋아한다구요.

수영 (뒤돌아선 상태로 서있는)

상수N **왜냐면, 내가 좋아하는 그녀는...**

수영 (천천히 상수를 향해 돌아선다. 무표정한 얼굴에 사악한 미소가 번지고) 근데 어쩌죠?

상수N **안수영은,**

수영 나 종현씨랑 사귀는 거 맞는데.

상수N **정말 나쁜 년이었으니까.**

상수, 억울하고 울컥하고 짜증 나고 복합적인 감정으로 눈시울이 시뻘게지는데. 수영, 덤덤하게 상수를 바라본다.
마주 선 두 사람의 극명하게 다른 표정에서 엔딩...!

The Interest of Love

2 부

Ep 2

S#1. 프롤로그 몽타주(N) – 과거

/ 은행 – 객장(D)

노란색 명찰줄을 찬 수영, 고객에게 미소 짓는 모습 위로,

수영N **사람들은 선을 긋는다.**

보면, 상수를 비롯한 일반직군 행원들의 창구 모니터에는 프로필 사진까지 박혀있는데. 수영의 모니터에는 '입출금 전용 창구' 문자만 떠있다. 비교되는 모니터 모습 보여지며,

수영N **때론 아주 사소하게.**

이팀장 (수영 앞에 앉은 고객에게)상속은 저쪽에서 해드릴게요. (수영 자리)여긴 입출금 업무만 보고 있습니다. 여기로 오시죠. (고객 에스코트해서 가는)

수영 (미소로 접객하던 표정, 살짝 굳는)

수영N **때론 너무나 노골적으로.**

은정의 책상 위. 대학교 졸업식에서 찍은 사진이 올려져 있다.

수영N **그리고 그걸 당연하게 여긴다. 출발이 다르니까.**

/ 고등학교(D)

칠판에 'KCU은행 2분기 행내시험'이라고 적혀있고. 수영, 앞사람이 넘긴 시험지를 받는데, 시험지를 확인하는 순간, 표정이 어두워진다. 보면, 딱

보기에도 난이도가 높은, 영어로 된 외환문제가 빽빽이 적혀있고.

수영N **공평한 기회처럼 보이는 일도 교묘한 차별일 뿐.**

시험이 끝난 뒤, 수영 주변의 사람들이 짐 챙기며 불만을 토로한다.

직원1 너무한 거 아냐? 이건 대놓고 떨어지라고 낸 문제잖아.
직원2 이러니까 합격률이 10프로도 안 되지.
직원1 월급 적게 받는 것도 짜증 나는데.
직원2 치사하다. 불공평해 진짜.

수영, 묵묵히 짐을 싸며 단념하는 표정이고.

수영N **선 밖에 있는 사람은 선 안쪽으로 쉽게 넘어갈 수 없다.**

/ 갱의실(D)
이팀장, 마대리, 주변 의식하지 않고 떠들어댄다.

이팀장 그게 어떻게 불공평해. 공평한 거지. 고졸이나 대졸이나 똑같으면 우린 미쳤다고 4년을 비싼 등록금 내면서 대학 다녔겠어. 바로 취직해서 돈 벌었지. 난 서비스직군 일반직군 월급도 지금보다 더 차이나야 한다고 봐.
마대리 그럼요. 출발이 다른데 결과가 같으면 그게 불공평이죠.

/ 갱의실 밖 복도(D)
수영, 들어가려다 말고 그 대화를 들으며 서있다.

저도 모르게 명찰 목걸이를 꽉 쥐는.

수영N　　　**상처받지 않는 방법은, 그냥 인정하는 것.**

그때, 남자탈의실에서 상수가 나오며 이팀장, 마대리에 합류한다.
어두운 복도에 서있는 수영, 환한 갱의실 안의 상수의 웃는 모습을 들여다보는 위로,

수영N　　　**이곳에서 나는…선 밖에 서있는 사람이다.**

S#2.　　　은행 여자탈의실(D) – 회상

여자탈의실 가운데 놓인 락커.
수영이 옷을 갈아입고 있는 반대편, 은정과 지윤이 옷을 갈아입고 있다.

은정　　　(1부 S#49의 청첩장 가방에 넣고)사내연애는 혼자 하냐구. 남자가 있어야 하지.
지윤　　　마대리님이랑 친하시잖아요.
은정　　　아침에 눈 떴는데 옆에 마대리 있다고 생각해봐. 다시 눈을 감고 말지.
지윤　　　소계장님은요?
은정　　　오지랖 넓은 남자 만남 속끓여. 양석현은 여친이랑 깨지고 반송장이구. 하상수 정도면? 고민은 해보구.
/수영　　　(상수 얘기에 멈칫)
지윤　　　하계장님 사내연애는 안 할걸요? 본점 갈라구 이거저거 관리하는 거 같던데.

은정	모르지. 하상수가 의외로 사랑에 올인하는 순정파일 수도.
/수영	(픽 웃는)
은정	(락커 너머로 수영에게)수영씬 어때요?
수영	(입구 쪽으로 나와서 돌아보며)뭐가요?
은정	(다 듣고선 모르는 척은)은행 남자들 중에, 누가 제일 낫냐구요,
수영	(표정)

S#3. 호텔 스시집(N)

수영, 핸드폰 액정을 터치해 시계를 본다. 8시.

저녁식사를 즐기는 손님들 가운데 덩그러니 혼자 있는 수영.

핸드폰을 들어 문자를 작성한다. 문자 인서트 >'오고 있어요?'

문자를 보내려다, 그냥 창을 꺼버리고...

문득 고개를 돌려 창밖을 보는데, 수영, 뭔가를 봤다.

수영	! (무슨 상황인지 이해가 안 가다가, 서서히 감이 잡히는...가라앉는 표정에서)

S#4. 은행 밖(D)

건조한 얼굴로 은행 셔터를 올리고 있는 수영. 끽끽, 소리만 내고 올라가지 않는 셔터문을 힘주어 올리는데 잘 되지 않는다. 다시 힘주어서 올리는데, 수영의 옆으로 온 누군가, 셔터문을 잡고 끝까지 올린다.

수영	(보면, 막 출근한 종현이고)

종현　　　(쑥스럽게 웃고 있는)

수영과 종현, 마주 보고 서있다. 뭔가가 시작될 것도 같은 두 사람의 모습. 은행 정문으로 뜨는 타이틀, 〈**사랑의 이해**〉

S#5.　　　아이스하키장(N)
아이스하키 경기복을 입은 상수, 헬멧 안으로 보이는 강한 눈빛. 골대를 향해 빠른 속도로 빙판 위를 질주한다. 상대팀 수비수, 상수를 막아서고, 무서운 속도로 달려와 거칠게 몸을 부딪치는 상수.

수영E　　　나 종현씨랑 사귀는 거 맞는데.

S#6.　　　거리 일각(N) – 회상
1부 S#71 연결.

상수　　　(안 믿기는)진짜예요? 진짜, 정청경이랑 사겨요?
수영　　　(냉정한 눈으로 상수 보고)
상수　　　(눈빛 떨리는)그럼, 그럼 우리는 어떻게 되는 건데요?
수영　　　(싸늘한)뭐가 어떻게 돼요.
상수　　　우리 사인 어떻게 되냐구요.

S#7.　　　아이스하키장(N)
상수, 상대팀 공격수에게서 퍽을 낚아챈다. 스틱끼리 부딪쳐 큰 마찰음을 내고. 상수의 기세에 상대팀 공격수가 주춤하는 사이, 골대를 향해 달려가는 상수. 힘겹게 따라붙은 수비수 두 명이 상수를 거칠게 막아서는데...헬멧 안에서 헉헉, 울리는 상수의 가쁜 숨소리.

S#8. 거리 일각(N) – 회상

수영 우리가 무슨 사인데요.

상수 (순간 말문이 막히지만)애매한 관계 싫다는 말, 그거 우리 관계가 더 확실해지기 바래서 한 말 아니었어요? 수영씨도 분명히 나한테 마음 있었고. 나 그날, 수영씨한테 (사귀자고 하려고 했다)

수영 (OL)근데 하계장님이 안 왔잖아요.

상수 안 간 게 아니라, (변명하려다가 입 꾹 다물더니, 다시)미안해요. 그날 약속 못 지킨 거, 정말 미안합니다.

수영 확실해요?

상수 (보면)

수영 그날 나 기다리게 해서. 미안했던 거 맞냐구요.

상수 ! (감추고 있는 어떤 것이 있다)

수영 (그런 상수를 보며 더 싸늘해지는 시선)

상수 (표정)

수영 (정적 속에서 상수를 직시하는)

상수 (확인하고 싶은)정청경이랑 사귀는 건 진짭니까?

수영 (차갑게 보다가)마음대로 생각하세요. (휙 돌아서 가고)

상수 (수영 뒷모습 보며, 잡지도 못하고, 미치겠는)

S#9.　아이스하키장(N)

상수, 수비수 둘을 앞에 두고 다른 길로 돌아가는가 싶더니, 퍽을 앞으로 쳐내며 정면돌파 한다. 상수와의 몸싸움에서 밀려 나자빠지는 수비수들. 골키퍼를 가볍게 따돌리고 골대에 퍽을 넣는 상수. 골대에 들어가는 퍽 / 퍽 / 퍽. 상수의 독무대를 망연자실해서 쳐다보는 선수들.

/ 전광판에 뜬 'KCU은행 10 : 3 대광은행' 표시.

헬멧을 벗는 상수, 숨을 고르며 물을 마시는데.

대광대리　올림픽 출전했냐. 이거 동호회 경기야. 살살해라 살살.

상수　(대꾸할 기분 아닌데)

상수의 핸드폰 요란하게 울리고.

S#10.　노래방(N)

석현, 목 놓아서 빅마마의 체념 부르고 있다.

석현　널 미워해야만 하는 거니. (가슴 부여잡고)아니면 내 탓을 해야만 하는 거니.

경필　(한쪽 귀 막고, 통화 중인)나 좀 살려줘라. 양석현이 나 집에도 못 가게 해. (듣더니 질린 표정)넌 회식 끝나고도 하키 할 힘이 남아있니?

S#11.　아이스하키장 탈의실 + 노래방 교차(N)

헬멧은 벤치에 놓아둔 채, 젖은 머리를 수건으로 터는 상수.

상수 (통화하는)그냥 가. 니가 받아주니까 더 그러는 거야.

/경필 인간미 없는 새끼...사람이 힘들면 마, 술도 마시고, 추태도 부리고 그러는 거지.

/상수 (단호한)그래봤자 뭐가 달라지는데. 술 먹고 흐트러지는 거, 이해 못 해 난.

S#12. 해장국집(N)

테이블에 엎어져 있던 누군가, 고개를 쳐드는데, 불쾌한 얼굴의 상수다.
핸드폰 게임하던 경필, 상수 힐끔 보더니 다시 게임에 집중하고.
테이블 위에는 소주 두세 병, 해장국 등 놓여있는.

상수 (정신 차리듯 고개를 휙휙 돌려보는데, 바로 옆에 여자모델 등신대 서있는)뭐냐.

경필 (게임하며)오늘부터 너랑 1일이래매.

상수 ! (아...내가 그랬던가...)

석현 (고개 숙이고 있다가, 훌쩍훌쩍 울기 시작하는)정은아...보고 싶다...안고 싶다...

상수 (덤덤히 소주 따라 마시고)

경필 내가 니들한테 많은 거 바라냐. 그냥 한 놈만, 딱 한 놈이라도 제정신이면 안 되겠냐. 한 놈은 남의 가게 간판 훔쳐다가지 여친 삼고, 한 놈은 지가 헤어지재 놓고 맨날천날 울고불고...(상수에게)술 마셔봤자 뭐가 달라지냐매. 이해 못 하신대매요!

상수 (민망하고)

경필 (한숨)엄마 보고 싶다. (주머니에서 숙취해소제 꺼내 상수

주는)먹어라.

상수 (멀쩡해 보이는)나 안 취했어. 해장이나 하러 가자.

경필 여기 해장국집이다.

상수 (머쓱)해장했으니까 막차 끊기기 전에 3차 가자.

경필 이미 5차야. 좀 있음 첫차 뜨고.

상수 (민망해서 잠든 석현 흔들며)야, 일어나. 과음을 하고 그러냐 앤.

경필 니가 더 무서워. 세상 멀쩡한 얼굴로 만취하는 니가 제일 무서워.

상수 (머쓱)

경필 (상수 보며)넌 왜 그러는데. (보다가)안수영 때문이냐?

상수 (말할 수 없고...다시 소주 마시는)

S#13. 은행 앞(D)

과음의 여파로 추레한 상수. 머리는 아프고, 속은 울렁거리고, 딱 죽겠다 싶은데...은행에 들어가려니 더 죽겠다.

플래시백 인서트>S#6. 수영에게 감정을 토해내던 상수

상수 진짜예요? 진짜, 정청경이랑 사겨요?
그럼, 그럼 우리는 어떻게 되는 건데요?

수영 (싸늘한)뭐가 어떻게 돼요.

상수 우리 사인 어떻게 되냐구요.

상수 (머리 벅벅 긁으며)미치겠네 진짜...(앞을 보다가 헉! 굳는다)

보면, 은행 쪽으로 걸어오고 있는 누군가...수영이다!
상수, 저도 모르게 황급히 옆 카페로 뛰어 들어간다.

S#14. 카페 안(D)

상수, 수영의 눈에 띌세라 문에 몸을 바짝 붙이고 창밖을 주시하는데...
수영, 상수를 보지 못하고 은행 안으로 들어가고. 상수, 그제야 안심하고 한숨 내뱉으며 돌아서는데, 알바생이 뭐 하냐는 눈으로 보고 있는.

상수　　(민망함 감추며)커피, 주세요. 커피.

S#15. 은행 객장(D)

양손에 커피 캐리어 들고 오는 상수.

상수　　(아무일 없다는 듯)좋은 아침입니다! (중앙 테이블에 커피 내려놓고)커피 드세요!
서팀장/은정/지윤　　오오 웬일? / 잘 마실게요! / 역시 하계장님 센스!
수영　　(돌아보지 않고 모니터 보며 일하고 있다)
상수　　(수영 몫의 허브티 챙기는데)
마대리　　(커피 집어 들며)여기 뭐 약 타고 그런 거 아니지?
경필　　어? 어떻게 아셨어요? (뭔가 꺼내는 척하더니, 손하트)대리님을 향한 사랑?
마대리　　(미친...)
경필　　(손하트 하나 더 꺼내서)사랑 곱빼기?
마대리　　소계장님. 오늘 환율표는 확인하시고 찧고 까부시는 거죠?

이팀장	(객장 들어오며)굿모닝!
마대리	(잽싸게 커피 챙겨 이팀장에게 주며)모닝커피 하시죠!
이팀장	오오! 마대리 센스! 커피향 끝내주네.
마대리	(경필 손하트 따라 하며)제 마음 추가한 아아입니다. 사랑 곱빼기.
경필	(와...그걸 따라 하냐....)
상수	(수다 떠는 사람들 눈치 보며, 수영에게 다가가 허브티 내려놓는)
수영	(상수 쳐다보고)
상수	(머쓱하고, 쪽팔리지만)허브티예요.
수영	(보다가, 미소로)잘 마실게요. 고마워요.
상수	! (뭐지. 화 난 거 아니었나)
수영	(다시 일하고)
상수	(용기 내서)저기, 안주임님. 어제 일은 제가,
수영	(무심히)어제 무슨 일요?
상수	! (예상치 못한 반응이고)
수영	(허브티 마시는데)
상수	(수영 옆모습 보는데, 의중을 모르겠다...)
지윤E	어? 인사공고 떴는데요!
상수	! (인사공고?)
서팀장	(컴퓨터 앞에 앉으며)또 누가 가고, 누가 오려나.
이팀장	하계장도 갈 때 되지 않았나? (수영 보며)안주임도 3년 넘었지?
상수	! (생각도 못 한...)

/상수, 서둘러 자리에 앉아 인사공고 창 클릭, 인사발령 엑셀파일 다운

받는다. 엑셀 창 띄워놓고 컨트롤+F 누른 뒤, '하상수' 이름 입력하는.
상수, 기도하는 마음으로 엔터키 누르는데 '검색결과 없음'이 뜬다.
주변을 의식하며, 이번에는 '안수영' 이름 입력하는 상수.

상수	(엔터키를 누르기 전, 머뭇거리는, 만약 안수영이 다른 곳으로 가면 우린 이렇게 끝난다. 차라리 나은 건가, 그래도 이건 아닌 거 같고, 많은 생각이 오가는...)

상수, 마침내 엔터키를 친다.
긴장되는 마음으로 결과를 기다리는데, '검색결과 없음' 뜨는..

상수	(저도 모르게 나오는 안도의 한숨. 수영을 곁눈질로 보는데)
수영	(평소와 다름없는 모습으로 모니터 보고 일하는 중이고)
상수	(표정)
서팀장	(엑셀표 보며)서초점 박미경 대리가 PB팀으로 오네?
이팀장	서팀장은 안 가고?
서팀장	(흘겨보며)미운 꼴 좀 안 보나 했더니, 나도 아쉽거든요?
은정	나 서초점에 동기 있는데. 물어봐야지.
마대리	예쁜가 물어봐.
정임E	너무 예쁘세요 고객님.

S#16. 에스테틱 한 – VIP룸(D)

럭셔리하진 않지만 정갈하고 깔끔한 분위기의 마사지샵 VIP룸.
미경, 얼굴 가리는 두꺼운 팩을 올린 채, 어깨 라인 마사지 받고 있는.

정임 (미경 반응 살피며)압은 괜찮으세요?

미경 (눈 감고)네.

미경모 (옆자리 베드에서)그래서 계속 다닐 거야?

미경 또. (그 소리)

미경모 니 힘으로 명문대 나오구 취직했음 그 정도로 만족해. 왜 다른 사람들 돈을 만지고 살아. 결혼해서 편하게 살면 누가 욕하니? 부러워하지.

미경 (지겹다)

미경모 남들은 갖지 못해 안달인 거 양손에 쥐고서는. 부모덕 안 보고 살려는 거, 그것도 부모한텐 불효야. (정임에게)안 그래요, 한 원장?

정임 (웃고 마는)차 준비해 드릴게요. (조용히 나가는)

미경모 여기 어때. 괜찮지.

미경 낫 뱃.

미경모 보기엔 좀 그래도 우리 모임에서 핫한 데야. 트러블 난 사모들, 여기루 오잖아. 너도 여기로 옮겨. 엄마랑 마사지도 받구, 필라도 같이 가구, 이것저것 하려면 은행은 그만두는 게,

미경 (OL)말 그만 걸어요. 얼굴 당겨.

미경모 (저, 저, 확 그냥)

미경 (눈 감고 있는)

S#17. 은행 회의실(D)

부지점장과 종합상담팀 이팀장, 마대리, 상수, 회의 중이다.

부지점장 삽질을 해도 해도 왜 실적이 그대론지 아는 사람?

일동 (눈치만 보고)

부지점장 종상팀 이번 달 실적 꼴찌 누구야.

이팀장/마대리 (상수 보고)

상수 (면목 없는)

부지점장 ...하상수 너야?

상수 죄송합니다.

부지점장 (상수 보다가, 무겁게)하계장. 나 좀 보자. (회의실 먼저 나가고)

이팀장 (상수 어깨 두드리며)어여 나가봐라.

마대리 (다른 어깨 두드리며)멀리 안 나간다.

S#18. 은행 일각(D)

세상 무서운 얼굴을 한 부지점장 앞에, 두 손 가지런히 모은 채 고개 숙인 상수. 상수, 부지점장이 무섭다기보다는, 이 시간이 얼른 끝나라, 하는 마음으로 날 잡아 잡숴 모드다.

부지점장E 아 해.

상수 (의아해서 고개 들면)

부지점장 (손에 홍삼 스틱 들고)뭐해. 아 해.

상수 (얼떨떨해서 아아, 입 벌리면)

부지점장 (상수 입에 홍삼 스틱 넣고)쭈욱 빨어.

상수 (대체 이건 뭔가 싶은 얼굴로, 그래도 쭉쭉 빠는데)

부지점장 옳지, 옳지, 쭈욱, 쭈욱.

상수 (고개 끄덕이며 쭈욱 빨면)

부지점장 (다정하게)상수야. 나 2년 안에 지점장 못 달면 어떻게 되는

지 알지?

상수　　네...

부지점장　　지점장님은 건덕지 큰 VIP만 상대해서 건덕지 큰 실적만 올리고, 나는 잔챙이들 상대하느라 허덕이다 실적도 잔챙이고. 위로만 문제냐. 너도 알다시피 이팀장이 나 얼마나 무시하냐. 걔 이제 지점장한테 다이렉트로 보고하더라. 당장 내년에 내가 아니라 이팀장이 지점장 된다고 해도 이상할 게 없다고 지금.

상수　　(숙연)죄송합니다.

부지점장　　(핸드폰 사진 보여주며)우리 큰 애, 이제 중 3이고, 얘가 작은 애. 얜 유학 보내야돼. 공부를 못해서. (착잡)20년 은행 인생, 부지점장으로 끝나면 우리 마누라랑 나도 끝나. 이러니, 내가 살겠니?

상수　　(짠해서)부지점장님...

부지점장　　(홍삼스틱 몇 개 더 꺼내, 상수 앞주머니에 찔러주며)이거 우리 애들이, 나 지점장 승진하라고 어버이날 지들 용돈 한 푼 두 푼 모아 사준 거야. 나도 진짜 애껴먹는 건데, 하계장이니까, 주는 거야. 내 맘 알지?

상수　　(부담스러운)아뇨, 안 주셔도 되는데요.

부지점장　　너둬너둬, 능구랭이 이팀장도 주지 말구, 얍삽한 마대리도 주지 말구, 실적 올리다가 힘들다 싶으면, 하계장만 먹어. 부족하면 또 말하구.

상수　　(차라리 욕을 하면 좋겠는)아, 네...

S#19. 은행 객장(D)

수영, 사다리에 올라가 서서 마대리 책상 쪽 형광등을 갈고 있다.
그 밑에 마대리, 은정, 지윤 모여서 수영 보고 있는.

지윤 마대리님은 형광등도 못 갈아요?
마대리 야. 나 귀하게 자랐어. 형광등 갈다 감전이라도 되면 어떡해. 찌릿찌릿. 아프면.
은정 (마대리 한심하게 보고)수영씨는 별 걸 다 할 줄 아네요.
수영 (교체한 형광등 챙겨 내려오며)다 됐어요.

상수, 생각에 잠겨 자리로 들어오는데.
웃음소리에 돌아보면, 행원들 사이에서 환하게 웃고 있는 수영이다.

상수 (저 여자는 아무렇지 않은가 보다...)
수영 (프린트물 갖다 주며)하계장님, 출력하신 파일요.
상수 (긴장해서 받고)네. 고맙습니다.
수영 (산뜻한 얼굴로 자리에 앉아 키보드 두드리고)
상수 (다짐하는 혼잣말)일하자. 하상수.

S#20. 인재네 식당(D)

통영 굴국밥집. 가게 앞 유리에 '축 오픈' 화환 놓여있다.
김이 모락모락 나는 시루떡을 칼로 푹푹 썰어 접시에 나눠 담는 인재.

인재 (랩으로 싼 시루떡 접시 박스에 담고)
경숙 (걱정되는)괜찮을까요?

인재　　　갔다 올게! (박스 들고 나서고)

경숙, 인재를 배웅하러 나오는데 다리를 살짝 절면서 걷는다.

S#21.　　은행 객장(D)

한산한 객장. 종현, 박스 들고 들어오는 인재 보고 얼른 문을 열어준다.

인재　　　고마워요.

종현　　　(예의 바른 미소)

인재　　　(창구로 가서)안녕하세요. 떡들 좀 드세요.

서팀장　　(박스 받으며)어머, 감사합니다. 뭐 이런 걸 다...

경필　　　(나와서 떡 나눠주며)시장에 새로 생긴 굴국밥집, 맞으시죠?

인재　　　점심 드시러 오세요. 여기 은행 분들은 디씨 해드릴게요.

인재, 행원들 자리에 떡 접시 하나씩 놔준다.
수영, 쳐다보지 않고 자기 업무 중인데,
수영의 앞으로도 접시 놔주며 어색한 눈인사를 건네는 인재.

수영　　　......

S#22.　　시장통(D)

나란히 걷고 있는 상수와 경필.

경필　　　오전에 번호 다섯 개 땡겼는데 밥 시간이야. (손가락 접어가며)담보, 전세, 신용, 걸려도 어떻게 이렇게 골고루 걸리냐.

상수 (에효...한숨)

경필 (보다)속은 괜찮냐.

상수 (속이 아니라 마음이)...죽겠다.

S#23. 인재네 식당(D)

상수, 경필, 굴국밥 먹고 있다.

인재 (다가와 테이블 위에 굴전 올려놓으며)이건 서비스.

경필 오! 감사합니다 아부지. 아부지라고 불러도 되죠?

인재 아유 그럼요. 많이들 들어요. 또 와요. 자주 와요. (가고)

상수 (굴전 보니 수영이 생각나고)

플래시백 > 1부 S#46 수영, '난 싫어해요 굴.'

상수 (굴전 젓가락으로 찌르는데)

경필 (먹으며)왜, 얘가 너 괴롭혔어? 왜 굴전에 화풀이야.

상수 ...정청경 말이야. 좀 알어?

경필 갑자기 정청경은 왜.

상수 아니. 그냥. 온 지 한 달 좀 넘었나.

경필 (무심하게)글쎄. 청경한테까지 관심 없는데.

상수 .....

경필 (상수 놀리듯)둘이 진짜 사귀나. 어제 반응 봐선 아닌 거 같긴 하던데. 뭐, 도시락 한 번 까먹었다고 사귀는 거면 나는 애인만 백 명이겠다.

상수 (두 사람이 진짜 사귀나...싶고)

경필 고백할 거냐? (상수 흉내)나 걔 좋아해! 나 안수영 좋아한다고!...라며.

상수 (눈으로 욕하듯 쳐다보고)밥이나 퍼먹어라.

경필 (국밥 먹다 혀 데인 듯 헉...! 하면)

상수 (으이구..하는 표정으로 보다가 물 가지러 일어나는데)

정수기 앞에 은행 홍보 전단지 놓여있다.

상수 (의아해서 카운터에 서있는 인재 보면)

인재 (시선 느끼고 사람 좋게 웃는)오며 가며 집어들 가시라구.

상수 (아...)감사합니다.

S#24. 은행 자동화실(D)

상수, 은행 안으로 들어오는데, 종현이 마른걸레로 유리창을 닦고 있다.

상수 (저 남자가 정말 수영과 사귀는 건가...)

종현 (틈새까지 걸레를 넣어 꼼꼼히 닦는다)

상수 (자신도 모르게 종현을 바라보는 시선이 매서워지는)

종현 (움직이자)

상수 (찔끔! 헉 내가 지금 뭐 하는 거야, 돌아서는데)

종현E 하계장님!

상수 (긴장으로 돌아보면)

종현 (웃으며 다가와 카드 내미는)이거요. 드린다는 걸 깜빡해서. 덕분에 잘 먹었습니다.

상수 아...네.

종현 (가볍게 목례하고 돌아서는데)

상수 (다급히)저기.

종현 네.

상수 (불렀지만 막상 꺼낼 얘긴 없고...주머니에서 홍삼스틱 여러 개 꺼내며)공부하느라 힘들 텐데 이거 좀 먹어요.

종현 (고맙게 받으며)감사합니다.

상수 ...지금 하나 먹죠.

종현 ? (살짝 의아하지만 순순히 따서 먹고)

상수 고시 공부, 힘든데...주말 같은 때도, 그...공부만 해요? 공부 말고는, 할 시간이 없겠지? (이를테면 연애 같은....)

종현 아, 새벽에 운동도 해요. 체력검정도 중요해서.

상수 아 중요하죠 운동도. 그럼, (어떻게 떠봐야 하나 고민하다가)연애하고 그럴 시간도 잘 없겠다. 그쵸?

종현 (의아해서)네. 그렇죠?

상수 (역시! 수영이 홧김에 한 말이었다. 표정 밝아져서)응원합니다 종현씨. (기분 좋아진)꼭 붙을 거예요. 파이팅! (파이팅 손동작하고, 돌아서는데 힉! 놀라는)

수영 (세상 한심하다는 표정으로 상수를 보고 있다)

상수 (봤나? 들켰나? 파이팅 손동작 그대로 굳어서 당황)

수영 (쌩하니 들어가 버리는...)

상수 (자신의 행동을 들킨 게 창피해서 곤혹스러운 표정 위로)

진상남E 이런 옘병!!!

S#25.　　은행 객장(D)

객장 한가운데, 대자로 누워 있는 50대男.

몇몇의 고객들 힐끔거리며 쳐다보고, 행원들도 어쩌나 싶은 표정들이고.

진상남 앞에서 은정이 '고객님...고객님...' 부르며 애타는 얼굴.

상수　　(경필에게)뭔데.

경필　　배계장 고객인데. 원금손실 때문에.

상수　　얼마나.

경필　　삼백. 난 절대 못 들었다. 니가 잘못했으니, 니가 내 돈 토해내라. 이 얘긴 거지.

상수　　노부지는?

경필　　육지(점장), 노부지 다 출타 중이시고. 무조건 윗사람 올 때까지 저러시겠단다.

상수　　퇴근 늦어지겠네.

종현, 진상남에게 다가가 일으켜 세워보려는데, '만지지 마, 만지지 마!' 발버둥 치며 내버려 두라는 진상남. 은정, 동동거리며 어쩌나 싶지만, 별 대책이 없고.

S#26.　　은행 외경(D/ N)

셔터 반쯤 내려가 있고.

S#27.　　은행 객장 안(D/ N)

고객은 모두 나가고, 마감 중인 행원들. 다들 손은 시재 맞춰보느라 분주한데, 시선은 객장에 드러누운 진상남에게 가 있는.

서팀장	(이팀장에게)계속 저렇게 둘 거예요?
지윤	경찰 부를까요?
이팀장	경찰 불러서, 온 동네방네 소문낼까?
마대리	안 되죠. 그러다 강제연행으로 딴지 걸어서 금감원 홈페이지에 도배라도 하면.
서팀장	그럼 뭐 다 같이 밤이라도 새?
지윤	(난감하고)퇴근은 언제 해요. 저 오늘 약속 있는데.
이팀장	내가 뭐라고 할 거 같애. 먼저 퇴근하라고 할 거 같애?
지윤	(그럴 리가)아뇨.

옹기종기 모여서 어떡하지, 고민하고 있는 행원들. 그때, 마감을 마치고 시재통을 닫는 수영, 자리에서 벌떡 일어나 진상남을 향해 걸어간다.
일동, '뭐야, 왜 저래/뭐 하려는 거지' 시선이 집중되는데,
수영, 진상남 앞까지 걸어가서는, 갑자기 툭...! 무릎을 꿇고 앉는다.

일동	(헉! 예상치 못한 행동에 놀라고)
상수	!
경필	안수영 대박.
/진상남	(누운 채 수영 보며 당황하는데)뭐야.
수영	고객님 일어나실 때까지 저도 무릎 꿇고 있을게요.
진상남	아니 삼백 내놓으라고. 무릎 꿇지 말고.
수영	안 되는 거 잘 아시잖아요. 그래서 더 화나신 거잖아요. 화 풀리실 때까지 이렇게라도 할게요.
진상남	(당황으로 수영 보면)삼백 주기 전엔 나 안 일어나?

수영 저도 고객님 일어나시기 전엔 안 일어나요.

진상남 (뭐 이런 애가....!)

수영 (내공 센, 올곧게 고객 보고)

/이팀장 어쩔 거야.

서팀장 이럴 거면 텐트 깔자. 합숙하자, 다같이.

마대리 (은정 원망하는)그니까 확실하게 안내했어야지.

은정 (짜증 나는)안 했겠어요. 진상을 무슨 수로 막아요.

상수 (사람들의 이야기 흘려들으며 수영을 보고 있는)

서팀장 죄 없는 안수영 저렇게 석고대죄하게 둬?

수영 (흔들림 없이 앉아 있고)

상수 (그런 수영을 보며 어떤 기억이 떠오르는)

S#28. 은행 고객상담실(D) – 회상

팔짱 끼고 화난 듯 앉아 있는 고객. 그 앞으로 쩔쩔매는 표정의 상수가 서있다. 상수의 가슴에 달린 수습 행원(교육 중입니다) 배지.

수영 (싹싹한, 고객에게 대신 사과하는)죄송해요. 수습 행원 분이라 실수가 있었나 봐요. 금방 처리할 수 있는 문제니까, 제가 도와드릴게요.

상수 (수영에게 미안한)

S#29. 고객상담실 밖(D) – 회상

상수 (면목없는)죄송해요 안주임님.

수영 (들고 있던 수첩 상수에게 건네는)

상수 (? 해서 받으면)

수영 제가 은행 처음 왔을 때 실수했던 거, 해결했던 방법 메모해 둔 거예요.

상수 ! (감동한 얼굴로 수첩 보면, 예쁜 글씨로 메모 된 여러 팁들)

수영 (웃으며)저도 실수 많이 했어요. 은행원은 3년 차까지진 사고 치는 게 일이라는 말도 있잖아요. 별일 아니에요 이런 거.

상수 (수영이 고맙고)

수영 (예쁜 미소로 마주 보는)

S#30. 다시 객장 안(N)

상수, 수영을 쳐다보다, 이대로 두면 안 될 것 같은 생각이 든다. 무릎 꿇은 수영을 보며 수영과 진상남의 앞으로 저벅저벅 걸어가는 상수. 행원들이 주시하고 있는 가운데, 상수도 수영의 옆에 털썩 무릎을 꿇는다.

수영 (상수를 보고)

상수 (수영 보지 않고 덤덤히 무릎을 꿇은)

진상남 (앤 또 뭐야, 하는 시선으로 보는데)

'하상수는 또 왜 저래 / 아이씨....' 등 눈짓을 주고받은 행원들, 진상남 앞으로 걸어간다. 엉거주춤한 자세로 파도타기 하듯 무릎을 꿇는 행원들.
진상남, 자신의 앞으로 무릎 꿇은 행원들을 당황의 시선으로 보는데,
통촉하여주시옵소서 느낌의 행원들, 무릎 꿇고 미동 없는.

수영 (상수 쳐다보지 않은 채...)

상수 (수영 쳐다보지 않고...)

S#31. 은행 갱의실(N)

/남자탈의실.

이팀장, 마대리, 상수, 옷 갈아입고 있다.

이팀장 안수영 강단 있는 건 알았지만 대단하네.

상수 (수영이 멋있기도, 안쓰럽기도...)

마대리 대단하긴요. 안주임 때문에 나까지 무릎 꿇었는데.

/여자탈의실.

서팀장 덕분에 퇴근하는 거지 뭐. 고마워 수영씨.

은정 (고맙기도, 수영이 밉기도)그러게 안 그래도 됐는데.

수영 (아무 일 아닌)빨리 퇴근하고 싶어서요.

은정 어쨌든 고마워요. 나 때문인데.

수영 (웃고)

/남자탈의실.

옷 갈아입은 이팀장, 마대리, 먼저 나가고.

상수도 외투를 입고 나가려는데, 밖에서 여자들 목소리가 들린다.

은정E 수영씨 소개팅할래요?

상수 ! (이건 또 뭔 소린가...문에 귀 바싹 들이대는)

/갱의실.

탈의실에서 나온 수영, 은정, 지윤, 서서 얘기 중이다.

소개팅 얘기에 나가려던 이팀장, 마대리도 서서 구경하는 느낌으로.

지윤 (헤헤)제가 남친이랑 다시 붙어가지구. 못하게 됐어요.

은정 (머쓱, 나름 수영과 친해지려는 노력이고)오늘 일 고마워서 그런 건 아니구. 삼전 다니는 남잔데, 얼굴도 괜찮대요. 전남친이랑 건너건너 아는 사이라 난 안 돼서. 생각 있어요?

수영 ……

이팀장 오. 소개팅!

수영 아뇨. 괜찮아요.

마대리 (이팀장과 눈짓 주고받고)왜 안 해요?

이팀장 삼전 다니는 남자래잖아. 소개팅하면 안 되는 이유라도 있어? 벌써 남자친구가 있다거나?

마대리 썸 타는 남자가 있다거나?

은정 뭐야. 수영씨 썸 타는 남자 있었어? 누군데? 은행사람?

수영 (정말 피곤하다. 은정 보며)언제예요?

은정 이번 주말요.

/남자탈의실.

상수 (수영의 대답에 촉각이 곤두서는데)

수영E 할게요.

상수 !

/갱의실.

은정 (반색으로)정말요?

수영 네. 할게요, 소개팅.

/남자탈의실.

절망으로 굳어진 상수, 문에 얼굴을 댄 채 그대로 서있는 모습.

S#32.　　수영의 집 – 거실(D)

머리를 틀어 묶은 수영, 공구박스를 바닥에 놓는다. 전동드릴을 꺼내, 체리색 문짝 나사를 분리하는데...옆에는 흰색 페인트통이 놓여있다.
바닥에 깔린 비닐 위에 문짝을 놓고 페인트칠을 하는 수영.

S#33.　　카페 안(D)

가로수길이 훤히 보이는 창가 자리.
아인슈페너를 시켜놓고, 진지한 얼굴로 독서 중인 상수.
하지만 자세히 보면, 상수가 보고 있는 건, 목차가 적힌 페이지고.

상수　　(심란한데)

핸드폰 울린다. 상수, 찰나의 순간, 혹시 수영이 한 걸까 싶어 얼른 확인하는데, 액정에 뜨는 이름. '소지랖'이다.

S#34.　　스크린골프장(D)

드라이버 잡고 풀스윙하는 상수. 곧게 뻗어 나가는 공.

경필　　(모니터에 뜬 거리 확인하며)굿샷!...을 치면 어떡하니. 비거리 봐라. 티 안 나게 져주는 연습을 해야지. 지점장 이겨 먹으면 피곤해.

상수　　(기운 없이 타석에서 내려오는데)

경필　　(타석에 올라 빈 스윙하며)리듬 좋고. 백스윙 완벽하고. 나 은행 때려치고 골프연습장이나 해볼까.

상수 (답답한, 마음에 없는 말)난 소개팅이나 해볼까.

경필 (샷 치고 내려오며)누가 너 소개팅 시켜준대?

상수 아니. 뭐 그런 건 아닌데.

경필 그럼 누구랑 하게.

상수 (쩝...)

경필 삼겹살 소주랑 소개팅하는 건 어때.

상수 지겹다 술.

경필 그냥 돼지 아니다. 제주 흑돼지다.

상수 흑돼지고 백돼지고 다음에. 고등학교 동창회 가야돼.

경필 그런 데 안 가더니 왜.

상수 왜겠냐. 실적 올리러 가는 거지.

경필 (두 손 가지런히 모으고 상수 앞에 대며)여기 두고 가.

상수 ?

경필 (진지한)니 간이랑 쓸개. 여따 두고 가라고.

상수 미친 놈. 내가 토끼냐.

경필 상수야. 우린 토끼도 아니고 사람도 아니다. 은행원이야. 간 쓸개가 무용한 은행원.

상수 (표정)

S#35. 레스토랑 안(N)

캐주얼한 펍 레스토랑. 대여섯 명이 둘러앉은 테이블. 왁자지껄 화기애애한 분위기 속에 섞여 앉은 상수, 마냥 편하지만은 않은 자리다.

동창2 (동창1에게)얼굴 폈다. 결혼하니 좋은가 봐. 예비장인 덕을 봐서 그런가?

동창3 왜? (동창1에게)장인어른이 뭐, 하셔?

동창1 그냥, 인테리어 업체 몇 개 갖고 계셔.

동창2 장모님은 교감 선생님에, 처제는 법조인이랜다. 부와 명예를 두루 갖춘 집안이지.

동창1 처젠 아직 로스쿨이라니까. 그냥 평범한 집안이야.

동창3 (끄덕이며)평범한 게 최고지.

상수 (픽 웃는, 얘네는 여전하다)

동창2 너 신혼집 대출 상수한테 해 그럼.

상수 (표정)...그럴래?

동창1 그럴까?

상수 (준비한 멘트, 다른 동창들에게 팸플릿 나눠주며)니들도 이것 좀 볼래. 이번에 좋은 상품 하나가 나왔는데, 수익률이 괜찮거든.

동창들 (성의 없이 받아보는 / 테이블 위에 던져 두고 / 팸플릿 위로 맥주 놓는 등)

상수 (그 모습들 보며 자존심 상하지만, 밝게)친구 좋다는 게 뭐냐! 도와들 줘라.

동창3 이거 해주면 너한테 얼마나 떨어지냐?

상수 ...어?

동창3 나도 이번에 건물 하나 올리는데, (하다가, 상수에게)아! 너 전에 살던 우리 빌라, 거기 지금 쫙 밀고 건물 새로 올리거든.

동창1 맞다. 상수, 너 얘네 빌라 살았었지?

상수N **(무참해지는 표정 위로)그랬다. 반지하나 다름없었던,**

S#36. 몽타주 – 과거

/빌라 앞(D)

지은 지 40년은 더 되어 보이는, 현재의 수영집과 비슷한 외관의 빌라.
이삿짐이 들어가는 중. 중학교 교복 입은 채, 멀뚱히 서있는 소년 상수.

상수N **햇빛도 들지 않는 1층 집. 주소만 강남이었던, 강남이 아닌 그곳에서,**

정임 (애써 밝은 미소로)잠깐만, 아주 잠깐만 사는 거야.

상수N **엄마는 주문을 외우듯 그렇게 말했지만...**

/다른 날 빌라 앞(D)

훌쩍 큰, 고등학교 교복 입은 상수, 1층에서 나온다.
누구에게 들킬세라, 서둘러 골목을 빠져나가는 상수.

상수N **그 집에서 우린 5년이 넘게 살았고,**

/학교 교실 안(D)

학생들이 등교하기 전, 텅 빈 교실에 앉아 교과서를 보고 있는 상수.

상수N **덕분에 나는 우등생이 됐다.**

/교실(D)

엎드려 자거나, 딴짓하는 학생들 사이에서 집중해서 수업을 듣고 있는 상수, 이미 어른의 눈빛이다.

상수N **탯줄부터 잘 타고난 애들 사이에서 철저하게 이방인이었던**

나는, 공부했다.

/빌라 앞(N)
반지하 집, 열린 창문 안으로 보이는 옹색한 살림살이. 상수, 자신이 사는 1층 집으로 들어가려다가, 반지하 집을 조용히 내려다본다.

상수N **절대 이 이상 내려가진 않겠다고 다짐하면서.**

S#37. 다시 레스토랑 안(N)

상수 (그랬는데, 고작 이렇게 됐다 싶고)
동창3 말 나온 김에 법인 계좌부터 직원들 계좌까지 싹 다 바꿔줄게.
상수 어 그래. 고맙다.
동창3 고맙긴. 친구끼리 돕고 사는 거지. 넌 결혼 안 하냐?
상수 ...해야지, 평범한 여자 만나서.

S#38. 미경의 집(D)

한강이 내려다보이는 40평대 아파트. 작품으로 보이는 인테리어 오브제, 화가의 그림이 걸려있는, 부의 척도가 드러나는 분위기. 명품으로 스타일링한 미경의 뒷모습, 현관에 놓인 구두를 신는다.
흠집 하나 없이 반짝이는 새 구두.

S#39. 은행 객장(D)

영업 전, 각자 자리에 앉아 약식으로 진행되는 회의. 부지점장, 함박웃음으로 박수를 치고, 그 옆에 멋쩍은 얼굴로 서있는 상수.

부지점장　　하상수 계장이 크게 한 건 했어요. 모두 박수!
일동　　(박수)
부지점장　　하계장 강남 8학군 출신이라더니, 친구를 아주 잘 뒀어.
상수　　(씁쓸한)
수영　　(표정)
이팀장　　새로 오는 대리는 언제 오나.
마대리　　첫날부터 정시출근하려는 패기, 이거이거 괜찮을까요?
서팀장　　텃세 부리지 마. PB팀 충원되면 마대리도 편해지는 거 아냐.
마대리　　(입 삐죽)
은정　　(메신저 보다가)대애박!
지윤　　왜요왜요?

S#40.　　은행 주차장(D)

미경의 흰색 세단, 파란색으로 표시된 지점장 지정 자리로 주차한다.
차 문 열고 내리는 미경. 위풍당당하게 은행으로 가는 뒷모습.

S#41.　　은행 객장(D)

행원들, 은정이 보여주는 사진 보며 술렁이는 분위기.

마대리　　오오. 완전 내 서타일!
이팀장　　영포점 여신과는 또 다른 느낌이고?
상수　　(수영 힐긋)

수영 (픽 웃는)

미경E 안녕하세요.

행원들, 놀라서 돌아보면,
아는 사람만 아는, 고가의 브랜드 옷을 입은 미경.
미소 지으며 서있다. 처음 보는 행원들 앞에서도 당당한 느낌이고.

미경 안녕하세요. 오늘부터 영포점에서 근무하는 박미경입니다. 정식 인사는 옷 갈아입고 와서 할게요. (입 벌리고 보고 있는 마대리에게)갱의실은 어느 쪽?

마대리 (공손하게 두 손으로)저쪽, 저쪽입니다.

미경, 또각또각 소리 내며 갱의실 쪽으로 가고.

이팀장 (미경 간 쪽 보는)지점장 새로 온 줄.

마대리 90도로 인사할 뻔.

서팀장 (마음에 드는)포스 있네. 멋지다.

경필 (묘한 표정으로 서있는)

상수 (아무 생각이 없고)

수영 (일이나 하고 있는)

S#42. 동. 시간경과(D)

유니폼으로 갈아입은 미경, 넥라인에 클래식한 스카프 매치했다.
은정과 지윤은 미경 쳐다보며 소곤소곤 귓속말하는.
부지점장, 미경을 정식으로 소개한다.

부지점장 서초점에서 온 박미경 대리. 나랑 같이 PB팀 전담할 거고. (미경에게)인사해요.

미경 박미경입니다. 잘 부탁드려요.

마대리 박수! (요란하게 박수 치고)

상수 (별 관심 없고)

경필 (미경 보고 있는)

은정 (지윤에게 미경 좀 보라고 눈짓하면)

지윤 (미경 목의 스카프, 손목시계, 구두에 시선이 가고)

은정 (지윤에게 입모양으로 대박...)

수영 (조용히 미경을 가늠하는 시선)

미경 (자리로 가는데)

지윤 박대리님! 이따 점심 같이 드실래요?

미경 (미소로)그래요.

오자마자 분위기 압도한 미경, 자리로 가며 수영 지나치는데.
뒤돌아보지 않고 일하는 수영.

S#43. 은행 일각 + 은행 밖 + 객장 안 교차(D)

미경, 은정과 지윤 사이에서 걸어오고 있다.

지윤 너무 잘 먹었어요. 비싸서 그런지 더 맛있구.

미경 (지윤이 귀여운)자주 살게요.

은정 (유니크한 그림이 그려진 미경의 명품가방 보며)커스터마이징이에요?

미경 마카쥬한 거예요. 예쁜 도안 보면, 그려보고 싶어져서.

지윤 (순수한 감탄)아...명품에 낙서하는 게 취미시구나...

은정 (미경에게)피부 되게 좋다. 관리하는 거죠? 샵 다니구.

미경 (웃고)엄마따라 가끔요. 귀찮아서 자주는 못 해요.

은정 (미경 팔짱 끼며)앞으로 우리가 뭐든 도와줄게요. 물심양면으루.

미경 영포점 분들, 어때요?

은정 음...지점장님은 대감마님. 사모님도 중전마마 같은 분 만나서 (손가락으로 하늘 가리키며)위로만 쭉쭉쭉.

미경 (아...)

은정 노부지님은 2년 안에 지점장 못 달면 명퇴루트라 조급하세요. 찢어지게 가난한 사모님 만나서 많이 쪼달리셨거든요. 나쁜 분은 아니에요.

지윤 여기선 갈비 2인분만 조심하심 돼요.

/객장 안.
이팀장, 고객리스트 중 영양가 높은 고객 옆에 동그라미 치는 위로,

지윤E 갈수록 비호감이라 갈비. 1인분은 이팀장님, 실적은 자기덕, 실수는 남탓이에요. (이팀장 옆에 서서 손바닥 비벼가며 사바사바 하고 있는 마대리 위로)나머지 1인분은 마대리님. 나쁜 사람은 아닌데 완전 박쥐.
/(그 옆으로 일하고 있는 상수, 경필, 석현 삼분할 되며)영포점 핵인싸는 이 세 사람인데. 신입 행원 때는 사고를 엄청쳐서 세 얼간이라고 불렸대요.

/은행 밖.
미경, 재밌다는 얼굴로 듣고 있는데.
은행 안에서 수영이 나오고 있다.

은정	그리고 마지막으로...(하는데, 앞을 보고 입을 닫는)
미경	(? 해서 앞을 보면)
수영	(미경 일행 쪽으로 걸어온다)
미경	(살피듯 유심히 보는)
수영	(짧은 목례 후, 도도하게 가던 길 가는)
미경	(수영을 돌아보는데)
지윤	안수영 주임이에요. 저랑 같은 서비스직군이자 영포점 여신.
은정	(질투 섞인)여신까진 오바고. 그냥 한 번씩 혹하는 거죠 뭐.
미경	(그래...? 흥미롭게 수영의 뒷모습을 보는)

S#44. 은행 객장(D)

미경, 수신 잔고 높은 100대 VIP 고객 명단 보고 있고.
상수, 대출 서류 대조하며 확인하고 있는데.

부지점장	하계장, 박대리, 좀 보지.
상수	?
미경	(돌아보고)

S#45. 은행 회의실(D)

상수, 미경, 부지점장 맞은편에 나란히 앉아 있다.

부지점장, '사내 앱 혁신대회' 공문 보여주는.

부지점장 은행 어플들 재정비할 건데, 현장에 있는 직원들이 직접 발의하라는 행장님 지시야. 하계장이랑 박대리가 맡으라는 건 지점장님 지시고.

상수 (내키지 않는)이번 분기 실적 달성이 우선이라고 하셨잖아요.

부지점장 상수 너, 본점 가고 싶대매. 이거 가점 있는 거다. 시상도 행장님이 직접 하신대. 그래도 안 할 거야?

상수 (아...)...아뇨. 하겠습니다.

미경 일주일에 이틀을 센터로 가면, 주요 업무는 어떻게 하구요?

부지점장 대직자 구해야지. 상수는 마대리한테 넘기고, 박대리는, 안수영 주임이 원래 PB 팔로우도 했으니까, 안주임한테 넘겨.

상수 (표정)

부지점장 (핸드폰 울리자 받으며 일어나는)어, 여보. 아니야, 나 바로 받았어. 거의 울리자마자 받았는데 지금. (나가고)

상수, 부지점장이 준 서류들 정리하고 있는데.

미경 선배!

상수 네..?

미경 (웃는)나 기억 안 나요? 박미경.

상수 (누구...? 유심히 보는데...)

미경 경영학과 박미경요.

상수 (보는데...생각났고!)그...?

경필 (문 벌컥 열었다가 회의 중인가 싶어 얼른 닫으려는데)

상수 경필아!

경필 (다시 열고, 왜? 하듯 보는)

상수 얘 그 박미경이래. 우리 과 후배.

경필 (표정 살짝 굳어서)어...?

미경 (경필 유심히 보다...생각났다는 듯이)소경필 선배...? 맞죠?

경필 (왠지 당황해서)아, 어어. 안녕..?

미경 (가볍게 웃고)오랜만인데 다 같이 저녁이나 먹을까요?

상수 그러자. (경필에게)너도 괜찮지?

경필 나 오늘 제사잖냐. 담에, 담에 먹자. (나가고)

미경 (밝은, 상수에게)뭐 먹을까요?

상수 (오랜만에 밝은 미소)너 먹고 싶은 거 먹어.

S#46. 은행 객장(D)

상수, 미경, 화기애애한 분위기로 자리로 돌아오는데,
용품고에서 비품 챙겨오던 수영과 마주치는.

수영 (미경에게)박대리님 인계서류 책상 위에 올려뒀어요.

미경 (받으며)고마워요. 안주임님.

수영 (사무적인 친절함으로 상수에게도 서류 건네고)이건 하계장님 거요.

상수 (살짝 당황해서)아, 고마워요 수영씨.

미경 (안주임이 아니라 수영씨...? 상수 유심히 보는)

상수 (수영이 어색하고)

수영 (껄끄러운 기색 없이 상수에게 목례하고 가고)

미경 (수영의 뒷모습을 보는 상수를 보는)

S#47. 감자탕집(N)

보글보글 끓고 있는 감자탕.

상수, 감자탕 뒤적이는 미경과 마주 앉아 편안한 얼굴이다.

미경 (툭)선배도 좋아했어요?

상수 ?

미경 안수영 주임요. 영포점 여신이라던데.

상수 (국물 떠먹다가 그 말에 켁! 당황 감추며)뭔, 뭔 소리야.

미경 뭐. 예쁘긴 하더라.

상수 (말 돌리는)넌 스타일 좀 달라진 거 같은데. 그래서 더 몰라봤어.

미경 반항하고 싶었거든요. 그땐.

상수 누구한테?

미경 (픽 웃고 야무지게 살점 발라먹는)오랜만에 먹으니까 맛있다. 옛날 생각도 나구.

상수 자주 먹지 왜.

미경 졸업하니까 먹을 기회가 잘 없던데. 그니까 선밴 조금만 먹어요. 나 다 먹게.

상수 (후배로서 귀여운)그래. 너 다 먹어라.

미경 (고기 발라 먹으며)네.

S#48. 은행 밖(N)

퇴근하는 수영, 걸어 나오며 이어폰을 꽂으려는데, 하하호호 들리는 웃음소리. 보면, 수영과 조금 떨어진 곳에서 상수와 미경이 걸어오고 있다.

상수　(수영 못 보고, 웃으며)이쑤신장군 집에 찾아갔다고?

미경　장학금을 못 받게 생겼는데, 전화도 안 받구. 그래서 갔죠. 집으로. (이 쑤시는 흉내)이를 막 쑤시면서 '내가 실수했네. 박미경 학생은 비플이 아니라 비 마이너슨데.' 이러면서 더 깎겠단 거야.

상수　(웃으면서)그 교수님은 정정신청 하면 더 깎기로 유명했는데.

미경　그걸 왜 안 알려줬어요. 다 선배 탓이었네.

상수/미경　('그 정도로 안 친했잖아 우리.' /까르르 웃으며 수영을 휙 지나쳐가는)

수영, 상수와 미경의 뒷모습을 보는데...기분이 좋지 않다.

S#49. 은행 주차장(N)

지점장 자리에서 빽빽. 울리는 미경의 차. 상수, 입을 쩍 벌린다.

상수　(황당)야, 여기 지점장 자리야.

미경　(알고 있는)오늘 본점에서 지점장들 회의 있었잖아요. 내일부턴 공영에 댈 거예요. 타요 선배. 데려다줄게.

상수　(진짜...어이없게 당차다. 웃는)

S#50. 시장(N)

수영, 생각 없이 걷다가 문득 정신 차리면, 시장 앞이고.

수영의 시선으로 문 열린 굴국밥 집이 보인다.

수영 (표정)

S#51. 미경의 차 안 + 도로(N)

미경, 운전 중이고. 상수, 조수석에 앉아 티 나지 않게 차 내부 살피는.

상수 좋은 차 타네.
미경 (부러 농담)백년 할부예요.
상수 근데 지점장이랑 똑같은 차 같은데. 지점장은 검은색.
미경 (장난스레 정색)아 뭐야. 너무 싫어. 차 바꿔야겠다.
상수 (픽 웃는)
미경 (앞 주시한 채로 컵홀더 더듬으며 커피 찾는데)
상수 (홀더에서 커피 꺼내 미경에게 건네는)
미경 (받아 마시며)선배 센스.
상수 (웃고)
미경 몰라봐서 좀 서운했어요. 같은 과 후밴데.
상수 나 복학했을 땐 너는 졸업하고 없었잖아. 기억 안 날만 했지.
미경 졸업하고 어떻게 지냈어요?
상수 졸업하고 바로 여행 갔었어.
미경 어디?
상수 터키.
미경 아...터키 좋죠. 아야소피아에서 석양 봤어요?
상수 너도 가봤어?
미경 갔죠. 터키 갔다가, 이탈리아까지. 관광지보다 차 렌트해서 시골길 달리는 게 좋더라. 몇 시간씩 음악 들으면서 아무 생각 없이.

상수 이탈리아는 안 가봤는데.

미경 나중에 가봐요. 파스타는 한국이 더 맛있었지만.
(일 얘기)앱 개선안은 어떡할까요. 생각나는 거 있어요?

상수 당장은 모르겠고...본점에서 이 대회를 연 의도가 따로 있는 거 아닌가.

미경 무슨 의도?

상수 이제 와서 어플들 재정비하려는 거. 평가 수정이 목표가 아닌 거 같아서.

미경 (생각하다)초안 잡아볼게요. 다시 얘기해봐요.

상수 그래.

S#52. 상수의 집 앞(N)

상수, 조수석에서 내리고.

미경, 조수석 창문을 내리고 운전석에서 인사하는.

상수 반가웠다. 데려다줘서 고맙고.

미경 앞으로 잘 부탁해요. 선배.

상수 제가 더 잘 부탁드립니다. 박대리님.

미경 (장난치는)그래, 하계장. 내일 보자구.

상수 (웃고)

미경 (발랄하게 손 흔들고, 출발하는)

상수, 멀어지는 미경의 차를 보는데, 피식. 웃음이 난다.

S#53. 상수의 집(N)

화장실에서 나오는 상수, 젖은 머리를 수건으로 턴다.
핸드폰 알람이 울리고.
상수, 이제 수영일 거란 기대도 없이 문자 확인하는 위로,

미경E　　선배 나 도착! 오늘 즐거웠어요.
상수　　(피식 웃는데...수영 생각으로 착잡해진다. 대체 어떻게 해야 하나...싶은)

상수, 책상 서랍을 열어 뭔가를 꺼낸다. S#29에서 수영이 준 수첩이다. 의미 없이 수첩을 넘겨보다, 핸드폰을 들어 수영의 메시지 프로필 사진을 확인하는데...자신이 찍어준 사진에서, 허브 화분 사진으로 바뀌어있다.

상수　　(바뀐 사진 보며...자신에게 마음이 떠났다는 뜻 같고...)

S#54. 수영의 집 – 베란다(N)

앞씬의 허브 화분이 놓인 전자피아노. 수영, 허브티가 담긴 찻잔을 그 옆에 올려둔다. 피아노 의자에 잠시 앉아 있다가...헤드폰을 쓰고 건반 스위치를 켠다. 어지러운 마음을 달래듯, 그렇게 피아노를 치는 수영의 모습에서.

S#55. 은행 외경(D)

S#56. 은행 객장(D)

수영, 밝은 표정으로 접객 중이다.

상수도 자기 자리에서 친절한 미소 장착하고 고객 응대 중이고.

수영 (고객에게)계약금의 80퍼센트까진 가능하신데요, 자세한 건 대출팀에서 상담받으셔야 해요.

고객 그냥 아가씨가 해주면 안 돼요?

수영 죄송하지만 저는 창구업무만 담당하고 있어서요. (미소로 마무리하고, 상수에게)하계장님. 전세대출 상담 고객님이신데, 응대 가능하세요?

상수 (덤덤한)네. (수영 앞 고객에게)여기로 오시겠어요?

수영 (대기 버튼 누르며)312번 고객님. 이쪽에서 도와드리겠습니다.

그렇게 표면적으로는 다시 직장동료가 된 것 같은 두 사람의 모습에서.

S#57. 은행 갱의실(D)

분식으로 간식 먹고 있는 수영, 미경, 서팀장, 은정, 지윤.

서팀장 울 엄마가 은행원 된 거 무지 좋아했는데. 끼니도 못 챙겨 먹는 건 모르셨을 거야.

미경 (웃으며)저희 엄만 얼마 전까지도 은행원 퇴근시간이 네 신 줄 아셨어요.

지윤 4시부터 시작이죠. 은행은. 사시의 사가, 죽을 사!

미경 (웃고)

수영 (조용히 먹기만)

은정 (지윤에게)직군전환 공지 뜬다던데. 할 거야?

지윤 근속 3년부터잖아요. 몇 개월 모자라요.

은정 수영씨는요?

수영 ...저도 패스요.

은정 뭐. 수영씬 이제 곧 계장 달텐데 직군전환 하면 처음부터 차수 다시 채워야 하니까. (지윤에게)넌 빨리 직군전환 해. 안 그럼 연차 아까워서 이도 저도 못 한다니까.

수영 (표정)

서팀장 (수영이 짠한)뭘 이도 저도 못 해. 난 예금창구 일이 젤 좋더구만.

미경 (악의 없이)그렇긴 한데, 은행 다니면 대출업무도 해봐야죠.

수영 (젓가락질 멈추고)

서팀장 (큼...)안주임 종상팀 팔로우도 하고 있어. 그냥 주 업무가 예금팀인 거지.

미경 아 맞다. 노부지님이 안주임님한테 PB팀 팔로우 부탁하라던데.

수영 들었어요.

미경 나중에 따로 얘기해요 우리. (핸드폰 내밀며)번호 줘요.

수영 네. (핸드폰 받아서 번호 입력하는)

상수, 갱의실로 들어오려다, 수영 있는 것 보고 나가려는데,

서팀장 하계장! 이리 와서 좀 먹어.

상수 (선뜻 가지 못하겠는데)

미경 (자기 옆자리 넓혀주며)여기로 와요!

상수 (머쓱, 미경의 옆자리로 앉는데...맞은편이 수영이다)

수영 (자신의 눈길을 피하는 상수 보고)

은정 수영씨 내일 안 잊었죠?

서팀장 내일? 내일 뭐?

은정 제가 수영씨 소개팅 해주기로 했거든요. 삼전 다니는 남자. 그쪽한테도 수영씨 사진 보내줬는데, 완전 당장 사귈 기세던데.

수영 (상수 보란 듯 예쁘게 웃으며)안 잊었어요.

서팀장 어머, 우리 안수영 시집가는 거야 이제?

수영 (웃고)

상수 (수영이 소개팅...짜증이 올라오는데)

미경 (떡볶이 먹다가, 입가에 양념 흘리고)

상수 (봤고, 미경에게 휴지 건네는)

미경 (상수 보면)

상수 (입가 가리키며)여기.

미경 (아...휴지 받아서 닦는데)

수영 (미경 챙기는 상수 쳐다보고)

서팀장 (오 하는 시선으로)뭐야뭐야, 두 사람. 사내대회 준비한다고 붙어 다니더니, 혹시?

상수 (수영 앞인데, 이 무슨! 당황으로)아니에요 그런 거.

서팀장 내가 삼신할매 동창이야. 딱 보면 척이거든?

미경 (재밌는)그래요? 저희 잘살 관상이에요?

은정/지윤 (까르르 웃으며 잘 어울려요, /사귀세요 놀리는)

수영 (상수 보는데)

상수 (곤란한 미소로 서팀장에게)왜 그러세요.

수영 (자리 정돈하며)먼저 들어갈게요. (하고 나가는)

상수 (아, 진짜 아닌데...억울한)

S#58. 은행 복도(D)

수영, 화장실에서 나오는데. 상수가 앞에서 기다리고 있다.

수영 (뭐냐는 듯 보면)

상수 그런 거 아니에요. 미경이, 아니 박대리랑 아무 사이 아니에요.

수영 (미경이? 이름까지 부르면서 뭐가 아니란 건지..비아냥)네. 그러세요.

상수 (잠시 보다)내일 소개팅...진짜 하는 거예요?

수영 ......

상수 나한텐 종현씨랑 사귄다더니, 이제 소개팅한다 그러고...앞뒤가 안 맞잖아요.

수영 (그저 보다)하계장님이랑 상관없는 일이잖아요.

상수 대체 왜, (문득)혹시 딴 이유가 있어요?

수영 (보면)

상수 나한테 이러는, 내가 모르는 이유라도 있는 거냐구요.

수영 (보다가)아뇨, 없는데요. 그니까 하계장님도 박대리님이랑 잘해보세요.

상수 ! 진심이에요?

수영 (보면)

상수 진심으로 내가, 박대리랑 잘 되길 바래요?

수영 ...네. 잘 어울려요, 두 분.

상수 !

수영　　(상수 보다가, 무심히 가던 길 가는)
상수　　(수영에게 자신이 고작 이 정도였나, 비참하고, 초라하다.)

멍하니 서서, 자신의 감정을 곱씹는 상수의 모습에서.

S#59.　　상수의 집(D)

상수, 책상에 앉아 공부하는 중이다.
골몰한 표정으로 메모까지 해가며 집중 중인데...보면, 수영이 준 수첩 뒤 페이지에 상수가 쓰고 있는 내용. '안수영...정종현...소개팅....?'이고. 그때 별안간 쾅쾅쾅! 문 두드리는 소리.

상수　　(이미 누군지 안다. 무시하려는데)
경필E　　있는 거 다 안다! 문 열어라!
상수　　(아우 저 지긋지긋한 자식!)
경필E　　안 나오면 쳐들어간다 으쌰라으쌰!
상수　　(문 열며)각설이냐. 죽지도 않고 또 오냐.
경필　　(양손 가득 술이 든 봉지 들고)외로운 영혼끼리 술로 채우는 거지.

/경필, 자신의 집인 양 익숙하게 상 차리고. 상수 맞은편에 앉는다.

상수　　(생각에 잠긴)
경필　　(보다)말해봐. 형님한테 다 털어놔.
상수　　...뭐가.
경필　　그대 얼굴에 백팔번뇌가 보여.

상수 (표정, 말 돌리는)석현이는?

경필 오늘 소개팅하잖아.

상수 뭔 소개팅들을, 자연스러운 만남을 추구해야지. 뭘 그렇게 소개팅들을.

경필 자연스럽게 만났다가 데었잖아. 이번엔 조건부터 보겠대. 금감원 부원장 딸.

상수 (생각이 많아지는)그렇게 사는 게 맞는 건가.

경필 (보면)

상수 비슷하게 살던 사람끼리 만나서, 비슷한 수준으로 살아가는 게, 사랑도 없이 사는 게 맞는 건가.

경필 누가 사랑도 없이 산대. 그렇게 만나서 더 사랑하고 살기도 하지. 사랑만 보고 살기엔 세상이 너무 주옥같잖아. 돈은, 생각보다 위대해.

상수 (한숨)

경필 조건 좋은 상대 만나서 신분상승 하려는 사람도 있긴 하지. 안수영이랑 소개팅하는 남자도 삼전 다닌다며.

상수 너 어떻게 알어.

경필 (뭐 대수라고)은행에 비밀이 어딨냐고.

상수 (표정)

경필 (상수 기분 알겠는)그래서 울적하시구만. 잘 되면 안수영도 땡잡은 거지, 뭐. 그 남자가 안수영한테 훅! 간다면.

상수 .....

S#60. 수영의 집 – 안방(D)

수영, 무표정한 얼굴로 머리를 말리고 있다.

소개팅을 앞둔 사람이라기보다, 업무를 앞둔 사람으로 보이는.
/옷 갈아입은 수영, 향수병을 들다가 멈칫, 이렇게까지 해야 하나.
뿌리지 않고 향수를 다시 내려놓는다.

경필E　　하긴. 안수영은 반할 만한 여자지.

S#61.　　상수의 집(D)

상수, 기운 없는 얼굴로 경필의 얘기 듣고만 있다.

경필　　내가 영포점 오고 연수원 동기들한테 젤 먼저 들은 질문이 뭐였게. 안수영 예쁘냐? 이거였어.

상수　　(자기도 그랬고)

경필　　예쁘긴 예쁘더라. 근데 대학 때도 CC 한 번 잘못하면 4년 내내 머리 아픈데, 불나방처럼 뛰어들기엔 따지고 살 게 너무 많다.

상수　　(왠지 울컥. 자신을 향한 분노이기도 한)그래서. 나는 안수영 좋아하면 안 되냐.

경필　　끝까지 생각할 정도야?

상수　　?

경필　　결혼까지 생각할 상대냐고 안수영이.

상수　　!

경필　　연수원에서 누가 누구랑 썸 탔던 사이다, 겨우 이걸로도 평생 수군거리는 은행에서 만나다 헤어지면. 얼굴 반반한 텔러 꼬셔서 사귀다 버렸다, 이 꼬리표 달릴 자신까지 있는 거냐고.

상수 (타인의 입으로 들은 적나라한 현실에...)

S#62. 지하철(D)

약속장소로 가고 있는 수영. 지하철이 정차하고 승객들이 우르르 몰려 탄다. 구석으로, 구석으로 가서 불편하게 서있는 수영의 모습.

경필E 그니까 그만해.

S#63. 공원(D/N)

상수, 전속력으로 공원을 달리고 있다.

경필E 더 가봤자, 안수영도 너도 더 힘들어.

상수 (경필의 말을 떠올리며, 괴롭고 힘들다)

S#64. 레스토랑 앞(N)

지하철 타고 오느라 지친 수영, 작게 한숨 쉬고 레스토랑으로 들어간다.

S#65. 레스토랑 안(N)

수영, 두리번거리는데, 손을 드는 소개팅남.

소개팅남 일찍 오셨네요.

수영 더 일찍 오셨잖아요.

소개팅남	이렇게 일찍 오실까 봐서요.
수영	(어색한 미소)

S#66. 상수의 집(N)

샤워하고 나온 상수, 젖은 머리를 수건으로 털며 책상에 앉는데 핸드폰 문자 알림 울리고.

상수	(확인하는데)
미경E	선배. 초안 보냈어요.

노트북을 열어 메일을 확인하는 상수. 잡생각을 떨쳐버린 듯 진지한 눈으로 집중하고 있는. 그러다 순간 깨지는 집중력. 이대로는 안 되겠고. 초조해진 얼굴로 핸드폰을 열어 수영의 번호를 찾는다. 통화 버튼을 누르려다가, 순간 망설이는...

경필E	결혼까지 생각할 상대냐고 안수영이.
/얼굴 반반한 텔러 꼬셔서 사귀다 버렸다, 이 꼬리표 달릴 자신까지 있는 거냐고.
상수	(깊게 생각하는 표정인데...)

플래시백 >1부 S#1. 상수가 반했던 수영의 옆모습.
1부 S#46. 나란히 걷던, 좋은 느낌이었던 상수와 수영의 모습.
2부 S#29. 주눅 든 상수에게 괜찮다고, 위로하며 웃는 수영.

상수	(생각보다 큰 자신의 마음을 자각해가는 위로)

수영E 또 보면요?

플래시백 인서트 >1부 S#46의 변형.

수영 난 애매한 관계는 싫어요. (하고 옅게 웃는)

상수 (수영이 바랐던 건 자신의 확실한 마음이었는데...)

S#67. 레스토랑(N)

테이블에 서빙되는 음식들.

소개팅남, 자연스럽게 음식을 덜어 수영 앞에 놔준다.

소개팅남 의상디자인과 나오셔서 그런지, 옷 입는 센스도 좋으신 거 같아요.

수영 (포크가 멈칫, 이내 덤덤한 표정으로)그거 저 아니에요.

소개팅남 ?

수영 원래 소개팅 나오려고 했던 김지윤씨. 그분이 디자인과 나왔어요.

소개팅남 아...(머쓱)죄송해요.

수영 ...아니에요.

소개팅남 그럼 수영씬 무슨 과 나오셨어요?

수영 (표정)

소개팅남 (대답 기다리는데)

수영 (차분히 포크 내려놓고)

소개팅남 (? 해서 보면)

수영 대학 안 나왔어요. 고졸이에요 저.

소개팅남 (아...)

수영 (물 마시는)

S#68. 지하철역 입구(N)

지친 표정의 수영, 지하철 계단으로 내려가려다가, 돌아선다.
택시에 올라타는 수영.

S#69. 상수 차 안 + 도로(N)

상수, 운전하며 수영에게 전화를 건다. 받지 않는 수영.

S#70. 택시 안 + 도로(N)

텅 빈 표정의 수영, 이어폰 꽂고 음악 듣고 있다.
서글퍼 보이기도, 지치고 지겹기도 한 듯한 눈빛.

S#71. 수영의 집 일각(N)

상수, 적당한 곳에 세운 차에서 내린다.
다시 한번 수영에게 전화를 걸지만, 받지 않고. 문자 작성하는.
문자 인서트>'나 지금 수영씨 집 앞이에요. 오늘 꼭 할 말이 있어요.'

상수E 나 지금 수영씨 집 앞이에요. 오늘 꼭 할 말이 있어요.

S#72. 택시 안 + 도로(N)

수영, 가방에서 핸드폰을 꺼내 문자를 확인한다.
(문자 내용은 보이지 않고) 확인하더니, 표정이 달라지는.

수영 (기사에게)기사님. 조금만 빨리 가주세요.

S#73. 수영의 집 일각 / 상수 + 수영 교차(N)

상수, 핸드폰 액정 보면서 초조하게 수영을 기다린다.

상수 (수영에게 제대로 된 진심을 전해야 한다, 싶은 결심)

/상수의 차가 주차된 곳 바로 앞에 멈춰 서는 택시. 수영, 서둘러 내린다.

/어두운 골목 앞에 쭈그리고 앉아 있는 상수.
핸드폰 액정을 두드리며 다시 문자를 작성하고 있는 것도 같고.

/빠른 걸음으로 언덕길을 올라오는 수영.
발걸음이 점점 빨라지더니 뛰기 시작한다. 흩날리는 머리카락...

/상수, 수영의 뛰는 소리가 들리는 듯, 엉거주춤한 자세로 일어나는데,
상수의 시선으로, 수영이 달려오는 게 보인다.

상수 (반갑고, 좋고, 떨리고, 설레는데)

상수를 향해 달려오는 것 같았던 수영이, 상수가 서있는 어두운 골목을

휙 지나쳐 뛰고.

상수 (나를 못 본 건가? 의아한...)

상수, 수영이 간 쪽으로 시선이 따라가는데...배달트럭이 시야를 가린다.
트럭이 지나가고 수영 쪽으로 향하는 상수, 이내 뭔가를 보고 굳는데...!

상수 ! (이게 지금 무슨 상황이지...?)

상수의 시선으로 보이는 수영의 뒷모습, 누군가에게 안겨있다.
그리고 가로등 빛에 천천히 얼굴이 드러나는,
수영을 안고 있는 사람...다름 아닌 종현이다!
툭 떨어지는 상수의 손에 들린 핸드폰 액정에,
보내지 못한 S#71의 문자가 적힌 창이 떠있다.

상수 (자신이 보고 있는 것을 믿지 못하겠는...!)

종현에게 안긴 수영의 표정은 보이지 않지만,
수영을 살포시 안은 종현은, 사랑에 빠진 표정이고.

상수 (충격에 휩싸인...!)

상수의 시선으로 보이는, 갓 연애를 시작한 듯한 모습의 수영과 종현.
그 모습을 차마 더는 못 보고 휙! 돌아서는 상수에서 엔딩...!

The Interest of Love

3부

Ep 3

S#1.　　　버스정류장(D)

인재, 골목 모퉁이에 낚시 의자를 펴고 앉아 고개를 쭉 빼고 은행 앞을 살핀다. 인재의 시선으로, 은행 쪽으로 다가오는 수영의 모습이 보이고.

인재　　　!

인재, 허둥지둥 낚시 의자를 접고 시장 쪽으로 급하게 걷는다.

S#2.　　　인재네 식당(D)

경숙, 양동이에 담긴 육수를 영업용 냄비에 붓고 있는데.

인재E　　　왔어! 빨리!
경숙　　　(재빠른 손놀림으로 뚝배기에 국밥 담는)
인재　　　(초조하게 손바닥을 비비고)

S#3.　　　은행 앞(D)

2부 S#4의 확장. 수영, 은행 외부 셔터문 아래에 열쇠를 꽂고 돌리는데. 인재, 신문지 덮은 쟁반을 들고 주춤주춤 다가온다.

수영　　　(인기척 느끼고 돌아보면)
인재　　　(머쓱)저기, 아침...
수영　　　(무시하고 고개 돌리는)
인재　　　새벽부터 나왔는데 아침 거르면...
수영　　　(셔터문 아래를 잡고 올리려는데, 덜컹이기만 하고 올라가지

않고, 짜증이 솟는)

인재 (눈치 보다가, 계단쯤에 쟁반 내려두려 하며)여기다 둘 테니까, 꼭...(하는 순간. 중심을 잃고 넘어지는. 와장창! 소리 내며 떨어지는 쟁반)

수영 (무심한 표정으로 뒤를 돌아보지도 않는데)

종현E 괜찮으세요 어르신?

수영 ! (그제야 돌아보면)

종현, 공손한 태도로 인재를 일으켜주고, 쏟아진 반찬들로 엉망이 된 바닥을 정리한다. 어쩔 줄 몰라 하며 수영의 눈치를 보는 인재, 손으로 반찬 등을 쓸어 쟁반에 담는 종현. 수영, 치솟는 감정을 꾹 누른 채, 다시 셔터를 올리는데...
/어느새 수영의 옆에 온 종현, 꿈쩍도 않던 셔터를 잡고 끝까지 올린다.

수영 (종현을 보고)

종현 (쑥스럽게 웃는)아침, 드실래요?

수영 .....

S#4. 은행 갱의실(D)

유부초밥, 꼬마김밥, 먹기 좋게 자른 과일이 담긴 도시락. 누가 봐도 2인분의 양이다. 수영, 핸드폰을 내려놓는데 켜진 액정에 수혁과의 사진이 배경화면으로 뜬다.

수영 직접 만든 거예요?

종현 편의점 도시락 지겨워서요. 드세요.

수영　　맛있네요.

종현　　다행이다. 걱정했는데.

수영　　?

종현　　(쑥스럽지만, 수영 직시하고)오늘 안주임님 보안 당번인 거 알고 싸왔어요.

수영　　!

종현　　...같이 먹고 싶어서요.

수영　　(종현 시선 마주하고)왜 안 물어봐요. 아까...다 봤잖아요.

종현　　음...그럼 하나 물어봐도 돼요?

수영　　(보면)

종현　　...안주임님 핸드폰 배경에 있는 남자, 누구예요?

수영　　(표정)

종현　　남자, 친구분?

수영　　...아뇨.

종현　　(안도의 미소가 번지는데)

수영　　...날 제일 사랑해준 사람.

종현　　!

수영　　(표정)

핸드폰 속 수영과 수혁의 사진 위로 뜨는 타이틀, **〈사랑의 이해〉**

S#5.　　택시 안 + 수영의 집 일각(N)

2부 엔딩씬 변형.

/택시 안. 수영, 종현이 보낸 문자를 보고 있다.

문자 인서트>'저 안주임님 집 앞이에요. 기다릴게요.'

/수영의 집 일각.
수영, 다소 당황한 얼굴로 서둘러 택시에서 내리고.

/다른 일각.
상수, 택시에서 내린 수영을 보며 표정이 환해지는데.

/수영의 시선으로 가로등 아래에서 기다리고 있는 종현의 모습이 보인다. 높은 구두를 신은 수영의 발, 서둘러 걷는다. 종현을 향해 달려가던 수영, 종현의 앞에 가서 발을 삐끗…! 하는데. 수영이 넘어질세라 얼른 받쳐안는 종현. 안긴 수영도, 얼떨결에 수영을 품에 안아 놀란 종현도, 굳어있다. (상수가 목격한 둘의 포옹씬)

수영　　!
종현　　(당황스럽지만, 싫지 않은, 가만히 있는데)

수영과 종현 너머로, 힘 빠져 걸어가는 상수의 뒷모습이 보인다.

수영　　(얼른 몸을 떼내고 표정 수습)미안해요. 발이 삐끗해서.
종현　　안 뛰어와도 됐는데. 발은 괜찮아요?
수영　　언제부터 기다린 거예요. 왜 갑자기...
종현　　할 말 있어서요.
수영　　(보면)
종현　　안주임님 소개팅 같은 거 안 하면 안 돼요?
수영　　(표정)...네?
종현　　저...안주임님 좋아해요. 그 말 하고 싶어서 기다렸어요.
수영　　!

가로등 불빛이 은은하게 퍼지는 골목. 수영을 향해 웃어 보이는 종현과, 종현의 고백에 놀란 수영. 두 사람의 모습에서.

S#6. 은행 갱의실(D)

상수, 멍한. 커피 타며 의식 없이 컵 안의 숟가락을 천천히 돌리고 있다.

플래시백 인서트 > 2부 S#58. 은행 복도

상수 혹시 딴 이유가 있어요? 내가 모르는 이유라도 있는 거냐구요.

수영 하계장님이랑 상관없는 일이잖아요.

/2부 S#73. 종현에게 안겨있는 수영.

울컥하는 상수, 자각하지 못한 채 숟가락을 돌리는 손이 빨라지는데.
돌연 멈추는 손. 컵을 내려놓는다.
한숨을 쉬며 허탈하고, 허망하고, 어쩐지 화도 나고.

상수 (결국 둘은 사귄다. 바보가 된 기분...마른세수를 하는데)

수영 (들어와서 상수 옆에서 커피 타며)어제 전화하셨던데요.

상수 (수영을 보는. 복잡한 감정인데...)

수영 ?

상수 업무 때문에요. 해결했습니다. (컵 들고 나가고)

수영 (뭔가 다른 상수 태도에...)

S#7. 은행 회의실(D)

상수가 수정해온 자료를 최종 확인하고 있는 상수와 미경.

미경 (감탄)이렇게 수정했다구?

상수 (감정적 타격을 받은 상태로 딴생각에 빠진)

미경 (보며)선배?

상수 (정신 차리고)아, 어. 왜. 이상해?

미경 아니? 너무 괜찮은데?

상수 니가 초안을 잘 잡아놨잖아.

미경 난 아홉 개 앱을 세 개로 합치잔 거였구, 이건 아예 판을 새로 짜잔 거잖아.

상수 리서치 보면 앱 개수만 많고, 정작 필요할 땐 어떤 앱을 써야 되는지 모르겠단 의견이 많아. 접근성 자체가 떨어지는 게 가장 큰 문제고. 앱을 최대한 통합해서 언제, 어떻게 사용해야 하는지 각인시키는 게 포인트 같아서.

미경 우리가 센터안 되겠는데?

상수 PT는 내일이니까, 끝까지 채워봐야지.

미경 (일 모드인 상수, 다른 느낌)선배, 듣던 거랑 다르다?

상수 (보면)

미경 신입 행원 땐 엄청 사고 쳤다며. 뭐야. 일을 언제부터 잘하게 된 건데?

상수 (손가락으로 미경 머리 콕 찌르며)까분다.

미경 PT 잘하려면 맛있는 걸 먹어야 돼. 오늘 저녁 내가 살게요.

상수 (공허한 미소)그래.

S#8. 은행 지점장실(D)

지점장, 수영이 건넨 '위너스 플랜 대상 VIP' 서류철 쓱 살펴본다.

수영 (긴장으로 보는데)

지점장 (끄덕이며)괜찮네요. 고객 선정도 적절하고, 접근 플랜도 훌륭하고.

수영 ...감사합니다.

지점장 VIP상품 판매는 처음이죠?

수영 (표정 있다가)네.

지점장 이렇게 잘하는데 그동안 수신업무만 담당해서 아쉬웠겠어요.

수영 (표정)

지점장 (자료집을 덮고 테이블에 툭 내려놓더니, 수영의 손을 잡는) 잘해봐 안주임. 이번 일 잘 해내면, 안주임 스탠스도 달라질 거야.

수영 (지점장에게 잡힌 손이 치욕스럽지만, 미소로)최선을 다하겠습니다.

지점장 (마치 격려하듯, 수영의 손을 토닥이며)우리 일이라는 게 최선만 해서 되는 건 또 아니고. 그걸 뛰어넘는 패기, 열정, 조직에 대한 충성심...뭐 그런 게 있어야지.

수영 (자연스레 손을 빼려는데)

지점장 (다시 꽉 잡으며)다음 분기 직군전환, 내가 힘 써볼게. 안주임 같은 인재가 서비스직군에만 있음 은행도 손해라니까.

수영 (지점장의 위력행사...정말 지긋지긋한데)

지점장 수영씨 보면 내 딸 같애. 내가 항상 응원하고 있는 거 알지?

S#9.　　　은행 지점장실 밖(D)

노크하려던 미경, 안에서 들려 오는 대화에 표정이 구겨진다. 난감해하는 수영의 표정을 보는 미경. 하! 열 받은 표정으로 문을 확! 열고.

S#10.　　　은행 지점장실 안(D)

벌컥 열리는 문, 돌격하는 장군처럼 들어서는 미경.

지점장　　(화들짝 놀라며 수영에게서 떨어지는)

미경　　(부러 더 큰 소리로)지점장님. 진행사항 체크 부탁드립니다. (천연덕)왜 그렇게 놀라세요? 아! 제가 노크를 안 했네요. (문 앞에서 서서 똑똑! 문 두드리는)

수영　　(미경의 거침없는 행동. 고맙기도, 놀랍기도 해서 보면)

미경　　(수영을 도와주려는)안주임님. 미안한데 자리 좀 비켜줄래요? 급한 건이라.

수영　　네. (일어나서 나가는데)

미경　　지점장님은 여전히 좋은 분이시네요. 행원들 한 명 한 명, 각별히 신경써주시구.

지점장　　(뜨끔...해서 보고)

수영　　(미경이 통쾌하다. 쿡 웃음 삼키며 나가고.)

미경　　(지점장 뚫어지게 보며)그래서 저희 아버지가 지점장님을 각별히 신뢰하시나봐요.

지점장　　(머쓱해서)아버님은 무탈하시지?

미경　　(생긋 웃으며)지점장님 덕분에요.

S#11. 은행 복도(D)

지점장실에서 나오는 미경.

수영, 복도에서 기다리고 있다가 미경에게 다가간다.

미경 (다정한, 여동생 달래듯)가만 있음 안 돼요.

수영 아는데, 늘 아슬아슬하게만 하세요. 대응하는 사람이 오버하는 것처럼.

미경 담부턴 지점장실 갈 땐 혼자 가지 마요. (열 받는)뭐야 저게.

수영 박대리님은, 자신감이 넘치는 거 같아요. 눈치도 안 보시고.

미경 잘못한 게 없는데 눈치를 왜 봐요?

수영 (눈치 볼 게 너무나 많은 자신의 삶이고...)...감사해요.

미경 감사하면 나랑 친하게 지내요. 내가 지켜줘야지 안 되겠어.

수영 (웃는)

S#12. 은행 객장(D)

부지점장, 프린트기에서 출력물 챙겨오다 텅 빈 총무과 자리 보는.

부지점장 총무팀 다 어디 갔어?

이팀장 김정기 강사님 도가니뼈 골절돼서 대타 뛰러요.

부지점장 이번 분기 가입신청서랑 회비는 다 받았으려나. 총무팀만 보냄 영, 불안한데...(하며 예금팀 쪽으로 시선 주면)

은정 (시선 피하며 갑자기 키보드 열심히 두드리고)

수영, 미경과 웃으며 자리로 돌아오는데,

부지점장, 옳다구나 싶은 얼굴로 수영에게 다가온다.

부지점장 안주임! 안주임이 교실 가서 팔로 좀 하지?

수영 네. 제가 가볼게요. (하고, 자리로 가서 소지품 챙기는)

미경 (의아해서)교실요? 무슨 교실?

서팀장 미경씨는 첨 봐? 노래교실.

마대리 (미경에게 친절한)저희 지점 복지사업입니다. 영포점 특성상 주변 상인들과 스킨십이 중요하거든요.

서팀장 백화점에서 문화센터 하는 거랑 비슷한 거지. 고객복지로 포장한 고객유치.

미경 (재밌고)듣는 사람이 있어요?

마대리 (넙죽 대답하는)강사빨이 좌우합니다. 강사 인기가 좋으면 풀로 차고, 구리다 싶음 텅텅 비고.

이팀장 마대리야. 우리 커피 좀 마시자.

마대리 (또 넙죽)네 이팀장님. (하고서, 바로 종현에게 손짓)종현씨! 우리 커피 좀 마시자!

종현 (마대리에게 달려와, 늘 해온 일인 듯)네. (손 내밀면)

마대리 (카드 주려다 뒤로 빼며)저번에 이팀장님 샷 추가 빼먹었드라. 신경 좀 쓰자?

종현 (이런 하대에 익숙한, 미소로)네.

은정 종현씨! (별로 안 미안한 표정으로)미안한데 오는 길에 김밥도 한 줄 사다 줄래요? 대영빌딩 고객님 오신대서 나갈 시간이 없네. (돈 건네고, 아참!)참치로.

종현 (돈 챙기며)네, 배계장님.

상수 (괜히 수영의 눈치를 보게 되는데...)

종현 (상수 시선 느끼고)하계장님도 뭐 필요하세요?

상수 ...아뇨. 괜찮습니다.

수영 (가입 서류 등 챙겨 일어나며)교실 다녀오겠습니다.

종현 저도 다녀올게요.

출입문을 향해 나가는 수영과 종현.
상수, 나란히 나가는 두 사람에게 시선이 가는데...
출입문을 열고 나가는 수영과 종현, 같은 방향으로 사라진다.

상수 (표정)

S#13. 시장 + 상가건물 외경(D)

호객하는 시장 상인들. 시장통 한 쪽에 자리 잡은 2층짜리 낡은 상가건물. 2층 외벽에 '김정기의 노래교실' 현수막 나풀거리고 있다. 일부러 활짝 열어놓은 창문으로 노래방 간주소리 새어 나오고.

S#14. 노래교실 안(D)

낡은 사무실을 교습소처럼 나름대로 꾸며놓은 공간. 화이트보드에 '오늘의 노래 – 오라버니' 크게 쓰여 있고. 경필, 석현, 트로트 가수들처럼 화려한 재킷 맞춰 입고 탬버린 흔들어가며 열창 중이다. 60대 이상으로 보이는 사람들, 삼삼오오 모여 가사지 보며 열심히 따라 하고. 지윤, 노래방 기계 앞에 앉아 세상 의욕 없는 얼굴로 뻥튀기 뜯어 먹는다.

경필 (잔망스런 춤사위와 함께 노래)오라버니 어깨에 기대어 볼래요오.
석현 (탬버린 흔들며 코러스 넣는)오라버니! 오라버니!
경필 커다란 가슴에 얼굴을 묻고 오오 지금 이대로 죽어도 여한

없어요.

석현 오라버니 오라버니!

경필 (콧소리 한껏 섞어)난 정말 여자라서 행복해요오.

석현 오라버니이. (하고 윙크)

경필, 오케스트라 지휘자처럼 지윤에게 노래 끄라고 손짓하면.
지윤, 타성에 젖은 표정으로 스톱 버튼 누른다.

경필 자, 여기까지 다시 불러볼 건데요. 댁에 계신 오라버니들 말고, 30년 전 찐만두 사주던 오라버니를 떠올리시면서 감정을 확 담아!

할머니들 (까르르 웃는)

경필 그리고 박씨 할머님 아까부터 계속 엇박 타시니까 제 손 보시면서. (손으로 박자 맞추며)박자 맞춰서 가실게요? 자 준비하시고, (지윤에게 신호)

지윤 (무심한 얼굴로 시작 버튼 누르는)

/경필, 석현의 노래에 맞춰 신나게 리듬 타는 노인들.
수영, 뒤쪽에 앉아 노인들에게 가입신청서와 회비 받고 있다.

수영 /(백원, 오백원 동전 일일이 세어 수금함에 넣고)
/(꼬깃꼬깃한 지폐뭉치 펴서, 미소로)네, 딱 맞으세요.
/(서류 가리키며)여기에 성함, 여기에 주소 적어주시구요.
(보다가)아뇨, 거기 말고 여기요. (상냥한 미소로)그냥 제가 써드릴게요. 이리 주세요.
/(대신 써주며)영포구 달성동....172번지요? (하는데, 글씨가

끊겨 써지는 볼펜)

S#15. 은행 고객상담실(D)

고급 만년필을 든 미경의 손, 서류에 매끄럽게 사인한다.
미경, 유니폼 갖춰 입고 프로페셔널한 태도로 VIP 고객 접객 중이다.
자신감 넘치는 미소를 짓는 미경, 앞씬의 수영과 대비되는 모습.

S#16. 은행 객장(D)

고객을 배웅하고 자리로 돌아오는 미경.
수영, 지친 기색으로 자리에 앉아 물을 마시는데,

미경 (수영의 책상 위에 붙은 그림엽서 보고)윤청아 작가 좋아해요?
수영 (미경 돌아보며)아세요?
미경 작년에 PK갤러리 개인전 작품 맞죠. 나도 거기 갔었는데.
수영 (반갑고)신인작가라 아는 사람 잘 없던데.
미경 독일 여행 때 지인 소개로 만난 적 있어요.
수영 (아...)
미경 모던한 느낌이 안주임님이랑 어울려요.
수영 그냥 좋아하는 거예요. 깊게는 잘 몰라요.
미경 초기작품도 봤어요? 나 독일에서 열린 개인전 사진도 있는데.
수영 정말요?
미경 점심 먹으면서 보여줄게요.
수영 (조금 풀어져)네.
상수 (서류 챙겨서 오다 미경과 수영을 보는, 그냥 지나치려는데)

미경 (상수에게)선, (배가 아니지) 하계장님도 점심 같이 가실래요?

상수 (수영에게 시선 주지 않고)아뇨. 전 다음 타임이라서요. (휙 지나쳐가는)

수영 (눈에 띄게 자신에게 차가워진 상수, 쳐다보는데)

S#17. 레스토랑(D)

샐러드, 피자, 파스타, 스테이크가 차려진 테이블 위에 리조또까지 서빙된다. 수영, 테이블을 훑어보며 너무 많은 거 아닌가 싶은 표정인데...

미경 (수영 시선 느끼고)뭘 좋아할지 몰라서, 다 시켰어요.

수영 (표정)

미경 원래 이건 좋아하는 남자한테 하는 대산데.

수영 (웃고)

미경 내 업무 대직해주는데 제대로 사고 싶어서요.

수영 (미소로)잘 먹을게요.

미경 (가방에서 꺼낸 서류 건네며)섭외 갈 고객 리스트예요. 성향분석, 수신금액, 선호하는 선물 리스트도 있구요.

수영 ...알아요. 그 자료, 제가 정리했어요.

미경 (아...살짝 민망)어쩐지. 마대리님이 한 것 치곤 정리가 잘 돼 있더라.

수영 (웃는데)

미경 (궁금하니 묻는, 툭 던지듯)안주임님은 직군전환 생각 없어요? 근속도 채웠고, 안주임님이 은행에서 일도 제일 잘하는 거 같은데.

수영 (표정)...지금도 나쁘지 않아서요.

미경 다음 분기 때 도전해봐요. 내가 도와줄게요. (하다)아, 입사는 안주임님이 더 빠른데 이런 얘기, 좀 실렌가.

수영 (씁쓸한 미소로)아니에요.

미경 안주임님이 마음에 들어서요.

수영 (어색하게 웃는데...)

미경 왜요?

수영 낯설어서요. 저 마음에 든단 얘기가. 여자들은 좀 불편해하던데.

미경 (수영을 향한 분위기, 모르지 않고)질투하는구나, 예뻐서. 억울했겠다. 나도 시기 질투 좀 받아봐서 아는데 그거 다 능력이에요.

수영 (고맙고...)사내대회 준비는 잘하셨어요? 내일이죠?

미경 상수선배가 거의 다 해서. (하다, 정정하는)아, 하계장님이. (웃으며)우리 같은 대학 선후배거든요.

수영 (우리...)

미경 동아리 하는 거 같고 좋아요. 일이 재밌어서 연애를 못하나봐. 엄마는 결혼, 결혼 노래를 하는데. 안주임님 부모님도 그러세요?

수영 (표정)

S#18. 식당(D)

상수, 경필, 석현, 식사 중이다. 함께 있어도 경필은 게임 중, 석현은 문자 중, 상수는 멍 때리는 중. 따로 노는 세 남자.

상수 (깨작거리다, 도저히 안 되겠다, 벌떡 일어나는)

경필/석현 (관심도 없이 핸드폰 보고 있는데)

상수 (맥주 한 병 가져와서 물컵에 가득 따르고)

경필 (그제야 힐긋 보며)미쳤냐? 무알콜도 아닌데?

상수 (콸콸 따르는데)

석현 (쓱 보더니 자기도 달라고 물컵도 들이밀면)

경필 너도 마시게?

상수/석현 (무시하고 원샷 하는)

경필 그래. 마셔라. 밭일할 때도 막걸리 마시고 하는 게 우리의 전통인데. 마셔.

상수 (잔 탁! 소리 나게 내려놓고)야. 내가 진짜 이해가 안 가서 그러는데.

경필 뭐가.

상수 아니, 이건 내 얘긴 아니고...책에서 본 얘긴데. 어떤 여자가 자기 좋다고 고백한 남자한테, 딴 남자랑 사귄다고 얘길 했거든?

경필 ...근데.

상수 근데 그럼 남자친구가 있단 거잖아. 근데 또 다른 남자랑 만난다는 거야. 그래서 이건 뭔가 싶었는데. 그 남자친구랑 또 포옹은 왜, (하다 또 생각난, 이런 젠장!)

경필 포옹 뭐.

상수 (한숨 쉬는, 대체 내가 뭐라는 거야. 맥주 따르려는데)

석현 (이미 병째로 꿀꺽꿀꺽 마시고 있는)

상수 (하...)

S#19. 은행 앞(D)

수영, 한결 풀어진 표정으로 미경과 함께 걸어오다가, 앞을 보고 표정이 굳는다. 보면, 은행 근처에서 행인들에게 전단지를 나눠주고 있는 인재.

수영 ! (반사적으로 미경의 눈치를 살피고, 하필이면 왜 저기서...! 당황하는데)

전단지를 받고 그대로 바닥에 휙 버리는 사람들. 인재, 사람들이 버린 전단지를 아까워하며 일일이 줍는데...그 모습이 초라해 보인다.

미경 (딱하지만)가두가 제일 이해 안 가. 효율 낮은데. 그쵸?

수영 아, 네...(얼버무리며 인재 보는데, 이 상황이 너무 싫고)

S#20. 은행 객장(N)

수영, 출납 업무를 마감 중인데, 시재가 계속 안 맞는다.
서팀장, 자신의 시재를 마감해서 수영에게 건네주는.

서팀장 왜. 안 맞아?

수영 (장표 정리하며)누락된 게 있나 봐요.

상수 (수영에게 와서, 시재 마감 서류 넘기며 사무적인)부탁드립니다. 안주임님.

수영 (안주임...?)

서팀장 (상수에게)하계장이 안주임 좀 도와주고 가지.

수영 (상수를 보는데)

상수 (수영에게 차갑게)제 도움 필요하세요?

수영 (표정)

상수 (냉랭히 보면)

수영 ...아뇨. 괜찮아요.

상수 (수영 쪽은 보지도 않고 서팀장에게)내일 준비 때문에 먼저 가보겠습니다.

서팀장 (단호한 태도에 얼떨떨해서)어, 그, 그래.

수영 (상수를 보는, 왜 저러나 싶고)

상수 (자리에서 가방 챙기고 칼같이 일어나는)

S#21. 은행 앞(N)

무표정한 얼굴로 은행 안에서 나오는 상수.

그러나 나오는 순간, 표정이 무너지며 괴롭다.

상수 왜 이렇게 유치하냐 진짜. (미치겠는데)

미경E 선배!

상수 (돌아보면 미경이고)어, 어어.

미경 (생긋)갈까요?

상수 ...어.

미경, 앞장서고.

상수, 수영을 두고 온 은행 쪽을 다시 한번 돌아본다. 자괴감이 든다.

S#22. 버스정류장(N)

퇴근시간을 넘겨 한산한 정류장.

지친 표정으로 걸어와 벤치에 털썩 앉는 수영. 긴 하루였다.

플래시백 인서트 >S#6 + S#20

상수 업무 때문에요. 해결했습니다.
/제 도움 필요하세요?

수영 (돌변한 상수의 태도...신경 쓰는 것조차 자존심 상한다. 허..! 하고 터지는 실소)

E 문자메시지 도착음.

수영 (확인하면, 종현이고)

S#23. 수영의 집 일각 공원(N)

종현, 책이 잔뜩 들어있는 듯 묵직한 가방 메고 서있다.
공원에 도착한 수영, 가만히 서서 자신을 기다리는 종현을 바라본다.
우직하게 서있는 종현의 옆모습.

수영 (종현의 고백 뒤로 다소 어색하지만...)종현씨!
종현 (수영 돌아보고 환하게 웃는)

/벤치에 앉아 바나나 우유 마시는 수영과 종현.

종현 ...동네친구 있으니까 좋죠! 퇴근하고 우유도 같이 마시구. 원 플러스 원.

수영 (어색한 미소 짓다가)저기...종현씨.

종현 제 고백. 부담 안 가졌으면 좋겠어요. 당장 어떻게 하자는 게 아니라 그냥 제 마음이 그렇다는 거니까. 안주임님이 소개팅한다니까 마음이 막. 급했어요.

수영 (표정)

종현 참. (가방에서 S#19의 전단지 뭉치 꺼내 건네며)버리기 아까워서요. 아까 아버..님이 그냥 가셔서...

수영 (받는 표정)

종현 (더 묻지 않고 우유 마시는데)

수영 ...종현씨는 늘 아무것도 안 묻네요. 괜히 미안해지게.

종현 ...은행에 들어오는 사람들 보면 알게 돼요. 수신고객인지 여신고객인지, 누가 VIP인지. VIP들은 표정부터 달라요. 남들이 안 되는 것도 가능하니까 파워당당. (수영 보며)안주임님은 나한테 갑질해도 돼요. 나한텐 안주임님이 VIP니까. (얼른)재촉하는 거 아니에요. 진짜진짜 부담 갖지 마요.

수영 (표정)

종현 어? 나한테 쪼끔은 반했다.

수영 (픽 웃고)아닌데.

종현 (웃으며 야경을 보다가)저기서 보면 뭐가 다를까요?

수영 (보면)

종현 (난간 앞으로 다가가, 강 건너 높은 건물들 보며)야경요. 저런 데서 보면 많이 다른가 해서요. 그래서 다들 부자 되면 저런 곳에 사는 건가 싶어서.

수영 (표정)...다르면요?

종현 (잠시 생각하다)언젠간 나도 살아봐야겠다? 돈을 아주아주 많이 벌어야겠지만. 얼마나 다른지 직접 확인하고 싶다. 그

런 생각 살짝. (웃는데)

수영 ...사람들 심부름, 해주지 마요.

종현 (가만히 웃다가)이번 시험은 꼭 붙을 거예요. 그래서 언젠가 야경도 (허공 가리키며)저기서 내려다볼 거고.

수영 (표정)

종현 어? 나한테 쪼끔 더 반한 눈빛이다.

수영 (씁쓸히 웃는)내가 아는 누구도...(살아 있었다면)종현씨처럼 열심히 살았을 거 같아서요.

종현 (더 묻지 않고, 야경으로 눈길을 돌리고)

수영 (잔잔한 시선으로 야경을 보는)

나란히 서있는 수영과 종현의 뒷모습에서.

S#24. 스카이빌딩 전경(N)

건물 꼭대기 층을 향해 초고속으로 올라가는 통유리 엘리베이터.
상수와 미경, 엘리베이터 안에 나란히 서있다.

S#25. 스카이빌딩 바(N)

서울 야경이 한눈에 내려다보이는 창가 자리에 마주 앉은 상수와 미경.
이런 곳이 익숙한 미경, 여유롭게 와인 리스트 보고 있고.

상수 (다소 어색한)오랜 못 있어. 피티 수정 더 해야 해.

미경 내일 그쪽이 가는 PT, 나도 가거든요? 가볍게 한 잔만. 어떤 와인 좋아해?

상수 와인은 잘 몰라서. 골라주는 걸로 마실게.

미경 마음에 든다. 젠체 안 하는 거.

/ 와인잔 부딪치는 두 사람.

미경 (상수 얘기에 터진 웃음)진짜?

상수 ...웃겨? 나 별말 안 했는데...

미경 (웃으며)어, 너무 웃겨.

상수 ...니가 원래 잘 웃나보네.

미경 아닌데. 선배가 말을 재밌게 하잖아.

상수 내가? 나 안 웃긴데...

미경 완전 웃겨. 완전 재밌고.

상수 (표정 있다가)일은 안 힘드냐. 오자마자 사내대회 준비에...정신없을 텐데.

미경 선배 덕분에 수월하게 가는 느낌.

상수 센터안으로 정해지면 더 바빠질 텐데. 괜찮겠어?

미경 안주임님이 팔로우를 워낙 잘해줘서. 오늘 점심 같이 했는데, 사람 괜찮더라.

상수 (수영 얘기에 멈칫)

미경 선밴 그동안 일만 하고 살았어?

상수 (피식 웃으면)

미경 대학 때도 그러더니. 왜 연애 안 하고 살아. (설마...싶은)혹시, 취향이...?

상수 (황당)아냐 인마.

미경 그럼 왜.

상수 ...쉽게 만나고 쉽게 헤어지는 거. 싫어서.

미경　　어렵게 만나고 어렵게 헤어지는 건 좋나.

상수　　(미경에게 마음이 없기 때문에, 오히려 본심이 나오는)...책임이 따르니까.

미경　　! (순간 쿵, 하는 느낌이 들었고)

상수　　누군가를 좋아하는 마음에도, 책임이...따르니까.

미경　　(만남에 진지한 상수에게 신뢰가 간다. 깊어진 눈으로 상수 보는)

웨이터, 테이블에 안주 플래터를 서빙한다.

상수　　(서빙되는 음식을 유심히 보는)

미경　　(그런 상수가 귀엽고)여기 시그니처 메뉴. 이 플래터로 상도 받았어.

상수　　(웨이터에게)포장도 됩니까?

미경　　(포장? 의아해서 보면)

상수　　(미경 시선 느끼고)줄 사람 있어서.

S#26.　　에스테틱 한(N)

상수, 호텔 마크 찍힌 쇼핑백 들고 들어온다.
마감 후 데스크에서 정리 중이던 정임, 놀라서 보는.

정임　　뭐야. 어버이날도 아닌데 웬 서프라이즈?

상수　　(쇼핑백 들어 보이며)야식배달.

S#27. 에스테틱 한 – 휴게실(N)

정임, 테이블에 앉아 상수가 포장해온 음식 먹고 있고.

상수, 빈 박스 접어 정리 중이다.

정임 언제 소개시켜줄 거야.

상수 (보면)

정임 (음식 가리키며)딱 데이트용 음식이구만.

상수 엄만 그 집념으로 공부를 하지 그랬어. 그랬으면 명문대를,

정임 (OL)가는 대신, 명문대 간 아들을 낳았잖아 그래서.

미경모E (밖에서)한원장! 한원장 있어요?

정임 (놀라서 일어서며)네, 잠시만요!

상수 (뭐냐는 듯 보면)

정임 잠깐 있어.

S#28. 에스테틱 한(N)

정임, 급하게 나오는데.

미경모, 마스크를 벗으며 활짝 웃는 얼굴이 벌겋다.

미경모 (안도)역시 한원장. 아직 있을 줄 알았어.

정임 이 시간에 어쩐 일이세요.

미경모 나 라운딩 갔다가 트러블 났어. 내일 모임 있는데, 지금 되죠?

정임 그럼요. 베드에 계세요. 금방 들어갈게요.

미경모 빨리 와요. (얼굴 부채질하며 들어가는)아휴 따가.

S#29. 에스테틱 한 – 휴게실(N)

정임, 급하게 들어와 싱크대에서 손을 씻는다.

상수 더 안 먹고?

정임 고객 오셨잖아.

상수 (식어가는 음식 보며)마감시간도 지났구만 그냥 보내지.

정임 (수건에 손 닦으며)됐고. 좋은 말 할 때 불고 가. 어떤 여자냐니까.

상수 진짜 아니고. (씁쓸한)아무것도 못 했어.

정임 (쯧쯧하며 자문자답)누가 있긴 했구만. 근데 차였어. 누가 우리 아들을 찼을까.

상수 (표정)차, 차긴 누가. 뭘 차.

정임 (문득 걱정되는)홀어머니라 싫대?

상수 엄마. 진짜 아냐, 그건.

정임 (혹시...)대단한 집 아가씨야?

상수 .....

S#30. 수영의 집 일각 공원(N)

인서트>'통영굴국밥 축 오픈' 전단지.

종현은 가고 혼자 남은 수영, 벤치에 앉아 전단지 보고 있다.

분노에 찬 손길로 전단지를 구겨버리고.

수영 (피한다고 해결될 일이 아닌...)

S#31. 인재네 식당 앞(N)

불 꺼진 시장 가게 사이, 홀로 불을 밝히고 있는 24시 통영굴국밥 간판. 수영, 식당 안을 바라보고 있다. 그냥 돌아서려다가...다시 작정한 듯. 식당 쪽으로 성큼성큼 다가가 가게 문을 확 여는데.

S#32. 인재네 식당(N)

가게 문 벌컥 열고 안으로 들어서는 수영.
예상치 못한 수영의 방문에 놀라는 경숙과 인재.

경숙 ...수영아!
인재 (반갑고, 면목 없고, 복잡한 감정으로 보며)어어, 와, 왔어?
수영 (오랜만에 마주한 자신의 부모, 여전히 초라하고 가슴 아픈)
인재 (눈치 보다가 경숙에게)뭐해. 밥, 밥 차려.
수영 (용건만 내뱉는)다신 은행 근처에 오지 마요. (가려는데)
인재 (다급히)밥은...
수영 (등을 돌린 채. 감정이 치밀어 오르는)
인재 (한 번 더 잡는)너 좋아하는 굴전도 있,
수영 (도저히 못 참겠다. 획 돌아서며 감정의 둑이 무너지는)왜 여기야? 가게 할 데가 여기밖에 없었어? 대한민국 시장통이 얼마나 많은데 꼭 내 옆으로 와서 사람 숨 막히게 굴어야겠냐구!
인재 뭘 어쩌려고 온 건 아니라, 그냥 오며 가며 니 얼굴이라도 보려고,
수영 (OL)뭐가 그렇게 애틋해서. (경숙이 더 원망스런)어떻게 이 사람을 다시 받아줘!

경숙　　(딸의 분노에 가슴이 메이고...)

수영　　(인재를 보며 기가 막힌)밥? 밥 먹었냐구? 그게 이제 와서 왜 궁금할까.

인재　　(수영을 쳐다볼 면목이 없다. 죄인처럼 고개를 숙이는데)

수영　　(쌓아둔 감정이 터지고)수혁이가 왜.

경숙　　!

인재　　(눈시울이 벌게지는)

수영　　왜 그렇게 됐는데.

수혁E　　누나.

S#33.　　공원(D) – 회상

패스트푸드점 유니폼 입은 수영과 고등학교 교복 차림의 수혁.

수혁　　(MP3 주머니에 넣고, 삼각김밥 건네며)유통기한 지나자마자 바로 챙겨와서 완전 신선!

수영　　유통기한 지난 걸 신선하다고 하긴 좀 그렇지.

수혁　　(뺏으려 하며)싫음 말구.

수영　　(사수하며)누가 싫대. (옆에 둔 햄버거 수혁에게 내밀면)

수혁　　(받고, 씩 웃는)난 누나가 햄버거가게 알바하는 게 무슨 빽 생긴 거 같고 좋드라.

수영　　(심드렁)좋을 것도 많네. 어느 세월에 돈 벌어서 어느 세월에 잘 사나 걱정인데.

수혁　　그게 뭐야. 당연히 잘 살지. 꿈을 크게 가져 누나.

수영　　(픽 웃는)내 꿈은 평범이다. 평범하게 사는 거.

수혁　　애개?

수영 평범하단 건 부족한 게 없단 거야. 두루두루, 잘 산단 뜻이지. 그렇게 살고 싶다.

수혁 (짠해서 보다)딱 기다려. 내가 얼른 오토바이 면허 따서 배달의 신이 될 테니까.

수영 (또 시작이다 싶은)그래서?

수혁 (허공에 그림 그리는)서울 한복판에 이렇게 넓은 베란다가 있는 집 얻어줄게. 거기 베란다에 누나가 좋아하는 허브도 왕창 놓고. 그림도 그리고 피아노도 치고.

수영 (영혼 없는 리액션)와 신난다.

수혁 (자세 바로)나 못 믿어?

수영 (보면)

수혁 누나 나 몰라? 나 한다면 해. 꼭 해. 그니까 누난 행복해지기만 해라.

수영 (감동이지만...)공부나 해. 반에서 꼴찌가 뭐니.

수혁 (햄버거 먹으며)내가 그 약속 꼭 지킨다. (수영을 보며 환하게 웃는)

S#34. 장례식장(N) – 회상

환하게 웃는 수혁의 얼굴이 영정사진으로 바뀐다. 그 옆으로 상복을 입고 넋이 나가 서있는 수영과 경숙. 인재, 작업복을 입고 주춤주춤 다가온다. 수혁의 죽음이 믿기지 않는 얼굴이고...

수영 ! (인재를 봤고. 초점 없던 눈에 분노가 차오르는)

인재 (수혁의 영정사진 앞에 주저앉는데...)

수영 (악에 받쳐 인재를 밀어내는)왜 왔어? 가. 가라고. 가! 가라고!

인재　　(수영의 패악을 고스란히 받아내며 눈물을 뚝뚝 흘린다)

S#35.　인재네 식당(N)

눈시울 벌게진 인재, 힘이 풀린 듯 카운터 의자에 털썩 주저앉는다.

수영　　나한테. 아니 우리한테 그쪽은 이미 죽은 사람이었어.
　　　　그니까 애틋한 척 하지 마요. 기웃대지마, 정말.
인재　　!
경숙　　(도저히 안 되겠다는 얼굴로)수영아, 그게 아니라.
인재　　(O.L)여보.
경숙　　(눈이 시뻘게진 채로 입을 다무는)
수영　　(분노를 참는 표정 위로)
수혁E　　내가 약속 꼭 지킬게 누나.

S#36.　수영의 집 – 거실(N)

소파에 앉아 있는 수영, 모든 감정을 쏟아낸 후의 공허함으로 지쳐있다.

수영N　　**수혁이는 정말로 약속을 지켰다.**

거실장 위에 놓인 액자들, 수영과 수혁의 사진들이다.
텅 빈 눈으로 수혁의 사진을 바라보는 수영.
자리에서 일어나 커튼을 열고, 베란다로 나가는 위로,

수영N　　**아니, 수혁이의 그 약속이 나를 지켰다.**

수혁E 서울 한복판에 이렇게 넓은 베란다가 있는 집 얻어줄게.

S#37. 수영의 집 – 베란다(N)

허브화분과 피아노, 벽의 그림 등을 찬찬히 살피는 수영의 모습 위로,

수혁E 누나가 좋아하는 허브도 왕창 놓고. 그림도 그리고 피아노도 치고. 그니까 누난 행복해지기만 해라.

수영N **주저앉고 싶을 때마다 그 약속을 떠올렸으니까.**
수혁이가 날 지킨 거나 다름없었다.

S#38. 통영 벽화마을 전망대(D) – 회상

1부 S#46의 인서트씬 확대. 바다를 내려다보며 그림을 그리고 있는 여고생 수영. 그 뒤로 살금살금 다가가는 수혁. 뒤에서 '누구게' 하며 수영의 눈을 가린다. 그 바람에 그림 그리던 붓을 놓치는 수영. 획 돌아보고 수혁임을 확인하고는 등짝을 툭 때리고. 반짝이는 햇살을 받으며 환하게 마주 웃는 남매의 모습 위로.

수영N **행복해야 했다. 행복해져야 했다.**

S#39. 수영의 집 – 거실(N)

환하게 웃고 있는 수영과 수혁 남매의 사진.

수영N **내 행복에는 책임이 있으니까.**

서글픈 표정으로 수혁의 사진을 바라보는 수영, 길게 보여지면서...

S#40. 상수의 집(N)

책상 위에 쌓인 각종 자료집과 서류들. 상수, 노트북으로 PPT 띄워놓고 한참을 보다가, 서류더미에서 뭔가를 찾는데...일순 굳는다. 상수의 손에 들린 것, 2부 S#53에서 꺼내 보던 수영이 준 수첩이다.

상수 (보다가, 마음먹은 듯 수첩 들고 자리에서 일어나는)

주방 옆 재활용 두는 곳. 상수, 수첩을 종이 쓰레기함에 툭 던져 넣는다. 잠시 본다. 수영을 보듯. 책상 쪽으로 가려던 걸음이 멈추고, 안 되겠다.

상수 (표정)

결국 수첩을 주워드는 손.
/상수, 수첩 들고 책상에 앉는다.

상수 (가만히 수첩을 보다가...서랍을 열고 깊숙이 넣어두는)

다시 서류를 열심히 들춰보는데, 찾는 자료가 없는지 난감한 표정이고.

S#41. 미경의 집 – 취미룸(N)

한쪽 벽면에 명품가방으로 가득 채운 진열장, 방 중앙에는 세라믹 테이블과 의자가 놓여있다. 미경, 테이블 위에 작업매트를 깔고, 세필붓, 마카쥬용 물감을 세팅하더니, 진열장 문을 열고 심플해 보이는 가방 하나를 골라 자리에 앉는다. 작업용 토시까지 착용한 미경, 취미지만 제대로 갖추고 하는 느낌. 가방 위에 도안을 대고 전용펜으로 테두리 작업 하고, 하얀색 아크릴 물감으로 바탕색을 덧칠한 후...완성된 그림의 테두리를 세필붓으로 섬세하게 그리고 있는데...갑자기 찌렁찌렁 울려대는 핸드폰 벨소리. 화들짝 놀란 미경, 선 밖으로 주욱! 그어버린다.

미경 (짜증 난 얼굴로 핸드폰 확인하는데, 순식간에 밝아진 표정으로 받으며)선배!

S#42. 상수의 집 + 미경의 집 교차(N)

상수, 살짝 미안한 얼굴로 전화 중인.

상수 잤어?
/미경 그거 전남친 대사 아니야?
상수 (웃고)개방플랫폼 환경분석 전망자료, 니가 갖고 있지?
/미경 아...있긴 한데, 내 자리에 있어. 은행에. (얼른)아니, 같이 가. 준비해서 갈게.

미경, 작업하다 망친 가방을 미련 없이 한쪽에 툭 던져 두는데...
망쳐진 가방이 가득 쌓여있다.

S#43. 은행 앞(N)

입구에서 보안업체와 통화 중인 상수.

상수　　영포점 하상수 계장입니다.
업무처리로 경비시스템 해제 후 들어가겠습니다.

상수, 지문 찍고 경비시스템 해제한 뒤 안으로 들어간다.

S#44.　　은행 회의실(N)

상수, 집중한 얼굴로 PPT 마무리 작업에 몰두 중이다.
그때 열리는 문. 미경, 고개를 빼꼼 내밀고 샌드위치 쇼핑백 들이미는데.

상수　　(집중하느라 못 보고)
미경　　(킥킥 웃으며 상수를 본다. 그러다 보는 시선이 조금 진지해지는)
상수　　(고개 돌리다가 앞을 보는데)
미경　　(어느새 맞은편에 앉아 하품하는 시늉 하며)이제 봐주네. (커피 앞으로 밀어주는)
상수　　(웃는)안 와도 된다니까.
미경　　팀플에서 독박 쓰는 사람, 저 잘난 맛에 그러는 거 아는데 팀원도 능력 있거든요?
상수　　그럼 앱서비스 전략개편안 맡으시죠.
미경　　(도도한 척)그래볼까요?
상수　　(피식)

/동트기 전의 푸르스름한 새벽빛.
상수, 몇 시간 전과 다르지 않은 태도로 타이핑하다가 마침내 엔터키를 경쾌하게 누르고. 엎드려 자고 있던 미경, 그 소리에 벌떡 일어난다.

미경 나 안 잤어요.

상수 코는 골았지만 안 잔 걸로 하자.

미경 (당황)나 코 안 골아!

상수 (웃고)시간 좀 있으니까 넌 들어가서 씻고 나와.

미경 뭘 모르네. 일한 티는 내줘야 하는 거거든요.
(핸드폰 액정에 얼굴 비춰보며)지금 딱 좋아. 생색내기 딱 좋은 초췌함.

상수 (미경이 재밌는)

S#45. 은행 앞(D)

은행에서 나오던 상수, 출근하던 경필과 마주친다.

경필 뭐야. 오늘 키당 난데?

상수 PT 준비.

미경 (뒤따라 나오며)안녕하세요.

경필 (살짝 당황한)어, 아, 박대리님, 도 있었네요.

미경 근무시간도 아닌데 무슨 박대리예요. 편하게 하세요, 선배.

경필 아, 그래. 그럴게.

미경 (상수에게)가요 선배.

상수 (경필에게)아침 안 먹었음 같이 가고.

경필 (왠지 어색)문 열어야지. 갔다 와. (들어가고)

상수 (경필의 반응, 살짝 이상한데)

미경 근데 이 시간에 하는 데가 있어요?

상수 (웃는)

S#46. 인재네 식당 앞(D)

셔터 내려간 가게들 사이에 홀로 불을 밝히고 있는 인재네 식당.
상수를 따라 식당 안으로 들어가는 미경, 살짝 못마땅한 표정이다.

S#47. 인재네 식당(D)

펄펄 끓는 굴국밥, 상수와 미경 앞에 서빙되고.

인재 (미소)맛있게들 들어요. 새벽부터 고생이 많네.
상수 (국물에 밥 말아 섞으며)잘 먹겠습니다.
미경 (가게 내부를 둘러보는데, 내 스타일 아니다)
상수 (후후 불어 맛있게 먹고 있는데)
미경 (숟가락에 국물 몇 방울 담아 조금 맛보는. 먹어보니 또 괜찮은 거 같고)
상수 (미경 먹는 것 보더니)굴국밥 안 좋아해?
미경 원래 양이 좀 적어요.
상수 감자탕 먹을 때 보니까 적은 양은 아니던데.
미경 (에이씨...)아침엔 샐러드만 먹거든요?
상수 (웃고)그래. 알겠다.

인재, 깐 굴이 가득한 대야 들어서 옮기려는데 힘에 부치는지 끙끙.
그 모습 본 상수, 얼른 숟가락 놓고 다가간다.

상수 (대야 번쩍 들어올리며)주방에 두면 될까요?
인재 (황송한)아니, 안 그래도 되는데.
상수 (씩 웃으며 주방으로 가고)

미경 (상수가 점점 마음에 든다. 국물을 떠서 다시 맛보는, 맛있는 거 같다)

S#48. 몽타주

/버스 안(D)

수영, 의자에 앉아 VIP 고객 프로필 외우고 있다. 허공 보며 중얼중얼 하다가, 다시 프로필 보며 확인하고. PB업무에 대한 긴장과 설렘이 느껴지는 모습.

/호텔. 디저트부티크(D)

쇼케이스 안으로 보이는 고급 디저트와 케이크.
호텔 로고가 선명하게 찍힌 케이크 상자를 받아드는 수영.

/백화점 – 꽃집(D)

실거베라, 소프라노장미, 리시안셔스, 작약 등 파스텔톤으로 우아하게 구성된 꽃다발. 수영, 꽃다발을 받아 들며 기분 좋은 미소 짓는.

/고급 타운하우스(D)

수영을 태운 택시, 화려한 분수로 장식된 정문을 통과해 단지 안으로 들어간다.

S#49. 타운하우스 외경(D)

거대한 현관 앞에 선 수영. 깊게 심호흡한 뒤, 초인종 누르려는데, 문자 도착음. 보면, 종현이 보낸 '파이팅!' 이모티콘.

수영 (미소 짓고, 초인종 누르는)안녕하세요 고객님. KCU은행에서 왔습니다.

철컹! 열리는 문. 안으로 들어가는 수영, 일정한 높이로 펼쳐진 잔디를 지나 돌계단을 올라가면, 유럽풍 식물과 세심하게 다듬은 관목들로 장식한 정원이 서양화처럼 펼쳐진다.

수영 (표정)

S#50. 타운하우스 – 현관(D)

신발을 벗고 안으로 들어가려던 수영, 문득 걸음을 멈추고 다시 현관을 돌아본다. 명품구두들 사이에서 유독 오래되어 보이는 자신의 구두. 수영, 무릎 꿇고 앉아 자신의 구두를 안쪽으로 치워두는.

S#51. 타운하우스 – 거실 + 미경모의 집(D)

수영, 가정부의 안내를 받아 소파에 앉으며 실내를 둘러보는데.... 높은 천장, 아트대리석이 깔린 바닥, 실내용 벽난로 등 고급스러운 인테리어. 거실 중앙엔 유화물감 질감이 생생한 고양이 초상화가 크게 걸려있다. 수영, 소파에 앉아 허리를 꼿꼿이 세우고 대기하는데...테이블 위로 시선이 가고. 고급 접시 위의 디저트, 이제 막 우려낸 듯 유리 티포트에서 붉은색 차가 번져나가고 있다. 수영과 비슷한 연령대의 고객, 실크로브 휘날리며 거실로 나와 자연스레 상석에 앉는다. 고객이 오자 얼른 일어났다가, 고객이 앉은 후 자리에 앉는 수영. 위축된 기색 없이 정돈된 몸짓.

수영 (테이블 위로 꽃다발 담긴 쇼핑백 두며)다음 주 생일이시죠. 미리 축하드립니다.

고객 (선물 거들떠도 안 보고)직원 바꼈나 봐요.

수영 처음 뵙겠습니다. 영포점 안수영입니다. (명함 건네면)

고객 (테이블에 두라는 듯 턱짓하고 찻잔 들어 마시는데)

수영 (테이블 위에 명함 올려두고)오늘 찾아뵌 이유는,

갑자기 나타난 고양이, 고객 무릎 위로 폴짝 뛰어오른다. 초상화 속 고양이다. 고객, 마시던 찻잔 내려두는데, 위치가 수영이 놓아둔 명함 위다. 찻물이 번져나가는 수영의 명함.

수영 (표정)

고객 (고양이 어르며, 프랑스 본토 발음)우리 에트와르, 왔쪄요?

수영 (표정 수습하며 가방에서 포장된 상자 꺼내는)이건 에뚜왈 선물이에요. 모질개선 영양제입니다.

고객 어머. 우리 에뚜와르 탈모있는 건 어떻게 아시구. (기분 좋은)시작하세요.

수영 (상품 제안서 착착 세팅하고)VIP 고객님께만 오픈되는 주식 연동형 한정판매 상품입니다. 고객님께서 1년에 반 이상 프랑스에서 생활하시기 때문에 부동산투자가 편하시겠지만 최근엔 3개월 내외의 단기상품이 선호되는 추셉니다.

고객 (굳이...싶은)단기상품이면 더 자주 신경 써야 하고, 스트레스받을 거 같은데.

수영 현금 유동성이 높아진다는 장점이 더 큽니다. (다른 서류 건네며)고객님께서 예상하시기 쉽도록 포트폴리오를 짜봤는데요. 리스크관리에 초점을 두고 계신 게 아니라면 기대수

익률이 높은 상품에 투자해보시는 게 어떨까요. (자신감으로 빛나는 표정인데)

미경모E 좋아요. 진행하도록 하죠.

/수영의 앞에 놓인 디저트, 접시 색깔과 문양, 종류가 바뀌어있다.
보면, 앞의 집보다 더 호화스러운 분위기의 다른 집에 와있는 수영.

미경모 (수영의 명함에 있는 영포점 문구를 보며)내가 영포점에 아는 사람도 좀 있구.
아가씨가 싹싹하고 참 예쁘네.

수영 (기쁜)감사합니다. 지점으로 방문 주시면 빠르게 도와드리겠습니다.

미경모 (우아한 손짓으로 디저트 가리키며)들어요. 우리 아줌마가 잘하는 거야.

수영 감사합니다. (조심스럽게 맛보는데, 너무 맛있는)

미경모 (수영의 표정 만족스레 보다가 교양 있게)아줌마?

도우미 (준비해둔 쇼핑백 여러 개 들고 오고)

미경모 (눈짓하면)

도우미 (테이블에 내려두는)

수영 (의아해서 보면)

미경모 가져가요. 같이 일하는 사람들이랑 나눠 먹어요.

수영 (환대에 고마운)감사합니다. 잘 먹을게요. (살짝 긴장 풀린, 문득 거실에 걸린 그림에 시선이 가는데 S#16 엽서그림의 확장버전이다!)

미경모 (수영 시선 따라가다, 그림 보고)우리 딸애가 좋아하는 작품이에요.

수영 따님 안목도 훌륭하시네요. (웃고)

S#52. 미경모의 집 – 현관(D)

정중히 인사하고 나오는 수영.
신발을 신고 나가려다가 신발장 위를 고쳐 본다.

수영 ! (뭔가를 봤다)

어떤 충격을 받은 수영, 다시 고개를 돌려 중문 너머로 보이는 집 안을 바라보는데...

수영 ......

S#53. 은행 객장(D)

고객도 직원도 별로 없는 한산한 분위기의 객장.
바짝 붙어서 핸드폰 보고 있는 은정과 지윤, 표정이 심각하다.

은정 어떤 거 같아.
지윤 (고심하는)너무 어려운데요.
은정 그치.
지윤 네.
서팀장 (같이 심각해져서)뭔데. 왜 그러는데.
은정/지윤 (핸드폰 액정에 뜬 화면, 립스틱 리뷰 사진이다)
서팀장 (김새서)두 개 다 똑같구만.

지윤　　완전 다르죠. 이건 쿨톤에 어울리는 핫핑크, 이건 웜톤에 어울리는 피치코랄!

이팀장　　(쓱 끼어들며)쿨톤? 웜톤? 난 무슨 톤인데?

서팀장　　(성의 없는)이팀장은 술톤이지. 불그죽죽. 작작 마셔.

이팀장　　(이런 콱!)

서팀장　　(무시하며)우리 안주임은 잘하고 있나.

은정　　뭐가 걱정이에요. 사람 홀리는 거 특긴데. 시장사람들한테 들들 볶이느니 돈 많은 부자들 상대하는 게 훨 낫죠.

서팀장　　자기야, 어디서 과외받니? 말 참 밉게 해. 그러다 돌 맞아.

은정　　(입 삐죽)

지윤　　그래도 전 은행 안에서 일하는 게 좋아요. 여름엔 시원하구 겨울엔 따뜻하구.

서팀장　　지윤씬 사람이 참...애기피부같애. 잡티가 없어. 맑아.

이팀장　　상수랑 박대린, 아직 연락 없지?

마대리　　(시계 보고)2시 스타트니까. 이제 들어가겠네요. 잘 해야 할 텐데.

은정　　뭐가 걱정이에요. 마대리님 앞날이나 걱정하세요.

마대리　　(이 사람이...!)

S#54.　　본사 외경(D)

S#55.　　본사 – 대회의실(D)

영포점을 포함, 신도점, 당상점, 구도점 등 각 지점의 대표가 모인 본부회의. 발표 마친 당상대리가 자리로 들어가면, 다음 차례인 상수와 미경이 앞으로 나온다. 상수가 발표하고, 미경이 팔로우하는 역할.

상수 (정중하지만 자신감 느껴지는)안녕하십니까. 영포점 하상수 계장입니다.

미경 (PPT 화면 띄우고 상수 쳐다보며 신호 주는)

스크린 위로, 은행의 앱 9개가 사각으로 정렬되어 뜬다.

상수 현재 저희 은행에서 운영하고 있는 어플은 총 아홉 갭니다. 관리하는 앱 수가 많다 보니 업데이트도 더디고, 따라서 오류도 많습니다. 하지만 우리가, 어떤 앱을 남기고 살릴지 감히 결정할 수가 있겠습니까? 정말 중요한 건 앱에 대한 평가가 아니라 바로,

스크린 화면. 효과음과 함께, 아홉 개의 앱이 모여 하나의 앱으로 통합된다.

상수 통합에 있는 건 아닐까. 각 어플의 장점만 모아 단순화시킨, 앱의 장단점을 평가할 필요 없이 새판을 짜는 것. 본사에선 이 답을 찾게 하기 위해 대회를 연 것이라고 생각합니다.

미경 (발표하는 상수를 지긋이 보는)

S#56. 본사 앞(D)

한숨 돌린 표정의 상수, 담배를 들고 피울까 말까 고민하고 있는데, 다가오는 미경.

미경 왜 안 펴?

상수 (담배 내밀며)줄까?

미경 끊은 지가 언젠데.

상수 ...나도 끊으려고. (담배가 아닌 수영을...)끊어야지 이제.

미경 금연 선언을 뭐 그렇게 센치하게 해.

상수 (씁쓸히 웃는데)

미경 선배 실전에 더 강하더라. 잘했어.

상수 칭찬 고맙다.

미경 주말에 뭐해.

상수 ?

미경 나랑 놀자. 오늘 잘한 상으로 내가 놀아줄게.

상수 (수영 생각으로 가득 찬 마음, 털고 싶고)...그래. 그러자.

S#57. 몽타주

/종현의 옥탑방(D)

살풍경한 단칸방이지만 깨끗이 정리되어 있다. 냄비에서 끓는 물을 컵에 붓는 종현. 커피믹스를 넣고 스틱봉지로 휘젓는다.

/수영의 집 – 거실(D)

핸드드립으로 커피를 내리고 있는 수영. 커피를 텀블러에 옮겨 담는다.

/상수의 집(D)

상수, 캡슐커피머신 버튼을 누른다. 기다리는 동안 냉동실에서 얼음틀을 꺼내 힘주어 비틀고. 커피가 담긴 잔에 얼음을 넣는 상수.

/미경의 집(D)

차르르! 경쾌한 소리를 내며 자동으로 컵에 떨어지는 얼음. 보면, 얼음정수기, 터치패드가 달린 에스프레소 머신 등 홈카페처럼 잘 꾸며놓은 공간. 미경, 얼음이 채워진 잔에, 갓 추출한 에스프레소 샷 넣는다. 스트로우 꽂아 시원하게 마시는 미경.

S#58. 도서관(D)

수영, 열람실에 앉아 공부하고 있는데...수영의 자리에 놓여지는 우유. 보면, 가방을 멘 종현이 씩 웃고 있다.

수영 (조금 놀라)종현씨.

종현 저도 여기서 공부하거든요. (맞은편에 앉으며)저 신경 쓰지 말고 공부하세요.

/수영과 종현, 마주 앉아 각자의 공부에 집중하는데.

수영 (PB업무 관련 자료 보며, 형광펜으로 체크도 하는)

종현 (그런 수영이 예뻐 보이고)

수영 (시선 느끼고 보면)

종현 요새 좋아 보여요.

수영 투자상담, 재무설계사 자격증 땄었는데. 그동안은 활용할 기회가 없었어요. 내가 상대하는 주고객은 시장 사람들이니까. (오해 말라는 듯)싫다는 게 아니라...ATM기도 할 수 있는 일들이 아닌가. 가끔 그런 생각이 들었는데.

종현 (그랬구나...)

수영 　　이번 일은 달라요. 고객들이 내 말을 듣고 투자를 결정해요. 시즌 원 판매 잘 마치면 다음 것도 맡겨줄지도 모르구. 그럼 직군전환에도 도움 되거든요.

종현 　　(수영이 짠하기도 멋있기도 한)

수영 　　왜 그렇게 봐요.

종현 　　멋있어서요.

수영 　　내가요?

종현 　　네. 안주임님 진짜 멋있는 사람이에요.

수영 　　(표정 있다가 픽 웃는)예쁜 쪽인 줄 알았는데.

종현 　　아닌데. 멋진 쪽인데.

수영 　　(웃는)

종현 　　나도 열심히 공부해서 멋있는 사람 해야지.

수영 　　(미소)

S#59. 아이스하키장(D)

미경, 조금 놀란 얼굴이다. 보면, 아이스하키 경기 중인 상수, 격렬한 몸싸움에도 지지 않고 맞붙는다. 처음 보는 상수의 거친 모습, 생각도 못 한 모습인 만큼 미경에게 강하게 다가오는데...상수, 수비수 두 명을 한 번에 따돌리고 그대로 엔드존까지 달려 퍽을 날린다. 빽! 길게 이어지는 휘슬 소리와 함께 득점 표시를 알리는 전광판.

미경 　　! (미경의 마음에도 어떤 신호가 울렸다)

/미경, 엉거주춤한 자세로 상수의 양손을 잡고 빙판 위를 아장아장 걷고 있다. 상수, 헬멧과 숄더패드만 제거하고 경기복 그대로 입고 있는.

미경 (아슬아슬한)내가 같이 놀자고 했지, 한 살에 뗀 걸음마 다시 하자고 했어.

상수 (미경 포즈가 웃기고)나 좋아하는 거 하자며.

미경 (투덜투덜)땅 위에서만 잘 걸으면 됐지. 왜 미끄러운 빙판에서(또 넘어질 뻔하고)

상수 (강하게 잡아주며)무게중심을 뒤쪽에 두지 말고.

미경 (다시 시도하며)대체 이런 게 왜 좋은데.

상수 빙판 위에선...명쾌하잖아. 넘어지지 않고 달린다. (웃는)그래서 좋아.

미경 (깊어진 눈으로 상수 보는)나도.

상수 ?

미경 나도 (선배가)좋아질 거 같다구.

상수 ! (의미 있는 말인 것 같고)

미경 (장난스레 상수 보다가, 또 비틀!)

상수 (잡아주며)안 되겠다. 그만해. 너 근육통 와.

미경 그러게. 못 움직이겠다. 선배 옷 갈아입고 와. 나 기어서 가고 있을게.

상수 괜찮겠어?

미경 (말할 힘도 없다는 듯 손사래 치면)

상수 (미경 어깨 툭! 치고 유유히 링크장을 빠져나가고)

미경, 상수가 간 걸 확인하더니, 천천히 몸을 일으킨다. 천천히 링크 밖을 향해 스케이트를 타는 미경. 상수와 있을 때와 달리 수준급이다...! 미경, 링크장 밖으로 나와 익숙한 손길로 스케이트에 날집을 씌우고.

미경 (자신의 마음을 확신한 듯, 씩 웃는)

S#60. 은행 갱의실(D)

상수, 소파에 앉아 핸드폰을 보고 있다. 수영의 프로필 사진이다.
하...한숨 쉬며 고개 드는데. 갱의실로 들어오는 수영.
시선이 마주치는 두 사람.

수영 (탈의실에 들어가려다 멈칫 서는데)
상수 (수영을 보다가, 먼저 시선을 돌리는)
수영 (그런 상수를 보며, 뭔가 치밀어 오르고)
상수 (수영 외면한 채 있는데)

그때, 남자탈의실에서 우르르 나오는 경필과 석현.

경필 (수영 발견하고)안주임님 점심 가요?
석현 저희랑 같이 가시죠.
상수 (굳은 표정)
수영 (그런 상수 일견하고)아뇨. 전 선약이 있어서요.
상수 (표정)

S#61. 은행 일각 + 미경 차 안(D)

수영, 누군가를 기다리며 서있다. 수영 앞으로 멈춰 서는 SUV.

미경 (조수석 창문 열고)타요!
수영 (좋아 보이는 차의 외관, 슬쩍 보고, 타는)
미경 어서 와요. (하는데)
수영 (새 차 비닐이 부스럭거리자 힐긋 보는데)

미경 아. 그거 불편하죠. 비닐 좀 떼줄래요?
수영 (웃으며 비닐 잡아당기면)
미경 차 바꾸고 처음 타는 거예요, 수영씨가. (웃는)
수영 (표정)

S#62. 도로 + 미경 차 안(D)

빌딩 숲을 빠져나와 우거진 숲 사이를 달리는 미경의 차.
수영, 이런 드라이브가 오랜만이라 기분이 좋아진다.

미경 우리 말 편하게 할까요? 나이 차이도 얼마 안 나는데.
수영 (아...해서 보면)
미경 나 또 급했어요? 내가 이런다. 맘에 들면 액셀부터 밟아요.
좋은데 머뭇거릴 이유가 없잖아요. 그쵸.
수영 (미경이 좋아진다)편하게 하세요.
미경 (산뜻한)그래! 그럼 나 먼저 놓는다.
수영 (미소로 보다, 창밖을 보는...긴장이 풀리는 기분인데)

S#63. 언덕길 일각(D)

탁 트인 전망이 파노라마처럼 펼쳐진 언덕길. 수영과 미경, 일각의 벤치에 앉아 미경이 싸 온 도시락 뚜껑을 열고 있다.

수영 (뚜껑 열면, 먹음직스러운 초밥이 있고)
미경 미리 예약해둔 거야. 수영씨 먹이려구.
수영 (고맙긴 한데)...저한테 왜 이렇게 잘해주세요?

미경 (웃고)PB업무 너무 잘해주고 있는 보너스?

수영 (미소)

미경 어차피 먹는 점심, 고마운 사람이랑 먹음 좋잖아. 나만 그런가?

수영 저도 좋아요. (하다, 미경의 목걸이에 시선이 가는)

미경 (시선 느끼고)예쁘지.

수영 네. 디자인도 그런데, 소재도 좀 다른 거 같아요.

미경 역시 안목 있다니까. (목걸이 들어 보이며)순동이야. 되게 귀한 거다?

수영 그렇게 비싼 거예요?

미경 (에이)돈으로 살 수 있는 건 귀한 게 아니지.

수영 (표정)

미경 금속 공예하는 친구가 만든 거야. 세상에 딱 하나. (하다가) 줄까?

수영 (부담스러운)아뇨. 그냥 예쁘다고 한 거예요.

미경 (목걸이 풀어내려 하며)집에 다른 디자인도 있어.

수영 정말 괜찮아요. 그럼 더 하시다가 나중에 주세요. 그땐 받을게요.

미경 (치...해서 보며)거절도 예쁘게 하네. 먹자.

수영 네. (웃으며 먹다가, 미경을 보는데...문득 복잡해지는 표정이고)

S#64. 은행 일각 + 앞(D)

수영과 미경, 주차한 차를 뒤로하고 은행 쪽으로 걸어간다.

수영 은행에서 먼 데 주차하면 불편하겠어요.

미경 여긴 팀장 이하는 주차자리 안 나오잖아. 근데 전에 있던 지점에선 자리가 남아돌아도 눈치를 줬다?

수영 왜요?

미경 지점장보다 좋은 차는 금지. 웃기지.

수영 (아...)

미경 사람들은 참 이상한 데 신경을 써. 이해 안 가.

수영 (미경을 보는데...)

플래시백 인서트>S#52. 미경모의 집.

수영, 뭔가를 보고 적지 않은 충격을 받은 표정인데...
보면, 신발장 위에 놓인 우드프레임의 고급액자 속 사진...
환하게 웃고 있는 미경이다.

수영 (미경이 당당할 수 있는 이유는 그런 거였다...복잡한데)

미경 담에 집으로 놀러와. 그림 그리고 놀자.

수영 (마냥 좋아할 수 없는 미경과의 차이...)

미경 (핸드폰 울리고, 받는)여보세요.

수영 (미경에 대한 이 감정은 뭘까...싶은 씁쓸한 표정으로 앞을 보는데)

/상수 (은행 안에서 수영과 미경 쪽으로 나오고 있는)

수영 (상수를 쳐다보는데)

미경 (흥분해서)정말이에요?

/상수 (미경의 목소리에 앞을 보다, 수영까지 발견한. 저도 모르게 멈칫 서는데)

미경 (고개를 들다 상수를 봤다! 눈에 띄게 밝아지는 표정)

수영 (미경의 반응에 뭐지? 싶어 미경과 상수를 번갈아 쳐다보는데)

미경 (핸드폰 끊자마자 상수를 향해)선배!

미경, 수영은 안중에도 없이 상수를 향해 전속력으로 달려가고.
상수, 달려오는 미경 너머에 있는 수영을 쳐다보고 있는데.
상수에게 달려온 미경, 순간의 망설임도 없이 상수를 와락! 끌어안는다.

수영 !

상수 ! (당황한, 갈 곳 잃은 양팔을 어색하게 들고 서있는)

미경 (기뻐서)됐대!

상수 어?

미경 (상수를 더 확 끌어안으며)센터안! 우리가 센터안 됐다구!

상수 !

미경 너무 좋다! 그치 선배!

상수 (기쁜 감정보다 자신과 미경을 보고 있는 수영의 시선이 더 크게 느껴지는)

수영 (미경이, 상수를...좋아하고 있는 거 같다...)

상수 (곤란한 얼굴로 미경을 떼어내는데)

미경 (여전히 기쁜 얼굴로 상수를 향해 웃는)선배도 좋지!

상수 (수영에게 시선이 가는데)

수영 (상수를 바라보는 미경의 표정을 보고 있다)

사랑에 빠진 표정으로 상수를 바라보는 미경, 미경 너머로 수영을 바라보는 상수, 그리고...미경의 마음을 알게 된 수영이 마침내 상수와 시선을 마주치면...각자의 감정으로 서로를 뚫어지게 쳐다보는 상수와 수영.

S#65. 노래주점(N)

종현을 뺀 영포점 전 행원이 모두 모인 회식자리.

다들 업된 분위기 속에 상수와 미경에 대한 칭찬이 쏟아지고 있다.

지점장 박대리, 하계장, 수고했어. (상수에게 술 따라주며)앞으로도 쭉 이렇게 가자.

상수 아직 최종 채택된 것도 아닌데 이런 자리, 과하십니다.

지점장 일단 당상점을 눌렀잖아. 우리 본부에서 1등.

마대리 기특하다, 우리 상수! 이제 다 컸어! 잘 컸어!

이팀장 니가 키웠냐. 우리 상수는 내가 키웠지. 그리고 나는, 지점장님이 키우셨지요?

마대리 (넙죽)사실 이 자리는 지점장님의 노고에 감사드리는 자리구요.

지점장 내 노고?

이팀장 박대리 하계장이 잘 하고 있는 것도 다 지점장님 덕분 아니겠습니까. 사람을 정확히 보는 눈! 적재적소에 배치하는 능력! 정말 탁월하십니다.

부지점장 (이팀장과 마대리, 꼴 보기 싫은)

마대리 정말 존경합니다 지점장님. 참. 대한민국 4면이 바다인 거 아시죠?

부지점장 (마대리 밉게 보며 궁시렁)뭔 소리야. 3면이 바단 건 개똥도 아는구만.

마대리 동해, 서해, 남해, 그리고! (이팀장 보면)

이팀장 (사랑의 총알 쏘며)지점장님 사랑해.

지점장 (흐뭇하게 웃고)

부지점장 (꼴값들 하네....)

마대리 그런 의미에서 제가 한 곡조 뽑겠습니다.

마대리, 무대 앞에 비장한 포즈로 서있고,
노래방 미러볼 화려하게 돌아가는 동시에 경쾌하게 흘러나오는 노래.
'바둑이 방울'이다. 마대리, 박자 맞춰 무릎까지 굽혀가며 율동 하는데.

이팀장 참 나, 마대리는 뭐 저런 노래를, (하던 표정이 돌변하더니 무대로 나가고)

이팀장, 마대리, 덤앤더머 모드로 귀엽게 아부 돌입.

이팀장 (노래 시작하자 주먹 쥔 양손 현란하게 흔들며)딸랑딸랑따알랑~
마대리 (지점장 근처에 가서)딸랑딸랑따알랑 바둑이 방울 잘도 울린다.
부지점장 (미친것들...)
서팀장/은정/지윤 (헐....)
미경 (수영 옆자리에 앉은, 수영 귓가에 대고 뭐라고 소곤대고)
수영 (쿡쿡 웃는데...맞은편에 앉은 상수와 눈이 마주치는)
상수 (마주치는 것과 동시에 시선을 돌린다)
수영 (표정)
이팀장 (노래 마치고 와서)안주임도 한 곡 하지.
수영 (싫은)
이팀장 뭐야. 팀장인 나도 하는데 안주임이 빼는 거야?
수영 (난감한데)
미경 (수영의 표정 보고, 나서는)저부터 할게요. 저 노래 잘해요.

마대리 오 좋죠! 박대리님 완전 쿨!

미경 (노래책 보며 번호 찾는데)

수영 (미경에게 작게)감사해요.

미경 (작게 속닥)진상들.

수영 (픕...웃음이 나는데)

/상수, 미경의 손에 이끌려 무대 앞으로 나온다. 어색하게 마이크 잡고 서있는 상수. 흘러나오는 노래 '하와이언 커플'인데.

상수 (계속 사양하며 마지못해 마이크만 들고 있고)

미경 (발랄하게 노래)멋있어 멋있어. 너무 멋있어서 가슴이 콩닥 콩닥 뛰는 걸 어떡해.

일동 (환호하며 추임새 넣고)

상수 (할 수 없이 노래하는데, 점점 시선이 수영에게 가고)두려워 두려워 너의 그 두 눈빛. 빠져버릴 거 같아 요즘 수영, ('수영'에서 멈칫해 다음 가사 놓치는데)

수영 (상수의 시선 피하지 않고 보고 있는)

미경 (상수 쇄골 앞으로 손가락 스치며)섹시해 섹시해 너의 그 쇄골뼈~

일동 (상수와 미경에게 잘 어울린다 /사겨라 사겨라 외치고)

수영 (고개를 돌려 그런 사람들을 바라본다)

플래시백 인서트 >1부 S#68. 종현과 사귀냐고 추궁당하던 수영.

이팀장 (공격적으로 다그치는)안주임이랑 정청경, 설마 사겨? 솔직히 말해봐. 왜. 두 사람 우습게 볼까 봐? /정말 아닌 거지?

수영 (모욕적이고 화가 나는. 그러나 가만히 있을 수 밖에 없고)

수영, 자신의 스캔들은 조롱의 대상...미경은 축하의 대상인가, 싶은...
미경, 주인공처럼 밝게 웃고 있고.
수영을 추궁하던 이팀장도 '잘 어울린다!' 외치며 박수 쳐주고 있다.

수영 ......

/술에 취해 흐트러진 사람들. 상수와 미경, 나란히 앉아 뭔가를 얘기 중이고. 수영, 구석자리에 꼿꼿이 앉아 물을 마시고 있는데.

지점장 (관자놀이 지압하며)기분 좋아 마셨더니 술이 과했네.
이팀장 (얼른)술 깨시고 들어가셔야죠. 숙취해소제 대령하겠습니다. 마대리?
마대리 (얼른)그럼요. (당연한 듯)종현씨, (하다가)참. 정청경은 안 불렀지. (그럼 누굴 시켜야 하나 싶은 얼굴로 사람들을 둘러보는데)
지윤 (후다닥 소파에 기대 자는 척하고)
마대리 (만만한 게 결국)안주임. 안주임이 편의점 좀 다녀오지?
수영 (불쾌한데)
미경 (마대리 한심하게 보지만, 자신이 대신 갈 생각은 없고)
수영 (어쩔 수 없다. 자리에서 일어나려는데)
상수 (OL)제가 다녀오겠습니다. (오해 말라는 듯)담배가 떨어져서요.
수영 (자신을 대신해 나선 상수를 가만히 보는)

S#66. 노래주점 앞(N)

상수, 비닐봉지 들고 주점 쪽으로 돌아오는데...멈칫하는 걸음.

보면, 수영이 밖에 나와 서있다.

상수 ! (날 기다린 건가...그럴 리 없지 싶고)

수영 (상수 쳐다보지 않는)

상수 (안으로 들어가려다가, 걸음을 돌려 다시 수영 앞에 서고)

수영 (보면)

상수 (봉지에서 허브티 페트병 꺼내 수영에게 건넨다)

수영 .....

수영, 무심한 표정으로 페트병을 받고. 상수, 걸음이 떨어지지 않는 듯 수영 앞에 잠시 서있는데...두 사람 사이로 흐르는 불편한 정적.

상수 (뭘 하겠는가...자신을 외면하는 수영을 두고 돌아서는데)

수영 (OL)재밌어요?

상수 (돌아보면)

수영 사람 마음 가지고 노는 거.

상수 ! (당황스럽고, 화도 나서 말투가 곱지 않은)누가, 누굴 가지고 놀았습니까.

수영 (비뚤어지는 마음이고)...끝까지 솔직하지 못하시네요.

상수 무슨 말인지 알아듣게 하세요.

수영 ...그럼 한번 말씀해보시죠. 그날 일.

상수 (또 그 일이다. 답답한 한숨)말했잖아요. 몇 번이고. 시재 때문에...못 갔다고.

수영 (서늘한 표정으로 고개 저으며)아니. 진짜 이유요.

상수　(뭔 소린가 싶다가, 설마...! 서서히 굳는)

수영　(싸늘히)하계장님 그날 못 온 거 아니잖아요.

상수　!

수영　안 온 거잖아.

상수　!

수영　(이제 알겠니? 하는 냉소로)나 다 봤어요.

상수　(흔들리는 눈으로 수영을 보는)

수영　(차분히 상수 올려다보며)다, 봤다구.

상수　!

뭔가를 들킨 사람처럼 당혹스러워하는, 처음 보는 표정의 상수.
꾹꾹 눌러왔던 무언가를 마침내 터트리는 무섭도록 차가운 표정의 수영.
상수를 몰아붙이는 수영과, 그런 수영을 똑바로 쳐다보지 못하는 상수의 모습에서 엔딩...!

The Interest of Love

The Interest of Love

4부

Ep 4

S#1. 은행 객장(N) – 과거

벽걸이용 대형 달력(2021)이 담긴 박스가 여러 개 쌓여있다. (현재와 다른)행원들, 상수와 수영, 경필, 둥그렇게 모여 앉아 달력을 낱개 포장 중이다. 빳빳하게 펼쳐진 채 쌓인 달력을 한 권씩 손으로 말아, 비닐에 넣는 수작업. 행원들 뒤로 작업을 마친 달력이 쌓여있고, 그보다 많은 양의 달력이 박스 안에 들어있다.

여자대리 또 새해가 오는구나. 10월부터 악몽 꿨다. 카렌다 전쟁. 5천 권을 말아도 이틀이면 동이 나. 카렌다카렌다. 맡겨둔 것도 아니구.

남자대리 은행 달력 집에 걸면 부자 된단 말, 근거 없는 뻥이라고 뉴스에 나와야 돼.

경필 (동그랗게 말린 달력을 비닐에 넣다가, 북 찢어지는)아씨. 또 찢어졌네.

남자대리 (익숙한 손놀림으로 달력 넣으며)난 열 개만 더 하면 할당량 끝난다. (상수 보며)하계장아. 김밥도 그보단 빨리 말겠다.

상수 (머쓱)

여자대리 (비닐에 넣은 달력 뒤로 툭 던지며)난 끝! 알아서들 하고 퇴근해? (가고)

/상수 (묵묵히 작업하는데 손에 습기가 없어 자꾸 헛손질하고)

수영 (스피드를 상수 쪽으로 조용히 밀어주는)

상수 (받고, 좋은. 수영이 건넨 스피드에 손을 적셔 달력을 센다)

경필 (상수에게 속닥)상수야. 나, 오늘 제사다.

상수 종갓집 아들이냐. 창의적으로 살자. 뭔 맨날 제사래.

경필 오늘은 증조할머니의 사촌의 사돈 누님이...

상수 가라.

경필　　　사랑한다. (잽싸게 나가려다, 후다닥 들어와 달력 한 개 챙기며)부자되고 싶어서.

상수　　　(헐!)

/상수와 수영, 마주 보고 앉아 조용히 작업한다. 빠른 속도로 달력을 말아 포장하는 수영, 중간중간 진지하게 집중한 상수를 훔쳐보는.

상수　　　(손가락 베고)아...

수영　　　(아슬아슬하더라니...)

상수　　　(꽤 깊게 베인, 대충 휴지로 지혈하고 있는데)

수영　　　(밴드 내밀며)이걸로 하세요.

상수　　　! (좋고)감사합니다. 안주임님.

수영　　　밤새겠어요. 얼른 붙이고 빨리 해요.

상수　　　넵! (웃는)

아무도 없는 은행 안,
그렇게 간지러운 긴장감 속에서 함께 있는 두 사람.

S#2.　　　은행 용품고(N) – 과거

동그랗게 말린 달력을 선반에 차곡차곡 넣어두는 상수.
뒤이어 들어온 수영도 들고 온 달력을 선반에 넣어두는데.

상수　　　(선반에서 달력 두 개 챙겨서 하나는 수영에게 건네는)

수영　　　(미소로 받고)하주임, (아...)하계장님도 부자 되고 싶어서요?

상수　　　...평범해지고 싶어서요.

수영 (의아해서)평범...은 너무 겸손한 거 아니에요? (아..)사람들이 그러던데. 하계장님, 금수저라고.

상수 강남 8학군. 명문대 출신. 사는 곳도 강남. (그래서요? 하는 눈으로 보고)

수영 (수긍하는 끄덕임)

상수 (달력 채워 넣으며 덤덤히)평범하다는 거. 무리에서 튀지 않는단 말이잖아요. 크게 모자람 없이 비슷비슷. 근데 내가 자라온 곳에서 나는...미운오리 같았어요. 누가 대놓고 말한 것도 아닌데 그냥 알게 됐어요. 누군가한텐 평범한 게 나한텐, 가랑이 찢어지게 발버둥 쳐야 가능한 벽이란 거. 그들이 말하는 '평범'은 자신들이 가진 걸 조용히 드러내는 표현이라는 거.

수영 (쿵...! 하는 느낌 드는)...하계장님은 그런 생각 안 할 줄 알았는데.

상수 소문들 좀 부풀려진 거. 아니라고는 말 안 했어요. 평범에서 더 멀어지기 싫어서.

수영 (깊게 보다 정적 깨며 미소로)두 개 챙겨가세요. 두 배로 평범해지게.

S#3. 골목길(N) – 과거

새벽이 다가오는 시간.

달력 한 개씩 든 상수와 수영, 버스정류장을 향해 나란히 걷고 있다.

상수 저 때문에 같이 밤새신 거 같아 죄송합니다.

수영 주말인데요 뭐. 가서 자면 돼요. 하주임님도 수고, (하다가)

이제 계장님인데. 미안해요, 자꾸. 입에 붙어서.

상수 (미소로)선배님이 더 수고하셨죠.

수영 (가만히 걸음 멈추고, 상수 올려다보면)

상수 ?

수영 ...그렇게 부르지 마세요. 저보다 직급도 높아지셨는데. 그래서 다른 사람들은 서비스직군이 신입교육 해줘도 선배라고 안 하는 거잖아요. 어차피 자기가 더 빨리 승진할 거니까.

상수 ! (짠해지는. 감정 숨기려는 밝음으로)저 수습 행원 때 다 가르쳐 주셨잖아요. 안주임님 아니었으면 아직도 실수만 하고 있을 거예요. 제가 계장이든, 대리든, 저한테 안주임님은 선배예요. 누가 뭐래도.

수영 !

상수 (너무 닭살스러웠나, 머쓱한데)

수영 (상수를 물끄러미 본다. 이 남자는, 다른 것 같다)

상수 (수영의 시선을 느끼고 쑥스러워 딴 데 보다가)첫차 다니겠죠?

수영 (미소 짓는)네.

어쩌면 수영이 상수에게 마음을 주게 된 순간들.
서로에게 좋은 감정으로, 그만큼 조심스러운 감정으로 거리를 둔 채 나란히 걷는 두 사람. 푸르스름한 새벽길 위의 상수와 수영의 모습에서. 타이틀, 〈**사랑의 이해**〉

S#4. 노래주점 앞(N)

3부 엔딩씬 연결.

앞씬과 다르게 살벌한 표정으로 대치 중인 상수와 수영.

수영 재밌어요?

상수 (돌아보면)

수영 사람 마음 가지고 노는 거.

상수 ! (당황스럽고, 화도 나서 말투가 곱지 않은)누가, 누굴 가지고 놀았습니까.

수영 ...끝까지 솔직하지 못하시네요.

상수 무슨 말인지 알아듣게 하세요.

수영 ...그럼 한번 말씀해보시죠. 그날 일.

상수 (또 그 일이다. 답답한 한숨)말했잖아요. 몇 번이고. 시재 때문에...못 갔다고.

수영 (서늘한 표정으로 고개 저으며)아니. 진짜 이유요.

상수 (뭔 소린가 싶다가, 설마...! 서서히 굳는)

수영 (싸늘히)하계장님 그날 못 온 거 아니잖아요.

상수 !

수영 안 온 거잖아.

상수 (표정)

S#5. 몽타주(N) – 회상

/ 호텔 일각. 1부 S#61의 확장.

상수, 1부 S#61의 모습과 달리, 비교적 멀쩡한 모습으로 호텔로 향해 달려가고 있다. 뛰면서 시계를 확인하면, 7시 50분이고.

/호텔 스시집. 2부 S#3의 상황
수영, 핸드폰을 터치해 시간을 띄우면, 8시다.

/호텔 스시집 밖. 2부 S#3의 확장
상수, 호텔 밖에 도착한다. 서둘러 들어가려다가, 돌연 멈칫...! 선다.
혼란스러운 표정으로 자리에 서서 망설이는 위로,

수영E　　나 다 봤어요.

S#6.　　노래주점 앞(N)
당혹스러운 얼굴의 상수, 설마...혹시...싶은 얼굴로 굳어있는데.

수영　　(차가운 표정으로)다, 봤다구.
상수　　!

S#7.　　몽타주
/호텔 스시집. 2부 S#3의 확장.
수영, 문득 고개를 돌려 창밖을 보는데...창밖으로 마른세수를 하고 있는 상수가 보인다. 표정이 밝아지는 수영, 얼른 핸드폰 액정으로 얼굴 비춰 보며 짧게 단장하는데...다시 밖을 보면, 등 돌린 채 여전히 우뚝 서있는 상수고.

수영　　? (왜 안 들어오나, 의아해서 보는데)

상수, 들어오려다가 돌아서고, 주춤대는 발걸음으로 호텔 반대 방향으로 가버리는. 상황이 이해가 안 가 상수의 뒷모습을 뚫어지게 쳐다보는 수영 위로,

수영E　　약속시간에 한 시간 넘게 늦은 사람이 왜 바로 앞에서 그러고 있나. 왜 다시 가는 거지? 처음엔 그게 무슨 뜻인지 몰랐어요. 그러다가...

플래시백 인서트 >1부 S#46. 수영의 집 일각(N)

상수　　저기...또 볼 수 있나.

수영　　난 애매한 관계는 싫어요.

설마...자신의 그 말 때문에, 부담을 가지고 저렇게 도망가는 건가...!
수영, 기가 막혀 코웃음이 나오는. 어이가 없고, 무참하다.

수영E　　그 말에 도망치고 싶어졌던 건가. 그래도 설마설마했는데. 다음 날 그러더라구요?

/1부 S#63. 은행 갱의실(D)

상수　　어제요, 그...못 가서 미안해요.

수영　　(그 말에 더 냉랭해져서 나가버리는)

상수　　(괴로움으로 한숨 내쉬고)

수영E　　왜 못 왔다고 했을까. 왜 왔다는 사실마저 숨기는 걸까.

/호텔 일각. 추가씬.
자각 없이 걷다가 걸음을 멈추는 상수.
내가 지금 무슨 짓을 한 건가...! 정신이 든 얼굴로 호텔 방향으로 뒤돌아서고. 다시 호텔을 향해 전력 질주를 한다.

/스시집. 1부 S#61의 상황.
급하게 달려오느라 몰골이 엉망이 된 상수, 안으로 들어서지만...
수영은, 이미 가고 없다.

수영E　　들키기 싫었던 거죠, 나한테.

S#8.　　노래주점 앞(N)

상수, 아연해서 수영을 바라본다.
자신이 망설였던 순간을, 수영이 다 보았다.

수영　　망설였단 걸, 들키기 싫었으니까. 맞죠?

상수　　!

수영　　(터트리고 싶었던 순간. 오히려 차분해져서)왜요. 왜 망설였어요? 그깐 거 상관없다더니, 내가 고졸이라서? 텔러라서? 집안이 후지대서? (배신감으로 보며 점점 격앙)그래서 그랬어요?

상수　　! (수영의 서슬에 그저 보면)

수영　　(매섭게 올려다보며)아. 본점에 가실 분이라, 사내연애로 추문 도는 게 겁나셨나?

상수　　(자괴감과 수치심, 온갖 감정으로 굳어 있는데)

수영 그럴 거면 다른 사람들이랑 다른 것처럼 굴지나 말지. 내가 쉬워 보였나.

상수 (OL)어려우니까.

수영 !

상수 (울컥, 쏟아지는 진심)어려우니까. 나한테 안수영은 쉽게 만나고 헤어질 상대가 아니니까. 끝까지 상상했으니까. (밭은 숨 내뱉는)

수영 !

상수 (누구보다 괴로운 건 자신이고)

수영 ...그럼 왜 그랬는데요? 왜 망설였는데요?

상수 나도 몰라요. 작정하고 그런 게 아니라고. 나도 모르게, 근데 아주 잠깐이었고.

수영 (표정)

상수 (후회돼 미치겠는)...아주 잠깐이었어요. 다시 갔어요. 바로 다시 갔는데!...그땐 수영씨가 없었어요.

수영 (괴로워하는 상수 냉정히 보다)...그러니까, 내 짐작이 맞긴 했단 거네요.

상수 ! (그게 그렇게 중요한가!)결국엔 갔잖아요! 마음이든 현실이든 뭐가 걸리든! 결국엔 갔잖아요, 내가.

수영 (용납 안 되는)어쨌든 망설인 건 팩트고, 고작 그 정도 감정이었단 거잖아요.

상수 (욱하는)그러는 수영씬 왜 그랬는데요! 그날 호텔에 내가 갔던 거 다 봤다면서 왜 아무 말 안 하고 사람 무시하고 피 말리고! (종현과의 일은 말 못 하고)왜 나한테 변명할 기회조차 안 준 건데요!

수영 ...내가 왜 그래야 하는데요?

상수 (돌겠는)나한테 물어볼 순 없었어요? 그때 왜 그랬는지, 따지고 물어서라도 풀 수 있는 문제였잖아요.

수영 (하!)내가 뭘 어떻게 물어봐요? 대체 어떤 거 때문에 망설였던 거냐. 그래요? (싸해지며, 꿰뚫는 눈으로)평범. 나 만나면 그쪽이 바라는 평범에서 더 멀어질까 봐 그러냐고, 그렇게 물어봤어야 했나?

상수 (표정)

수영 (차갑게 보는)

상수 ...하나만 물을게요.

수영 (보면)

상수 ...수영씨는 나한테, 아무 감정 없었어요?

수영 (표정)

상수 나 혼자, (차마 좋아한 거냐 못 하고)...그랬던 거예요?

수영 (몰라서 물어? 원망으로 보는)

상수 (제발...빈틈을 달라는 간절함인데)

수영 (딱 자르는)네.

상수 !

수영 (차분히 보다)난 하계장님이, (진심이고)나랑 비슷한 사람인 줄 알았어요. 그게 다예요.

상수 !

수영 (흔들림 없이 보면)

상수 후회 안 해요?

수영 네.

상수 ...아쉬운 게 하나도 없어요?

수영 .....없어요.

상수 (끝까지! 울컥하고)

애정이 애증으로 변해가는 두 사람. 각자의 원망으로 한 치의 물러섬 없이 서로를 뚫어지게 쳐다보는 모습에서.

S#9. 은행 전경(D)

S#10. 은행 회의실(D)

모든 행원이 모인 회의. 심상치 않은 분위기. 상석에 앉아 신경질적으로 서류 휙휙 넘겨보는 지점장과, 다리 떨며 눈치 보는 부지점장. 양쪽으로 나눠 앉은 종상팀, 예금팀 모두 숨죽이며 초조한 얼굴이고. 상수와 수영, 맞은편에 앉아 서로를 의식하면서도 외면하고 있다.

지점장 (굳은 표정과, 낮은 목소리로 무겁게)부지점장님. 잠깐 일어나시죠.

부지점장 (가슴 철렁한 표정으로 일어나며)예. 지점장님.

지점장 (테이블 위로, 개인성과지표 던져놓으며)이래가지고 올해 KPI 달성하시겠어요?

부지점장 (시선 떨구며)그러게나 말입니다.

지점장 지점 실적 D 나오면 저보다 부지점장님이 더 곤란하실 텐데. 그 자리가 편하신가 봅니다.

부지점장 (자존심 상하지만)안 그래도 지금 아주 신선하고 획기적인 데다가 혁신적이기까지 한 스팟프로모션을 기획 중입니다. (행원들 돌아보며)그치?

지윤/은정 (눈치 없이)네? 저희가요? / (지윤 옆구리 쿡 찌르고)네, 그렇죠.

이팀장 (부지점장 보란 듯)저희 종상팀에서 책임지고 2분기 실적 채우겠습니다. 대출 심사 진행 중인 업체들 정리되면 심려 놓으시게 될 겁니다. 지점장님.

부지점장 (저 얄미운 놈...슬그머니 자리에 앉고)

지점장 (못마땅한 얼굴로 직원들 훑어보다, 수영에서 시선 멈추면) 안주임, 잠깐 일어나지.

일동 (? 동시에 수영을 쳐다보는데)

수영 (의아한 얼굴로 자리에서 일어나면)

지점장 자 박수.

일동 (박수? 웬 박수? 뭔 박수? 하면서도 떨떠름히 박수)

지점장 안주임이 위너스 플랜 시즌 원, (강조)완.판. 했습니다.

은정/지윤 (입 모양으로 대박...하면서 시기의 시선 주고받고)

수영 (상수에게 시선 가는. 마냥 좋지 않은 마음)

지점장 누군가는 월급 값도 못 할 때에, 누군가는 착실하게 맡은 바 충실하기 때문에, 우리 은행이 그.나.마. 이 정도 실적을 유지하는 거 아니겠습니까? 자 다시 박수!

일동 (수영을 향해 박수 쳐주는데)

상수 (무표정한 얼굴로 기계적인 박수만)

수영 (그런 상수 외면하며 자리에 앉고)

지점장 자 그리고, 박대리, 하계장 잠깐 일어나지.

상수 (주춤거리면서 일어나고)

미경 (재밌단 얼굴로 일어나는데)

지점장 경쟁률 세기로 소문난 영포 본부에서 1등! 센터안으로 선정된 두 사람이 행장님 배 대회에서 최종 우승하길 기원하는 의미로 박수!

마대리 (이팀장에게 속닥)손바닥에서 불날 거 같습니다.

이팀장 (속닥)그래도 쳐라. 매우 쳐라.

수영 (시큰둥한 얼굴로 영혼 없는 박수 치는)

상수 (일어나서 박수갈채 받으며 수영을 외면하는)

유치하게 속내를 드러내며 신경전 하는 상수와 수영.

S#11. 은행 객장(D)

수영, 영업 준비하는데 책상 위에서 뭔가를 찾는다.

은정 (너머로 보며)왜. 뭐 찾아요?

수영 (애써 짓는 미소로)아. 스피드요.

은정 그거 아까 하계장님 책상에서 본 거 같은데.

수영 (표정)

수영, 상수 책상으로 가서 자신의 스피드를 쌩하니 챙긴다.

상수 (비품 챙겨오다가 자신의 자리에 서있는 수영 보고)

수영 (스피드 손에 든 채, 상수를 휙 지나치는)

상수 (외면하고 자리에 앉는)

S#12. 은행 갱의실(D)

수영, 캡슐커피 든 박스에서 마지막 남은 캡슐 꺼내 드는데.

상수, 컵 들고 들어온다. 서로를 외면하는 상수와 수영.

윙 하니 돌아가는 커피머신 소리만 들리는데...

수영 옆에 서서 캡슐 박스 뒤적이는 상수, 그러나 빈 박스고.

수영 (신호음과 함께 다 추출된 커피. 챙겨 드는데)

상수 (인스턴트커피 봉지 뜯다가, 우르르 내용물 쏟고)

수영 (그 모습 여유로 보며, 보란 듯 커피 한 모금 마시고 나가는)

상수 (젠장. 약이 오른다)

상수, 열 받은 얼굴로 정수기에서 찬물 받아 원샷하고.
수영이 나간 쪽을 노려보는.

S#13. 은행 객장(D)

수영, 자리에 앉아 있는 상수에게 서류를 갖다 준다.

상수 (뭐냐는 듯 보는데)

수영 (냉랭히)이따 오신다고 연락 와서요.

상수 (서류 보더니)저기,

수영 (돌아보면)

상수 근데 15포인트가 아니라 11포인트로 뽑으셨네요. 이 고객님 노안이시라 글자 크기 작으면 짜증 내시는 거 모르셨나봐요. 제가 여러 번 말씀드린 거 같은데.

두 사람의 신경전에 각자 업무 보던 행원들의 시선이 쏠리는데.

수영 지난달에 라식 하셔서 시력 좋아지셨어요. 모르셨나봐요.

상수 !

수영　　　(반격하는 느낌으로, 폐기할 상품권 가리키며)이거 페이드 처리 안 하셨네요. 스캔도 안 하셨고.

상수　　　(보다)마감하고 할 겁니다.

수영　　　회수한 상품권은 그때그때 폐기구멍 뚫어야 되는 거 모르세요? (비꼬는)수습이실 때 제가 여러 번 가르쳐드린 거 같은데. 안 그럼 마감 때 민폐라고.

상수　　　(욱! 해서)출납 업무에 지장 안 가도록 알아서 잘 할테니까, 걱정 마시죠.

한바탕 감정싸움을 거친 두 사람, 서로를 향한 마음을 이런 식으로라도 터트리는 느낌이고. 두 사람을 뒤에서 보는 행원들. '왜들 저래?' 하는 눈짓을 주고받는다. 상수와 수영, 팽팽하게 노려보다 동시에 서로를 외면하고.

서팀장　　뭐야. 두 사람, 왜 저렇게 살벌해.

은정　　　별것도 아닌 일로 저러는 거 같은데.

미경　　　(인쇄기 앞에서 조용히 듣고 있는)

서팀장　　하상수가 저렇게 유치한 면이 다 있네.

미경　　　……

미경, 자리로 돌아가며 상수와 수영을 번갈아 보는데...
두 사람 사이에 뭔가가 있나...싶고.
자리에 서있던 종현도 수영의 기색을 살핀다.

S#14.　　은행 복도(D)

수영, 지갑 챙겨 나오는데. 들어오던 길의 지점장, 수영에게 다가온다.

지점장　　점심 가요?

수영　　네. 지점장님.

지점장　　(가려다 손에 들린 쇼핑백 수영에게 건네는, 챙긴다기보다 처리하는 느낌)이거. 과잔지 양갱인지 그럴 거예요.

수영　　(의아해서 받으면)

지점장　　위너스 플랜 고객이 준 선물. 안주임 덕분에 오늘 계약하고 가셨거든.

수영　　아..감사합니다.

지점장　　안주임 애쓰고 있는 거 내가 다 알아요.

수영　　(아...)

지점장　　혹시 시즌 투 플랜도 짜고 있나?

수영　　(표정)

지점장　　뭐든 미리미리 해두면 좋잖아요.

수영　　(그럼 시즌 투도 맡기겠다는 건가...희망으로)네. 준비하겠습니다.

지점장　　(흐뭇하게 웃고, 수영 어깨 두드리는)그래요. 잘 해봐요.

수영　　(지점장 손길은 싫지만, 인정해주는 건 나쁘지 않은...)

S#15.　　은행 앞 + 시장통(D)

수영, 서팀장, 지윤, 점심 먹으러 가는 길.

반대편에서 종현이 비닐봉지를 들고 걸어온다.

서팀장	종현씨! 맛난 거 먹었어요?
종현	(미소로)점심 드시러 가세요? (수영에게 시선 가고)
수영	(서팀장과 지윤 뒤에 서서 종현을 향해 설핏 미소 짓는)
종현	(비닐봉지에서 초콜릿류 꺼내 한 명씩 나눠주며)이따 이거 드세요. 후식으로.
지윤	헐 대박. 이거 내가 젤 좋아하는 건데!
서팀장	땡큐!
수영	(종현에게서 초콜릿 받는데, 뒷부분에 뭔가 만져진다. 보면, '단 거 먹음 기분 좋아진대요^_^' 쪽지 붙어있고)
종현	(수영을 지나쳐 가며 씨익 웃는)
수영	(다른 사람들이 볼세라 얼른 쪽지만 떼서 주머니에 넣는데)
서팀장	뭐 먹을까?
지윤	굴국밥 어때요? 소계장님이 그러는데 1년 전 숙취까지 풀린대요.
수영	.....

/문 닫힌 인재네 식당.
수영, '개인 사정으로 휴업합니다' 종이가 붙은 식당을 물끄러미 본다.

지윤	엥. 오픈한 지 얼마나 됐다고 휴업?
서팀장	(문 닫힌 식당 보며)딴 데 가자.

서팀장과 지윤, 앞서 걷고.
수영, 혼자 남아 문 닫힌 식당을 쳐다본다.

수영	(표정)

플래시백 인서트>3부 S#35. 인재를 몰아붙이던 수영.

수영 애틋한 척 하지마요. 기웃대지마, 정말.

인재 ! (상처받은 눈으로 수영을 보고)

수영 (신경 쓰이는 것조차 짜증이 나는)

수영, 냉랭하게 획 돌아선다.

S#16. 은행 갱의실(D)

상수, 경필, 석현, 배달음식으로 점심 먹는 중이다.
테이블 위로 배달음식 영수증과 천 원짜리, 동전 등 잔돈 올려져 있다.

경필 (석현에게)잘 돼 가냐? 대 금감원 부원장 따님이랑?

석현 (무심한 얼굴로 문자메시지 보내며)순탄하다.

경필 표정은 그렇지가 못한데.

석현 (테이블 위에 놓인 천 원짜리 한 장 들어 보이며)천 원짜리 지폐 한 장 수명이 얼마게. 61개월. 5년 하고도 1개월. 정은이랑 난, 이천 원짜리 보다 오래 못 갔다.

경필 그래서 지금 좋다는 거야 뭐야.

석현 심장이 벌렁거리는 거, 그거 하나 포기하니까 순탄해. 부모님도 마음에 들어 하시고. 배려해야 하는 게 불편한 일이란 거 이 여자 만나면서 알게 됐다. 나는, 정은이 만나면서 불편했어. 배려해야 하는 거. 무지 불편한 거였더라.

상수 (밥만 먹고 있는)

석현 (전화 오자, 받고)네, 지은씨. 먹었죠. (듣고)아, 발레공연 좋

죠. (하며 나가고)

경필 너는, 안수영이랑 방향 틀기로 한 거야? 썸, 에서 쌈, 으로. 철천지웬수 쪽으루다.

상수 .....

경필 뭐가 됐든 작작해라. 보기 불편하다.

상수 (답답한데)

경필 ...전부터 묻고 싶었는데. 넌 안수영이 왜 좋은데?

상수 (울컥)안 좋아해.

경필 바꿔서 물을게, 그러면. 왜 좋아했는데?

상수 (표정)

경필 (상수 빤히 보다)오늘 술친구 해줘? 월급 탕진해야지.

상수 반차 썼다.

경필 왜.

상수 ...제사야.

경필 그거 내 레파토린데.

상수 (표정)

S#17. 갤러리 앞(D)

수영, 밖에 서서 메인 쇼윈도 안으로 보이는 그림을 가만히 보고 있다.

수영 (다 엉망이 된 느낌...착잡한데...)

미경E 수영씨!

수영 (돌아보면)

미경 (커피 들고 다가오는)여기서 뭐해? (하다, 수영이 보던 그림 보고)와. 좋다.

수영 (잔잔히 웃으며)좋죠.

미경 월급날인데, 퇴근하고 한잔할까?

수영 (표정)

S#18. 사찰 전경(D)

산속에 자리한 작은 사찰. 목탁 소리가 규칙적으로 울린다.

S#19. 사찰 법당 안(D)

탁상 위로 상수부의 위패와 간단한 제사음식 차려져 있다.
상수, 향 피워 올린 뒤 위패를 향해 절을 올리는데.
무심한 표정의 정임, 문간에 걸터앉아 풍경만 멍하니 보고 있다.

상수 (절을 올린 뒤, 아버지의 위패 고요히 보는)

S#20. 사찰 법당 밖(D)

정자에 앉아 있는 정임, 피우던 담배를 비벼 끈다.

상수 (다가와서 곁에 앉는)담배도 피워?

정임 (담뱃갑 쳐다보며)니 아빠 유품 정리하는데 이게 나오더라. 새거 사서 몇 개 피지도 못하고 갔어. 1년에 딱 한 개. 그 인간 간 날에만 피면서, 이거 다 필 때까지만 미워해야지. 그랬는데. (담뱃갑 구기며)이제 다 폈네. 미워하지도 못하겠네. 그놈의 인간.

상수 (표정)

정임 뭐가 예쁘다고 반차씩이나 내. (상수 얼굴 보며)다 죽어가는 얼굴 하고선.

상수 (피식 웃는데)

정임 어릴 때부터 유난했어 너는. 딴 애들은 게임기 사달라 운동화 사달라, 졸라대느라 하루 다 보낼 때도 지 혼자 세상 다 짊어지고 사는 마냥 조르기를 하나, 떼를 쓰기를 하나, 힘들면 힘들다, 아프면 아프다, 드러내는 법도 없이. 열이 펄펄 끓는데도 지 혼자 병원 다녀와서 다 낫구 나서야 알게 했던 애라고 니가.

상수 ......

정임 그랬던 니가 처음으로 하고 싶다고 한 게 하키였는데.

상수 (불쑥)사실 나...하키 계속 하고 싶었어. 근데 재미없다고 했어.

정임 내가 몰랐을까. 그때도 알았고, 지금 취미 삼아 하키장 다니는 것도 알고.

상수 (정임 보면)

정임 애늙은이 같은 애가 하키복만 봐도 눈빛이 반짝반짝 해지는데 말로만 질렸다고. 그래도 모른 척했어. 선수할 것도 아니고. 그 정도면 친구들이랑 어울릴 만은 하겠지, 싶어서.

상수 ! (그랬구나)

정임 나 너한테 미안한 거 없다. 그 정도면 나 정말 열심히 키운 거야. 대견해 한정임.

상수 (쓴미소)맞아. 대견해 엄마.

정임 그럼 너 그렇게 키운 거 미안하게 만들지 마. 남들처럼 철딱서니 없게도 좀 살아봐. 썸도 타고 연애도 하고, 결혼도 하고. 이혼도 해보든가. 가벼워져.

상수 (자리에서 일어나며)가요.

정임 내년부터 난 안 올란다. (담뱃갑 휴지통에 던져 넣으며)니 아버지 그만 볼래.

상수 (표정)그래. 엄만 그래도 돼.

정임 (앞서 걷다가, 돌아보며)상수야.

상수 (보면)

정임 너, 행복한 거지?

상수 .....

S#21. 몽타주

/상수의 차 안 + 도로(N)

상수, 생각에 잠긴 얼굴로 운전 중이다.

상수N **내게 있어 행복은 되돌리고 싶은 순간을 만들지 않는 거였다.**

/상수의 옛날 집(D) – 과거

상수부 앞에서 장황한 설명을 늘어놓으며 부탁하는 친척.

난감해하면서도 결국 서류에 사인하는 상수부.

방에서 공부하고 있다가 그 모습을 내다보는 어린 상수.

상수N **그때 아버지를 말렸더라면.**

/상수의 옛날 집. 다른 날(N) – 과거

어린 상수, '학교 다녀왔습니다' 외치며 집에 들어오는데...조용하다.

상수의 시선으로 보이는 여기저기 붙은 빨간색 압류 딱지들.
안방 문이 열리고...외출 차림의 상수부가 나온다.
신발을 신고 나가려던 상수부, 돌아보며 씁쓸한 미소를 보이고 나가는.

상수N **그때 아버지를 잡았더라면.**

/ 병원. 영안실(N) – 과거
상수부 위로 흰 천이 덮여져 있다.
정임, 멍하니 앞을 보며...굳어있는 상수의 손을 꼭 잡아 쥔다.

상수N **조금만 더 빨리 달려갔더라면.**

/ 장례식장(D) – 과거
상수부의 영정사진. 조문객들에게 정중히 인사하며, 악착같이 정신 붙들고 있는 정임. 문상객, '교통사고였다며?', '사고 난 거 맞아? 스스로....그런 거 아니구?' 수군거리고. 상복 입은 상수, 눈물도 흘리지 않고 아버지의 영정사진을 쳐다본다.

상수N **어떤 이의 죽음은 남은 사람의 삶을 바꾸고,**

/ 독서실(N) – 과거
땡땡이치는 듯 우르르 나가는 남학생들.
상수, 홀로 독서실에 남아 공부에 집중하고 있는 뒷모습.

상수N **평생을 따라다니는 족쇄가 된다.**

/호텔 밖.

S#5 연결. 혼란스러운 표정으로 서성이는 상수. 망설이는 뒷모습 위로,

상수N　　**삶의 무게를 알아버린 사람은 늘 머뭇거린다.**
　　　　망설이게 된다.

/노래주점 앞(N) S#8의 상황.

　　수영　　왜요. 왜 망설였어요?
　　상수　　(말문이 막히는)

상수N　　**그럼에도 내가 한 선택들은 늘 행복과 어긋났다.**

/상수의 차 안 + 도로(N)

상수, 자조적인 웃음이 터진다. 다 망쳐버린 느낌.

S#22.　　와인바(N)

1부 S#29의 와인바.

수영, 미경과 함께 들어온다.

수영　　(자리에 앉으며)로아타 08빈으로요.
바텐더　　재고가 떨어졌는데. 다른 와인은 어떠세요?
수영　　(아...할 수 없이 리스트 보며 다른 와인 고민하는데)
미경　　...나 그 와인 있는 데 아는데. (생긋 웃는)
수영　　(표정)

S#23. 미경의 집 – 거실(N)

한강의 반짝이는 야경이 한눈에 내려다보이는 곳. 보면, 미경의 집이다.

수영 (감탄 반, 상실감 반으로 야경을 내려다보는데)

미경 안주는 하몽?

수영 (표정 수습하며)네. 아무거나요.

S#24. 미경의 집 – 주방(N)

ㄱ자로 꺾어진 블랙 대리석의 바 테이블 뒤로 진열된 각종 고급 주류들. 진열대를 따라 설치된 오브제 조명이 은은한 빛을 비추고. 미경, 맥시한 원피스로 갈아입은 채 와인셀러 문을 연다. 미경 곁으로 다가온 수영, 와인셀러를 곁눈으로 보는데...고급 와인들이 칸칸 가득이다.

수영 (이게 다 얼마일까...)

미경 (와인 꺼내며)이거지? 드라이한 거 좋아하나 보다.

수영 (와인병 들어주려)도와드릴게요.

미경 됐어. 나 와인 따는 거밖에 못 하는데. 그건 내가 좀 하자.

수영 (웃는)

S#25. 미경의 집 – 취미룸(N)

불 켜진 방. 수영, 밖에서 보다가, 홀린 듯 들어와서 진열장을 본다.

예상했던 것보다 더 부유한 미경의 삶...

둘러보다, 3부 S#42에서 미경이 던져둔 가방들 보는데.

미경 (와인잔, 안주 담긴 쟁반 들고 들어오며)마카쥬하다 망친 거.
수영 (표정)

/수영, 망친 가방들 중 하나에 그림을 그리고 있다.
테이블 한 켠에 와인 올려두고, 마카쥬 작업하는 두 여자.

미경 그냥 새 가방에 하지. 못 살려.
수영 (망쳐진 그림 위로 테두리 확장시키며)한번 해볼게요.
미경 (와인 마시며, 유심히 보는)좀 한다. 미술 전공?
수영 (웃고)그 정돈 아니에요.
미경 (할 말 있는 듯 보다, 와인 마시는)
수영 (바탕으로 올릴 물감 색 고르는데)
미경 (불쑥)상수선배랑, 무슨 일 있어? 요즘 분위기 좀 그렇던데.
수영 (말 돌리듯, 미경 똑바로 보고)하계장님 좋아하세요?
미경 (헉! 뭘 이렇게 묻나 싶지만)어. 티나?
수영 조금요.
미경 좋은 걸 못 눌러 내가.
수영 박대리님은, 하계장님이 왜 좋아요?
미경 (표정)
수영 (정말 궁금한)어떤 모습에 끌렸나 해서요.
미경 (생각하다)상수 같아서. (웃고)상황에 따라 달라지는 변수가 아니라, 어떤 조건에도 일정한 값을 유지하는 그 상수.
수영 (보면)
미경 대학 때부터 유명했거든. 연애 쉽게 안 하기로.
수영 (표정)
미경 마음의 무게를 아는 거지. 가볍지 않고. 진중하고. 뭐 하나도 깊게 생각하고.

수영 ......

플래시백 인서트 >S#8. 노래주점 앞

상수 결국엔 갔잖아요! 마음이든 현실이든 뭐가 걸리든! 결국엔 갔잖아요, 내가.

미경 그러다 결국 마음을 내리면, 아주아주 소중히 대해줄 거 같아서.

수영 (자신은 화냈던 상수의 그 모습을, 미경은 좋아할 수 있구나...)

미경 (말하다 상수의 여러 모습이 생각나는, 미소로)밥 먹으러 가잖아? 아주 자연스럽게 숟가락을 챙겨줘. 물잔이 비면 내가 모르는 사이 채워놔.

수영 (저도 모를 부아가 치미는)그건 그냥...매너 아닌가.

미경 내가 잘 먹는 반찬을 유심히 본다? 거기엔 손을 안 대. 나 많이 먹으라고. (상수가 좋은)난 그런 다정함을 지능이라고 보거든. 상대를 안심하게 하는 반듯함 같은 거. 그건 하루 이틀에 쌓이는 게 아니니까.

수영 (표정)

미경 난 알아. 하상수는, 좋은 남자야.

수영 ...잘 어울려요. 두 분.

S#26. 미경의 집 – 현관(N)

미경, 수영을 배웅하며 작은 명품가방을 내민다.

수영　　　못 받아요. 이거, 비싼 거잖아요.

미경　　　(수영이 마카쥬한 가방 메고)이 가방 살려줬잖아. 버릴까 했는데, 다시 좋아졌어. 이건 못 주겠어서. 대신.

수영　　　(불편한데...)그래도.

미경　　　(수영의 어깨에 가방 걸어주며)예쁘다, 잘 어울려.

수영　　　(표정)

S#27.　　은행 자동화실(N)

종현, ATM기에서 돈을 찾고 있다.

인서트>입금내역 화면. 한강용역 1,785,000

/출금액 500,000원 누르는 종현의 손.

종현　　　(잠시 멈칫하더니, 다시 입력한다)

인서트>출금액 700,000원

좌르르, 돈 세는 소리 들리고.

종현, 뿌듯한 표정으로 돈이 나오길 기다리고 있다.

S#28.　　동네마트 안 약국(N)

종현, 약사에게 손으로 원하는 약들 가리키며, 고개 끄덕이고.

낡은 지갑에서 돈을 꺼내 계산하는데...수영을 발견한다.

종현　　　(반갑게 손 흔들며)안주임님!

수영　　　(종현 쪽으로 다가오면)

종현 안주임님도 장 보러 왔어요? 저돈데. 월급날이라. (웃는)

S#29. 동네마트 식품매장(N)

종현, 아버지와 통화하며 물건들을 카트에 담고 있다.
수영, 뒤에서 자신의 카트 따로 끌며 종현의 통화소리를 가만히 듣고.

종현 (아버지와 얘기할 땐 경상도 사투리)약은 다 샀다. 안 빠트렸다. 밥은? 어무이 약은? (듣고)밸 걱정을 다 한다. 걱정 마라. 안 굶는다. (아보카도 들어 보이며)아보카도는? 뭇나 안뭇나. (듣고)맛있드나. 뭐라노. 원래 맛이 그라타. (웃다가)스마트폰으로 쫌 바꾸라이까 말을 안 듣노, 진짜. (듣고)갈차준다꼬. 하루면 된다이까는.
수영 (픽...미소가 나오는)
종현 (여기라고 손 흔들며)바로 보낼끼다. 알았다. (끊는데)
수영 사투리 잘 쓰네요.
종현 (앗...)아부지랑 통화할 땐 저절로 나와서. 평소엔 티 안 나죠?
수영 아뇨. 완전 나는데.
종현 (헉!)진짜요?
수영 뭐 어때요. 나도...통영 사람이라 사투리 잘해요.
종현 진짜요? 한번 써봐요. 보고 싶다. (기대로 수영 보면)
수영 (어쩔까 싶어 보다가 조용히 사투리)...눈깔 치아라. (하고 앞서가는)
종현 (푭 웃음이 터지는)

S#30. 편의점 밖(N)

유리창 안으로 상자에 물건을 담고 있는 종현, 옆에서 돕는 수영의 모습이 보인다.

S#31. 편의점 안(N)

종현, 상자 안에 인스턴트 식품, 약, 생필품 등등 챙겨놓고. 은행 봉투에 S#27의 출금한 돈을 넣더니, 상자 맨 안쪽에 봉투를 꽂아둔다.

종현 안 도와줘도 됐는데. 고마워요.

수영 인터넷뱅킹 하시면 더 편하실 텐데.

종현 부모님 아직 투지폰이에요. 인터넷 주문도 못하시구.

수영 그래도...돈을 이렇게 보내면 불안하잖아요.

종현 ...택배 오는 날은 하루종일 집 밖에 서서 기다리세요.

수영 (아...종현의 사정 짐작 가고...)월급 받아서 보내드리면...힘들지 않아요?

종현 힘든데...그래서 좋아요.

수영 ?

종현 내가 힘든 만큼...버스 대신 택시 타는 날도 있을 거고, 약국 대신 병원 가는 날도 있을 거고, 짜장면만 먹으려다 탕수육 먹는 날도 있을 거고. (씩 웃는)

수영 (마음이 쿵 내려앉는)나한테 가족은, 족쇄데. 종현씬...참 착하다. 나랑 다르게.

종현 나중에 후회하기 싫으니까요. 불효한 자식들이 받는 가장 큰 벌이 거울 보는 거래요. 세월이 흐를수록 부모랑 닮아가는 얼굴을 거울에서 보는 거. 그래서 날 위해서 이러는 거예요.

수영, 고개 들어 앞을 보면 편의점 유리창으로 자신의 얼굴이 비춰진다.
그런 자신의 얼굴을 빤히 보는데...

/종현 (택배 보내고 돌아와서)산책하고 들어갈래요? 장 본 거 들어다 줄게요.

수영 혼자 들 수 있어요. 밥 안 먹었다면서요. 가서 밥 챙겨 먹어요.

종현 그냥 간단하게 때우면 돼요. 잠깐만요.

종현, 마감 세일 스티커 붙은 삼각 김밥, 샌드위치, 샐러드, 종류별로 다양하게 집어 드는데,

수영 (그런 종현을 보면서 무언가 떠올리는)

S#32. 과거 수영의 집 – 수혁방(D)

상복 입은 수영. 수혁의 영정사진 놓인 좌식책상 앞에 앉아 있다.
수영의 앞으로 작은 종이 뭉치 여러 장 놓여있는데,
보면 편의점, 슈퍼 등 영수증.

인서트>영수증 보이는데. 김밥, 에너지드링크, 샌드위치 항목 옆
마감세일 / 타임세일 / 특가세일 등.

세일, 세일, 세일....단어 마디마디를 손으로 더듬는 수영.
수혁을 향한 안타까움에 가슴이 무너지는...

S#33. 편의점 안(N)

수영, 상품 고르는 종현의 팔을 잡는다.

종현 (보면)

수영 나가서 같이 맛있는 거 먹어요.

종현 (표정)

수영 (미소로)월급날이잖아요.

따스한 얼굴로 종현을 바라보는 수영의 모습에서.

S#34. 은행 주차장(D)

고급세단, 지점장 지정 주차 자리에 위풍당당하게 주차된다.

S#35. 은행 객장(D)

지점장 부인, 머리부터 발끝까지 귀부인 포스 뿜어내며 들어오고.
문 근처에 있던 경필, 다가오는데.

지점장부인 (선글라스 벗으며)지점장 계시죠?

경필 (VIP 고객인가?)지점장님이요? 약속하셨습니까?

지점장부인 (날 몰라봐? 하는 눈빛으로 쏘아 보면)

경필 고객님?

이팀장 (냉큼 달려오며)아이구. 오셨습니까. (90도 인사로 굽신)

경필 ?

이팀장 안내받아 가는 지점장부인 뒤로,

마대리 (경필 통박 주는)누군지 몰라보면 어떡하니 경필아.
경필 누군데요?
마대리 (절레절레)너도 출세하긴 글렀다.

S#36. 은행 지점장실(D)

지점장 책상 위 사진액자. 지점장과 함께 있는 여자다.

마대리E 지점장님 사모님이시잖아.

우아하게 상석에 앉는 지점장 부인.
이팀장, 커피 내려 설탕, 크림 등등 챙겨 대령하고.

S#37. 은행 객장(D)

마대리, 은정, 지윤, 지점장실 의식하며 잡담 중이다.

마대리 내 인생의 롤모델이다. 자고로 남자는 와이프를 잘 만나야 돼.
은정 그 와이프는 무슨 죄가 있어 마대리님을 만나게 될까요.
마대리 (우씨)
지윤 나이 들어 우아함은 통장에서 나온다더니. 다르긴 하네요.
마대리 (미경에게)박대리님도 나이가 들수록 우아해질 거 같아요. 그쵸?
미경 (픽 웃고 말고)

상수 (묵묵히 일하고 있는)

수영 ……

서팀장, 공문 뽑아 자리에 앉으며.

서팀장 이번 주에 AI 금융 교육 연수 있어. 종상팀 한 명, 예금팀 한 명.

은정 (얼른)전 저번에 다녀왔어요.

서팀장 (곤란한)이번 주 우리 애 국제학교 워크샵 있는데.

수영 제가 갈게요.

이팀장 (교육 일정표 마대리에게 건네며)상수는 지난번에 다녀왔으니까 마대리가 가.

마대리 (싫지만)넵. (하고, 기대로 상수 보며)우리 상수, 혹시 대신 가주고 싶니?

상수 죄송합니다. 약속이 있어서요.

수영 (표정)

S#38. 은행 회의실(D)

상수, 미경, 앱 혁신대회 최종 제출할 PPT 수정 중이다.

상수 (키보드 두드리며)모바일 뱅킹 현황실태 그래프만 손보고 그대로 내자. 자료 첨부 많이 해봐야, 어차피 눈에들 안 들어올 거고. 핵심만 짚는 걸로.

미경 그래. (상수 가만히 보는 미소)

S#39. 은행 갱의실(D)

자료집 쌓아둔 테이블에 잠시 엎드려 있는 수영, 피곤해 보이는데.
조용히 갱의실로 들어온 종현, 수영의 앞에 초코우유 놔준다.

종현 응원선물.

수영 고마워요.

종현 잘 돼가요? 일이 더 많아진 거 같던데.

수영 주 업무가 아니라서 헤매요. 그래서 어렵구.

종현 그래서 더 멋진 거 같아요. 쉬운 일 하고 있는 거 아니니까.

수영 (옅은 미소로)힘이 되네요.

종현 나도 더 열심히 해야겠다. 같이 잘 나가려면.

수영 종현씨도 시험 꼭 붙을 거예요.

종현 꼭요. 그래도 쉬면서 해요. 너무 피곤해 보여요.

수영 그럴게요.

/커피잔 들고 갱의실 안으로 들어오던 미경, 엎드려 있는 수영을 보고는.

미경 밥 대신 잠?

수영 (몸을 일으키며)네.. 좀. 피곤해서.

미경 (수영 앞의 자료집 보며)무리하지 말라니까. 되게 열심히 해.

수영 (웃는)제가 좋아서요. 재밌어요.

미경 (보다가)나랑 어디 좀 가.

수영 ?

S#40. 은행 객장(D)

부지점장 앞에 선 미경과 수영.

미경 부지점장님, 세경테크 좀 다녀올게요.

부지점장 (미경 옆에 수영을 보며)안주임도 같이?

미경 직원들 신규계좌 신청받을 거라서요. 혼자 하기엔 좀.

부지점장 (화색)그래에? 그럼 얼른 가셔야지. 갔다 와. 갔다 와. 늦은 거 아니야? (지갑에서 법인카드 꺼내주며)택시 타고 가. 어? 고객님 기다리게 하지 말고.

미경 네.

수영 (의아해서 미경을 따라 나가는데)

S#41. 도로 + 택시 안(D)

달리는 택시 안, 창밖으로 번화가 풍경이 빠르게 스쳐 지나간다.

수영 (창밖을 보며 이 길이 아닌데 싶고)세경테크 가는 거, 아니에요?

미경 갈 거야. 내일.

수영 ?

미경 원랜 오늘 약속인데 내일로 미뤄졌어. 우린 오늘 세경테크에서 사장님 기다리다가 바람맞은 거지. (씨익 웃는데)

수영 !

S#42. 에스테틱 한(D)

미경모, 마사지 받은 후 소파에 앉아 차 마시는.

미경모 한원장 아들도 은행 다닌다면서요?

정임 (미소로)네. 이제 계장이에요.

미경모 우리 딸은 대리. 어디 은행?

정임 (숨길 수 없는 자부심으로)KCU은행요.

미경모 (반가워서)어머! 어느 점? 우리 딸도 그 은행인데! 여기 근처 영포점!

정임 !

미경모 (왜 답을 안 하지 싶어 보면)

정임 저희 아들은 저기, 지방 쪽이에요.

미경모 아...그렇구나.

정임 (표정)

S#43. 에스테틱 한 앞(D)

미경, 내키지 않는 표정의 수영을 거의 연행하다시피 끌고 온다.

미경 야근과 피부 상태는 반비례한다? 수영씨 피곤한 거 다 티나.

수영 그래도.

미경 들어가자. 부담될 만한 샵도 아니야.

수영 (그때 핸드폰 울리는)

미경 (받으라는 미소)먼저 들어갈게.

미경, 건물 안으로 들어가고.

S#44. 에스테틱 한(D)

정임 배웅받으며 나가려던 미경모, 들어오는 미경과 마주치고.

정임 (미경에게)어서오세요.

미경모 어머. 니가 이 시간에 여긴 어떻게. 근무시간 아냐? 오늘 은행문 일찍 닫아?

미경 (정임에게 눈인사하며)어떻게 일찍 닫어. 잠깐 온 거지.
(정임에게)두 명 되죠? 아쿠아 케어요.

정임 네. 바로 준비해드릴게요. (미경모에게)그럼 들어가세요, 사모님.

미경모 (미경 너머로 보며)왜 둘인데? 누구랑 같이 왔어?

미경 (수영과 부딪히게 하고 싶지 않다)얼른 들어가세요 여사님.

미경모 왜. 같이 온 사람이 남자?

미경 남자랑 여길? 엄마가 출석 도장 찍는 델?

미경모 어머, 올 수도 있지. 제발 좀 와줄래?

미경 가세요, 얼른.

미경모 치...지지배. 쌀쌀맞긴.

S#45. 에스테틱 건물 엘리베이터(D)

엘리베이터 앞에서 기다리고 있는 수영. 띵. 신호음 울리며 1층에 도착한 엘리베이터. 문이 열리면, 안에서 미경모가 내린다.

수영 !

플래시백 인서트>3부 S#51.

미경모　　　내가 영표점에 아는 사람도 좀 있구.

수영, 단박에 미경모를 알아보고 한 발 뒤로 물러나 길을 터주는데.
미경모, 그런 수영을 전혀 기억하지 못하는 듯 쌩하게 스쳐 지나간다.

수영　　　......

S#46.　에스테틱 한(D)

수영, 살짝 머뭇대며 에스테틱 안으로 들어오는데.
정임과 직원들, 수영에게 정중히 인사한다.

직원들　　　(90도로 인사하며)어서오십시오 고객님.
수영　　　아...(덩달아 고개 숙이는데)
정임　　　박미경 고객님 동행이시죠? VIP룸에 베드 준비되었습니다. 안내해드릴게요.
수영　　　아 네. (살짝 긴장한 얼굴로 정임을 따라가는)

S#47.　에스테틱 한 – 탈의실(D)

정임, 수영에게 가운 입혀주려고 하는데

수영　　　(정중한)아, 제가 할게요. (하지만 가운 입는 폼이 어설프고)
정임　　　(직접 입혀주며)이쪽에 팔 넣으시구요, 다른 쪽 이쪽으로요. (목 뒤로 머리카락 조심스럽게 빼주고)제가 해드릴게요.
수영　　　(황송한)제가 해도 괜찮은데..

정임 (스프링 고무줄 꺼내며)자국 남으면 안 되잖아요. 이게 자국이 안 남아서 좋아요.

수영 (할 수 없이 가만히 대주는)

정임 (머리카락 손으로 조심스럽게 쓸어 모으며)머릿결이 참 좋으세요.

수영 (깍듯한)감사합니다.

정임 (맞은편 거울에 비치는 수영의 얼굴 보는데, 예쁜 아가씨다...싶고)

S#48. 에스테틱 한 – VIP실(D)

수영, 미경과 나란히 누워 관리 받고 있다. 직원이 수영을, 정임이 미경을 케어하는. 정임, 상수와 같은 은행 다닌다는 얘기에 의식하면서 미경을 관리 중인데.

미경 은행 들어오기 전엔 내 친구들이 제일 진상인 줄 알았거든. 걔넨 부모 카드로 플렉스 하는 게 일이라. 지멋대로에 그냥 맘대로 사는 애들. 내가 그러고 살기 싫어서 취직한 건데. 와. 진짜 진상들은 은행에 다 있더라.

수영 (관리받으며 조용히 웃는)

미경 철없는 친구들이랑 난 다르다, 그랬는데. 지점 출근 일주일만에 인정했어. 사회생활 하기엔 나도 무지 철없구나. (수영 건너다 보며)수영씬 진짜 대단한 거야. 나보다 더 어린 나이에 은행 들어와서, 더 오랜 시간 버틴 거니까.

수영 (설핏 미소)박대리님도 열심히 하시면서요.

미경 그니까. 나도 그런 줄 알았는데..수영씨한텐 진 거 같애.

수영 (그럴 리가 없는데...힘빠진 미소 짓고)

정임 (은근히)두 분이 같은 직장 다니시나 봐요.

미경 네. 제가 얼마 전에 발령받아서 같이 일해요.

정임 두 분 다 너무 고우세요. 인기 많으시겠다.

미경 제일 인기 많은 건 저쪽이에요.

정임 (수영 눈여겨보며)좋으시겠어요.

수영 (미소로)...아니에요.

정임 (수영 관리하는 직원에게 눈짓하며)차 준비해줘요. (자신이 수영 자리로 옮기며)제가 마무리 해드릴게요.

정임에게 관리받는 수영 모습에서.

S#49. 은행 갱의실(N)

미경, 유니폼 카디건 벗으며 들어오는데.
서류 챙겨 들고 다시 나가려던 수영, 설핏 웃는다.

미경 (속닥)갔다 오니까 좀 낫지.

수영 (작게)네.

미경 (탈의실 들어가려다)상수선배랑 같이 저녁 먹을 건데. 같이 갈래?

수영 (자료집 보이며)전 더 있어야 해요. 후속상품 플랜 짜야 해서요.

상수, 남자탈의실에서 나오다, 미경과 함께 서있는 수영 보고 멈칫.

수영　　(틈 없이, 미경에게)그럼 들어가세요. (나가고)

상수　　(표정)

미경　　우리도 가자, 선배.

상수　　(안 내키는)저녁, 다음에 먹자.

미경　　(보다가)안돼. 할 말 있어. 급한 일이야.

상수　　.....

S#50.　　레스토랑(N)

상수와 미경, 마주 보고 앉아 있는데.

미경　　(대뜸)좋아해, 선배.

상수　　!

미경　　선배 진지한 사람이니까 생각할 시간 줄게. (바로)하나, 둘, 셋. 생각해봤어?

상수　　(웃음이 터지는데)

미경　　농담이구. 생각해봐. 나 어떤지.

상수　　(미경의 마음 어렴풋이 알고 있었고....보다가)왜...너는 내가 왜 좋은데.

미경　　(미소로 보는)

S#51.　　실외야구장(N)

상수, 재킷을 한쪽에 놓아두고 동전을 기계에 넣는다.

피칭머신에서 날아오는 야구공을 시원하게 쳐 내는 상수 위로,

미경E 선배는 욕심나는 사람이니까. 다른 남자들이랑 달라.

상수 (날아오는 공을 향해 힘있게 배트를 휘두르는)

플래시백 인서트>S#8. 노래주점 앞

수영 그럴 거면 다른 사람들이랑 다른 것처럼 굴지나 말지.

인서트>S#50. 레스토랑 연결

미경 백퍼센트가 아니라도 괜찮아. 지금은.

플래시백 인서트>S#8. 노래주점 앞

수영 어쨌든 망설인 건 팩트고, 고작 그 정도 감정이었단 거잖아요. 난 하계장님이, 나랑 비슷한 사람인 줄 알았어요.

인서트>S#50. 레스토랑 연결

미경 우리 비슷한 사람들이잖아.

깡! 깡! 경쾌한 소리 내며 곧게 뻗어 나가는 공과 달리,
상수는 답답함, 후회, 울분, 미련 등 터질 듯한 감정이다.
넥타이를 느슨하게 풀어 재끼며 단단하게 배트를 쥐어 잡는.

플래시백 인서트>S#8. 노래주점 앞

상수 ...수영씨는 나한테, 아무 감정 없었어요?

수영 (싸늘)...네.

상수, 날아오는 공을 향해 힘껏 스윙하는데 빗맞는다.
허탈한 표정으로 야구 배트를 던져버리고.
그저 서서 감정을 삭여내는 상수의 모습 길게 보여지면서.

S#52. 은행 본사 – 강당(D)

무대 위 상단, 'KCU은행 앱 혁신대회 시상식' 플래카드 걸려 있고. 무대 중앙에서 진행되고 있는 시상식. 슈트로 빼입은 상수와 정장 차림의 미경, 행장에게 상패와 꽃다발 받고 있다. 행장의 양옆으로 선 상수와 미경. 카메라를 보고 환하게 웃는데.

S#53. 동. 엘리베이터(D)

상수와 미경뿐인 엘리베이터 안.
미경, 한 손에 꽃다발과 상장 들고 있고.

미경 (상수 보며 툭)나 칭찬 안 해줘?
상수 (보면)
미경 열심히 했는데.
상수 (픽 웃고)잘했다, 박미경.
미경 (좋은, 앞을 보다, 불쑥 상수의 손을 잡는)
상수 ! (미경 보면)
미경 (귀엽게)뭐. 승리의 악수.
상수 (뭐든 명쾌한 미경. 피식 웃는데)
미경 (슬그머니 깍지를 끼는)
상수 (보다가)박미경.

미경 (딴청하며)따뜻하다. 선배 손.

상수 (미경을 가만히 보는)

S#54. 은행 객장(D)

영업 마감 후 객장.

상수와 미경, 가운데 서서 사람들의 박수를 받고 있다.

지점장 (흐뭇하게 웃는)자, 다시 한번 박수!

부지점장 은행 생활 20년 만에 행장님 주최 대회에서 1등 먹은 사람들 처음 본다. (상수에게)우리 상수 조만간 본점 가겠는데?

마대리 (상수 보고 삐죽)박대리님 덕분이죠, 뭐.

미경 (미소로)하계장님이 다 하셨어요.

이팀장 뭐야뭐야. 이 핑크빛 오로라?

서팀장 이러다 연말에 청첩장 돌리는 거 아냐?

상수 (난감한데)

수영 (이제 상수는 더 멀어진 사람 같고)

상수 (수영이 무슨 생각하는지 알 거 같은...)

지점장 안주임은 나 잠깐 보지. (지점장실로 들어가고)

수영 ! (혹시, PB업무로 넘어가는 건가. 기대로)

서팀장 (수영에게)후속 상품 맡긴단 얘기, 진짜가 본데? 미리 축하.

수영 (표정 관리)아직 모르죠.

상수 (잘됐으면 좋겠는. 차분한 시선으로 수영 보는데)

미경 (뭔가 알고 있고. 수영에게)저기, 수영씨.

수영 (달뜬 표정 감추며)네, 박대리님.

미경 (차마 입이 안 떨어진다)아냐. 들어가 봐요.

수영　　　네. (예쁘게 웃는)

S#55.　　은행 지점장실(D)

수영, 얼음장처럼 굳어 지점장을 보고 있다.

수영　　　그게 무슨...

지점장　　위너스 플랜, 지금까지 한 거 박대리한테 인계 잘 해주라구.

수영　　　(당황)후속 상품 맡기신다는 건 어떻게...

지점장　　시즌 투부터는 당연히 박대리가 하는 거지요. 원래 박대리 업무고 박대리가 훨씬 잘하는 업무고.

수영　　　!

지점장　　(위로랍시고)그동안 대직하느라 수고 많았어요. 안주임이 기초를 워낙 잘 다져줘서 든든했어요.

수영　　　(한 손으로 다른 손등을 꾹 누르며)그럼, 그럼 저는. 이제 어떤 업무를.

지점장　　(의아한)원래 있던 자리로 돌아가는 거지요? 영포점 실적 넘버원. 텔러.

수영　　　!

그때 지점장실 전화벨 울리고. 지점장, 한 손으로 전화 받으며, 다른 한 손으로 수영에게 나가보라 손사래. 수영, 부들부들 떨리는데. 꾹 참고.

S#56.　　은행 화장실(D)

쏴 쏟아지는 물줄기. 굴욕감과 모멸감, 처지도 모르고 기대했다는 수치심에 얼굴이 벌게진 수영.

미경　　(들어와서, 수영 곁에 서는. 이미 상황 알았고)수영씨...

수영　　(표정 수습하며)지점장님이 위너스 플랜 자료 박대리님께 드리라네요.

미경　　(미안해서 난감한 표정이고)

수영　　(옆에 놓아둔 자료 건네며)이따 드리려고 했는데 그냥 여기서 드려도 되죠?

보면, 색인으로 체크된 상담 청취록, 보완하거나 강화할 약관까지 꼼꼼히 체크된 자료집이고.

수영　　한다고 했는데, 조잡해 보일지도 모르겠네요. 그동안 많이 배웠어요. 감사합니다.

미경　　(받고 더 미안해지는)미안해. 정말 너무. 얼마나 열심히 했는지 내가 다 아는데.

수영　　(덤덤한 미소로)괜찮아요. 박대리님 잘못도 아닌데요. 신경 쓰지 마세요.

S#57.　　은행 객장(D)

비어있는 수영의 빈자리를 보며, 속닥거리는 행원들.

서팀장　　사람을 바보로 만들어도 유분수지. 그럴 거면 후속상품 맡길 거라는 둥 그딴 얘긴 왜 지껄여서 애를 들뜨게 만들고.

이팀장　　(씁쓸하고)닭 쫓던 개 됐네. 처량하다.

마대리 직군의 한계가 존재하는 법인데 왜 욕심을 내서...

은정 (안타까움 반)지윤이처럼 텔러업무나 열심히 하지.

지윤 (노란색 목줄 만지며, 왠지 시무룩...)

상수 (표정)

미경 (무거운 표정으로 자료집 안고 들어오는)

상수 .....

S#58. 은행 옥상(D)

수영, 빨대로 음료 빨아 마시는데...보면, 팩 소주다.
안주도 없이 깡 소주만 쭉쭉 들이키는데...조용히 다가오는 종현.

종현 (삶은 달걀팩 앞에 놔주며)속상할 때마다 깡소주 마시는 거. 안 했으면 좋겠는데.

수영 시간도 기회도 행복도...사랑도. 공평하게 주어지지 않는다는 거. 잘 알고 있는 줄 알았는데 아니었어요. 사는 건 제로섬 게임 같은 건데. 누가 행복해지는 만큼 내가 불행해지는 거. 아무리 노력해도 닿지 않는 거.

종현 (가만히 보는)

수영 나 우습죠...괜한 기대나 하고.

종현 ...안주임님은 나 우스워요?

수영 (보면)

종현 은행에서 일하지만 은행 사람 아니고. 경비원인데 잡일을 더 많이 하고.

인서트 > S#27. 입금내역, 입금자 이름에 한강용역 확대되는 위로,

종현E 월급도 용역업체에서 따로 받아요. 월급 나올 때마다 선 그이는 기분 알아요?

/수영 (종현이 애잔하고...)

종현 난 은행 사람 아니라고. 그렇게 선 그이는 기분.
그래도 난, 나 하나도 안 우스워요. 사람들이 좀 함부로 해도 아무렇지도 않고요. 계약직이라고 무시해도 아무렇지 않아요. 꿈이 있으니까. 점점 더 나아질 거니까. 그니까 안주임님도 하나도 안 우스워요. (수영 따스히 보면)

수영 내가 하는 노력들...의미 없는 거 같아요.

종현 (보다가, 밝게)나 지도에도 안 나오는 시골에서 컸잖아요. 소 타고 다녔다는 거 농담 아니었는데. 5년 전에 나. 아버지처럼 소 몰고 살 줄 알았어요. 평생 그 시골에서. 근데 지금 서울에서 알아주는 은행에서 일하잖아요.

수영 .....

종현 5년 후의 안주임님은 더 근사해질 거예요. 지금은 상상 안 될 정도로.

수영 (과연 그럴까...)

종현 우린 더 행복해질 거예요. 노력하고 있으니까.

수영 (현실은 그렇지 않은데...씁쓸한 미소)

종현 (가만히 수영 옆에 서있어주는)

/옥상 입구.
상수, 커피잔 두 개 손에 든 채로...
차마 다가가지 못한 채 수영과 종현의 대화를 듣고 서있다.

상수 (표정)

S#59. 수영의 집 – 방(N)

미등만 켜진 어두운 방. 지친 걸음으로 들어온 수영, 퇴근 차림 그대로 침대에 털썩 앉는다. 수영의 시선으로 보이는 책상. 서류 더미, 색색의 형광펜. 열심히 노력한 흔적들. 가방 속에서 핸드폰 등 소지품 꺼내는데, 멈칫. 보면, 쥬얼리 케이스 들어있고.

/ 열어보는 수영, 3부 S#63에서 미경이 걸고 있던 목걸이다. 덤덤한 표정으로 문자 작성하는.

문자 인서트 > '목걸이, 박대리님이 넣어두신 거예요?'

수영 (문자 알림음이 울리자 확인하는 위로)

미경E 깜짝 선물로 아침에 넣어둔 건데. 타이밍이 좀 그렇지만, 고맙고 미안해.

수영 (상실감으로...가만히 문자를 보는)

수영, 처연할 만큼 태연한 표정으로 책상을 정리한다. 정성스레 색인 작업한 자료를 차곡차곡 쌓아 박스에 넣고, 필기구도 모아 케이스에 넣고.

수영 (미경이 준 목걸이를 물끄러미 보다, 서글픈 표정으로 서랍 안에 넣는)

서랍을 닫는 소리, 수영의 마음이 닫히는 소리처럼 들린다.

깨끗해진 책상 위를 공허한 시선으로 보는 수영의 모습에서.

S#60. 본사 건물 앞(D)

건물 앞 대로변에 주차된 전세 버스 세 대. 차량 옆면엔 'KCU은행, AI

금융 교육 연수' 플래카드 걸려있고. 출발준비로 분주한 버스기사들과, 오랜만의 재회에 반갑게 인사를 나누는 행원들.
수영, 바닥에 내려둔 가방을 들고서 막 버스에 오르려는데,
저 멀리 버스로 걸어오는 익숙한 실루엣...마대리가 아닌 상수다...!

수영 ! (상수를 외면하고 그대로 버스에 오르는)
상수 (묵묵히 버스를 향해 다가오는)

S#61. 버스 안 + 도로(D)
옆자리에 나란히 앉은 상수와 수영.
서로를 향한 전투력도 소진되고 후련해 보이기까지 하다. 귀에 이어폰을 꽂은 수영은 음악을 들으며 창밖을 보고. 상수는 수영에게 닿지 않으려는 듯, 팔짱을 낀 채 눈을 감고 있다.

S#62. 몽타주
/ 연수원 – 입구(D)
연수원 건물로 연달아 들어가는 전세버스.

/ 연수원 – 건물 앞(D)
연수원 입구엔 'AI 금융 교육 연수' 안내 현수막 크게 걸려있고.
각자 짐을 끌고 연수원 안으로 우르르 들어가는 사람들.
수영, 짐을 들고 연수원 안으로 들어가는데,
상수, 수영을 앞질러 무심히 먼저 들어간다.

/ 연수원 – 여자숙소 방 안(D)
침대 두 개, 화장실 하나 딸린 방. 문 열리면, 방으로 들어오는 수영.
먼저 들어와 짐을 풀고 있는 다른 지점 행원과 가볍게 인사하는.

/ 연수원, 강당(D)
무대 위 대형 스크린에 PPT 띄어놓고 교육 중인 교수, '변화해가는 핀테크 시대에 앞장서도록 AI 개념에 대한 확실한 이해부터...' 강의하고. 상수와 수영, 떨어진 채 앉아 강의에 집중한 듯 보이는데.

/ 연수원, 구내식당(D)
각자 따로 앉아 밥을 먹는 상수와 수영.
서로를 의식하지 않는 듯, 여전히 의식하는 두 사람.

S#63. 연수원 휴게실(N)
테이블 위로 간단한 안주와, 각종 주류가 준비되어 있고.
다른 지점 사람들이 섞여 앉아 게임도 하고, 술도 마시는 화기애애한 분위기. 같은 테이블에 나란히 앉은 상수와 수영은 서로를 의식하며 불편한 얼굴인데. 그때 수영의 옆으로 당상대리가 다가온다.

당상대리 당상점 강대립니다. 소문으로만 뵀는데. 영포점 여신이시라고. 과장된 소문인 줄 알았는데 축소된 거란 걸 이렇게 알게 되네요.
상수 (움찔, 저도 모를 경계태세)
당상대리 (수영의 잔에 술 따라주며)한 잔 받아주시죠.
상수 (만류하려 팔 뻗는데)

수영 (OL)네. 주세요.

상수 !

수영 (덤덤히 받고. 한 번에 원샷하는)

상수 ! (평소와 다른 수영이고)

신도대리 오. 듣던 거랑 다르게 완전 쿨하시다! 제 술도 한 잔?

상수 (안 되겠다. 말리려고)저기,

수영 (OL)네. 주세요.

상수 (수영이 이상하고)

수영 (받아서, 다시 원샷하는)

상수 (걱정되는, 수영에게)과음, 하지 마시죠.

수영 (다시 술 따라서, 상수 보란 듯이 원샷하는)

상수 !

/동. 시간경과

수영, 구석진 테이블에 혼자 앉아 있다. 홀짝이며 술을 마시고.

상수, 당상대리, 신도대리 등과 한 테이블에서 술 마시면서도 시선은 수영 쪽에 가 있고.

당상대리 사내대회에서 1등도 했겠다, 상수씨는 본점행 확정이겠네. 능력자야, 능력자.

상수 (시선은 수영에게)혼자한 거 아니고, 박미경 대리님이랑 같이 한 거예요.

신도대리 알지알지, 서초점에 있던 박미경 대리. 안 본 새 더 부자 됐다던데.

/수영 (표정)

신도대리 박미경 대리 잡는 게 본점 가는 거보다 미래보장 확실할걸?

당상대리　　와이프 스펙이 인생 스펙되는 세상인데. 상수씨 파이팅!

상수　　(이런 이야기를 수영이 듣는 게 신경 쓰이는데...)

수영, 자리에서 일어서는데 살짝 비틀거리고...상수, 덩달아 엉거주춤 일어서는데. 비틀거리지 않도록 신경 쓰며 천천히 휴게실 밖으로 나가는 수영. 답답한 상황에 속상한 상수, 술잔을 비우더니. 도저히 못 참겠단 얼굴로 튀어 나간다.

S#64.　　시골길(N)

드문드문 솟은 가로등 불빛이 유일한 어두컴컴한 시골길. 풀벌레 우는 소리가 음악처럼 퍼지는 길을 조용히 걷고 있는 수영. 그리고 그 뒤를, 그림자처럼 따라 걷고 있는 상수. 쓸쓸해 보이는 수영의 뒷모습을 보며 더 이상 다가가지 못한 채 일정한 거리를 유지하는 위로,

경필E　　너는 안수영이 왜 좋은데.

상수　　.......

플래시백 인서트>S#16. 갱의실의 연결.

상수　　안수영은, 한 번을 싫다고 안 해.

인서트 몽타주>/객장. 수영, 가장 먼저 출근해 행원들 책상에 종이장표 등, 소모품 채워주는 모습

/용품고. 무거운 박스 옮기다, 괜찮냐고 묻는 서팀장에게 환하게 웃는 수영.

/옥상. 수영, 무표정한 얼굴로 멍하니 있는 모습. 입구에

서 보고 있는 상수 위로,

상수E　　힘든 일, 까다로운 일, 자기가 안 해도 되는 일. 한 번을 거절 안 하고 열심히 해. 힘들수록 태연한 척해. 그게...꼭 나 같아서,

시골길을 걷는 수영의 뒷모습을 바라보는 상수의 모습 위로,

상수E　　응원하고 싶게 만들어.

어두운 밤. 멀리 떨어진 채 그렇게 걷는 상수와 수영의 모습에서.

S#65.　연수원 일각(N)

수영, 인기척에 돌아보고 그제야 상수가 따라온 걸 인지한다.

수영　　(멀거니 보다)왜 따라왔어요? 언제부터. 따라왔어요?
상수　　(차분히 보고)들어가요 이제. 위험해요 밤길.
수영　　(남은 술기운으로)위험하든 말든.
상수　　(왜 이러나 싶고)...안주임님.
수영　　(하...자조 섞인 실소 터지고)수영씨랬다, 안주임님이랬다. 참...쉽네요, 하상수씨는.
상수　　! (그저 보다가, 싸우기 싫고. 돌아서 걷는데)
수영E　　저기요.
상수　　(그 말에 멈추고)
수영　　...뭐 좀 물어봐도 돼요?
상수　　(수영 쪽으로 돌아서면)

수영	여기, 왜 왔어요?
상수	(표정)
수영	마대리님이 부탁할 땐 약속 있다고 그러더니 왜 왔냐구요. 여기.
상수	.....
수영	(복합적인 감정으로 상수를 보고)
상수	(뭐라 해야 할까, 자신의 감정을...)
수영	...아직도 나 좋아해요?
상수	!
수영	(도발하는 시선으로 보면)
상수	(이 여자를 어쩌면 좋을까...)
수영	...그래봤자.
상수	(보면)
수영	아무것도. 못할 거면서.
상수	(수영과의 이런 관계, 아프고)그러는 수영씬. 왜 아직도 그렇게 화가 나 있는 거예요? 내가 망설였던 게...그렇게, 용서가 안 돼요? 나한테 마음도 없었다면서요.
수영	......
상수	(기다려주는)
수영	(울컥하는)내가 정말,
상수	(보면)
수영	하계장님한테 아무 감정 없었던 거 같아요?
상수	!

상수, 그 말에 수영을 향해 천천히 다가가는데...
마치 상수를 막아서듯, 수영의 핸드폰이 진동하기 시작한다.

수영 (확인하면, '정종현'이고...)
상수 (누군지 알겠는)
수영 (상수를 보며, 전화 받지 않은 채 서있는데)
상수 (마음을 막듯 계속 들려 오는 핸드폰 진동음에...)

상수, 수영에게 가던 걸음을 돌려 건물 쪽으로 걸어가고. 수영, 상수의 뒷모습을 보며 서글픔, 체념이 차오르는데...수영이 마침내 핸드폰을 들어 종현의 전화를 받으려는 그때...! 건물 안으로 들어가려던 상수, 돌연 돌아서서 수영을 향해 성큼성큼 다가온다. 자신을 향해 다가오는 상수의 기세에 수영, 주춤...뒤로 한 발짝 물러서는데...상수, 뒷걸음질 치는 수영의 팔을 강하게 잡아당기며 와락 끌어안는...! 그 반동에 바닥으로 떨어지는 수영의 핸드폰.

수영 ! (상수가 이러는 게 믿기지 않는다)
상수 (더 깊게 껴안고)
수영 (상수에게 안긴 채로, 가슴이....뛰는데)
상수 (억누를 길 없이 폭발한 마음이고)
수영 (상수의 마음 느껴져 밀쳐내지 않는)

수영, 툭 내려진 손...천천히 올려 상수의 등을 감싸 안는다.
이 순간만큼은 서로에게 솔직한, 처음이자 어쩌면 마지막일 두 사람의 포옹. 그 애틋한 모습 위로, 상수가 바라던 상상인지 혹은 현실인지 모를 꽃잎들이 떨어지며 엔딩...!

The Interest of Love

The Interest of Love

5부

Ep 5

S#1. 논둑길(D) – 과거

논둑길을 달리고 있는 우체국 오토바이. 트렁크에 실려있는 택배 박스.

S#2. 종현의 고향집 앞(D) – 과거

허름한 작업복에 진흙 묻은 장화를 신고, 목에는 수건을 두르고 있는 사람…종현부다. 손에 2G폰 든 채 서성이던 종현부. 멀리서 들려 오는 오토바이 소리에 표정이 밝아지고.

종현부E　　니 또 돈 부칫나.

S#3. 종현의 고향집 마당(D) – 과거

파란 슬레이트 지붕 밑, 처마 끝에 바싹 마른 시래기가 줄줄이 매달려 있고. 마당엔 농기구, 사료 포대, 진흙을 뒤집어쓰고 엉망인 경운기, 간이빨랫줄 등. 평상 위 열린 택배 박스 안으로 인스턴트 음식, 아웃도어 상의, 속옷 세트 등 보인다.

종현부　　(돈 봉투를 손에 쥔 채 통화 중)와 이리 많이 부칫노.
니는 흙 퍼묵고 살끼가.

S#4. 고시원 내 종현방(D) – 과거

낡은 매트리스, 간이옷장, 좌식 책상뿐인, 창문조차 없는 살풍경한 방.

종현　　(먹던 컵라면 책상에 올려두고, 통화 중)아부지도 KCU은행

알제. 내 글로 취직했다 아이가. (웃으며)진짜다. 내일 첫 출근이다.

종현의 시선으로 보이는 박스들. 얼추 꾸려놓은 이삿짐이다.

종현 (기쁜)고시원 말고 억수로 좋은 데로 이사도 간다.

S#5. 종현의 옥탑방 밖 + 안(D) – 과거

/옥탑방 밖.

들뜬 표정으로 이삿짐 박스 들고 옥탑방으로 올라가는 종현.

옥상 가운데에 놓인 낡은 평상에 박스 내려두고.

/옥탑방 안.

더듬더듬 전기 스위치를 찾아 켜는 종현의 손. 불이 켜지면 그제야 보이는 적나라한 실내. 곰팡이 핀 누런 벽지, 오래돼 가장자리가 들뜨는 장판, 녹물이 뚝뚝 떨어지는 부엌 수도, 분홍색 물때가 선명히 보이는 화장실까지. 볼수록 가관이지만 종현은 빙그레 웃으며 둘러본다.

종현F 창문까지 있다. 그라고 있다 아이가...

/다시 밖.

제법 넓게 펼쳐진 옥상. 난간 쪽으로 다가가는 종현, 벅찬 표정이다.

언덕 아래 풍경 보며,

종현 (통화하는)갱치가 끝내준다. 아들 잘 산다. 걱정 마라. 담달부터 돈도 더 부치주께.

그때...종현의 옥탑방 건물 아래로 하이힐 신고 지나가는 여자, 퇴근 중인 수영이다. 걷다가, 발이 아픈지 잠시 멈춰 서는 수영...다시 걷기 시작하는데. 옥상에서 통화하며, 지나가는 수영의 뒷모습을 바라보는 종현. 둘은 인지 못 한 첫 만남이고.

S#6. 은행 객장(D) – 과거

청경 옷을 입은 종현, 어색한지 옷을 매만지는데...설레보이기도 한다.

마대리 (다가오며)오, 오늘부터 나온다는 뉴페?

종현 (마대리 쪽으로 돌아보며, 환하게 웃는)안녕하세요. 정종현입니다.

마대리 (환하게 웃는 종현의 얼굴 뒤로 후광이 비치는 줄!)...배우, 지망생?

종현 경찰 공무원 준비하고 있습니다.

마대리 아, 공무원지망생...

종현 (마대리 뒤로 들어오는 이팀장에게 꾸벅 목례하며)안녕하세요.

이팀장 (종현 인사는 무시. 한 손으로 마대리에게 카드 쓱)
마대리야. 속 쓰리다. 약 좀.

마대리 (얼른 받고)네, 팀장님. (나가려다, 종현 쓱 보고)정종현씨가 대신 좀 갔다 오지?

종현 아. 네, 제가, (하는데)

수영E 가지 마세요.

종현 ! (돌아보면)

수영 (마대리에게)갱의실에 숙취해소제 있어요. 두 번째 선반요.

종현 (수영과 눈이 마주치고...첫눈에 느껴지는 어떤 떨림...!)

수영 (미소로)새로 오신 청경 분이시죠. 잘 부탁드립니다. 안수영이에요.

종현 (표정)

S#7. 동. 시간경과(D) – 과거

종현의 시선으로 보이는 밀려있는 예금창구. 수영, 명세서 여러 장에 사무인을 탕탕! 찍으며 프로페셔널하게 접객 중이다. 그때, 문 열고 들어와 다짜고짜 종현에게 명세서 들이미는 진상아줌마.

진상아줌마 (고지서 흔들며)내가 쓰지도 않은 47만원을 왜 내! 이럴라고 카드 만들게 했지? 내가 명세서를 얼마나 꼼꼼히 보는데 어?! (고지서 종현에게 던지면)

종현 (어쩔 줄 몰라서 당황하는데)

수영 (어느새 다가와, 명세서 줍고 차분히)불편을 드려 죄송합니다 고객님. 제가 바로 처리 도와드리겠습니다.

/수영, 카드사 직원과 통화 중이다.

수영 (통화 중, 듣고)잠시만요. (하더니, 진상아줌마에게)혹시 양재원이라는 분 아세요?

진상아줌마 (흥분)누구야 그게! 양재원이를 알긴 내가 어떻게 알...! (하다가, 헉)

수영 (차분히)카드결제 하신 분이 포인트 적립도 하셨는데 그분 성함이 양.재.원.이라고 합니다. 모르시는 분이면, 분실도난 부정 사용으로 신고접수 해드릴까요?

진상아줌마 (고개 돌리고 작게)됐어요.

수영 네?

진상아줌마 됐다구! 아니라구! 양재원이가! 그눔시키가 내 아들이라고! (수영 손에 명세서 휙 빼앗더니 '이눔시키 카드는 또 언제 빼가 썼어 도둑노무쉬키!' 하며 밖으로 나가고)

종현 (수영에게 꾸벅)감사합니다.

수영 놀랐죠. (주머니에서 초콜릿 꺼내고)단 거 먹음 긴장 풀려요. (주고 자리로 가고)

종현 (자리로 돌아가, 다시 능숙하게 접객하는 수영을 보는...)

S#8. 편의점 앞(N) – 과거

종현, 캔맥주 담긴 비닐봉지 들고 편의점 안에서 나오는데...편의점 앞 파라솔 의자에 앉아 소주 병나발 부는 여자가 보인다. 지나가려던 종현, 고쳐보면 다름 아닌 수영이다. 은행에서와는 달리, 무표정한 모습.
수영, 구두는 옆에 벗어놓은 채, 맨발을 비닐봉지 위에 올려놓고 있다.
은행원 안수영이 아닌 인간 안수영의 모습은 저렇구나...흐트러진 수영이 오히려 편해보이는 종현.

종현 (수영을 깊은 눈으로 보는)

수영, 벗어두었던 구두를 신으며 마신 소주병을 정리하고 있는데...

종현 (조심스레 다가오며)이 동네...사시나봐요.

수영 ! (순간의 경계로 보다)아, 새로 온 청경분...

종현 저도 이 동네 사는데. 저기 위요.

수영 ...네. 그럼 들어가세요. (하고 일어나는데)

종현 오늘 안주임님한테 진상 부린 고객님이요.

수영 ?

종현 앞으로 횡단보도 건너려고 할 때마다 빨간불로 신호가 바뀔 거예요.

수영 (조금 황당해서)...네?

종현 초록불이라 건너려고 하는데 눈앞에서 빨간불로 바뀔 때. 엄청 속 터지잖아요.

수영 (뭐 하자는 건가 싶어 보면)

종현 그리고 아슬아슬하게 버스 놓칠 거구요. 한...일주일 동안?

수영 (픽 웃음이 나고)...흰 옷 입은 날 옷에 막 떡볶이 양념 같은 거 흘리구?

종현 아! 그것두요. 환전했는데 다음 날 환율 막 내리는 거.

수영 맞아맞아. 그럼 사람들 되게 억울해해요. 따지고 보면 큰 돈도 아닌데.

종현 (수영 마주 보며 씩 웃는)

수영 (경계 풀린, 마주 웃는)

S#9. 호텔 프런트(N) – 현재

호텔 유니폼 입은 종현, 프런트에 서있고. 사복 입은 선배, 가방 챙기며 안에서 나온다.

선배 갑자기 웬 땜빵? 공부한다고 절대 안 된다더니. 돈 필요하냐? 요즘 연애해?

종현 ...그냥요.

종현, 핸드폰을 꺼내 보다가, 수영에게 전화를 건다.

S#10. 연수원 일각(N)

바닥에 떨어져 있는 수영의 핸드폰, 액정 위로 뜬 이름...종현.
계속해서 울리고 있는 핸드폰...핸드폰 너머로 보이는 상수와 수영의 하반신, 밀착되어 있다. 그 위로 뜨는 타이틀, **〈사랑의 이해〉**

S#11. 동. 시간경과(N)

4부 엔딩에서 이어지는 상황.
상수, 스스로의 감정을 주체 못 하고 수영을 와락 안아버린, 혼란스러운 표정이고. 상수에게 안긴 수영 역시 얼떨떨하긴 마찬가지고.

수영 (안긴 채로, 상수의 떨림 느끼는데...)

상수 (정신이 들 듯 몸을 떼고, 그러나 진지한 눈으로 수영 바라보는)

수영 (가만히 상수 보는데)

상수 ...나도 뭐 하나만 물어볼게요.

수영 (표정)

상수 만약...

수영 (보는)

상수 만약 그날 호텔에서...내가 약속을 지켰었다면.

수영 (표정)

상수 나랑 만났습니까?

수영 !

상수 (흔들리는 눈으로 보는데)

수영 (망설이다가, 마침내 입을 떼는)...사실 나,

그때, 연수원 밖으로 우르르 나오는 남자 행원들.

당상대리 상수씨! 한 대 피우자! (상수 너머 수영에게 눈인사)

상수 (표정)

수영 (표정, 사람들 시선 피하듯 몸 돌리고)

상수 (어쩔 수 없이 남자들 쪽으로 합류하고)

혼자 남은 수영, 가슴에 손을 올리고 뛰는 심장을 진정시킨다.

수영 (벙찌고, 당황하고, 무엇보다.... 떨리는)

S#12. 다른 일각 상수 + 수영 교차(N)

상수, 자신의 행동을 돌이켜보며 살짝 멍한 상태.

당상대리, 신도대리, 담배를 피우며 수영이 간 쪽을 바라보더니,

당상대리 (상수에게)안수영 주임이랑 친해요?

상수 (표정)

신도대리 (도와주듯)상수씨가 다리 좀 놔줘. (당상대리 툭 가리키며)

연애하고 싶대.

당상대리 결혼하기 전에 마지막으로 찐한 연애 한번 하고 싶어서. (결혼할 상대는 아니라는 얘기)나 정도면 괜찮지 않나.

신도대리 (상수 표정보며)왜. 만나는 사람 있대요?

상수 (표정)

플래시백 >2부 S#73. 종현에게 안겨있는 수영.

당상대리E 진짜? 사귀는 사람 있어요?

상수 (씁쓸한 표정으로 대답 안 하는)

/수영, 방금 전 일어난 일에서 아직 벗어나지 못한 감정인데.
핸드폰 진동이 울린다.

수영 (길게 울리는 핸드폰을 보다가, 받는)여보세요.

/상수, 수영이 있는 곳에 근접해오는데.

수영E 네, 종현씨.

상수 ! (목소리가 나는 쪽으로 획 돌아보는)

수영, 등 돌린 채 통화 중이다.
상수, 종현과 통화 중인 수영에게 차마 다가가지 못한 채...서있다.

수영 (조용히 통화하는)아니요. 괜찮아요. 네...(사이)네, 먹었어요.

상수 (착잡하다...)

S#13. 연수원 여자숙소 + 남자숙소 교차(N)

/여자숙소 안

수영, 스탠드 켜둔 채 홀로 잠을 이루지 못하고 있다.

플래시백 >4부 엔딩. 수영을 강하게 끌어안는 상수.

수영 (표정)

/남자숙소 안

상수, 수영에게 설레지만, 떨리지만...수영은 종현과 사귀는 게 현실이다.

신도대리E 만나는 사람 있대요?

당상대리E 진짜? 사귀는 사람 있어요?

상수 (나는 어쩌자는 건가. 마른세수를 하며)미친 놈...어쩌자는 건데.

착잡한 상수, 어쩌지 못하는 마음이 괴롭다.

S#14. 연수원 앞 + 전세버스 앞(D)

수영, 짐을 들고 버스에 오르려는데, 멈칫한다. 보면, 상수가 버스 쪽으로 다가온다. 수영을 봤다. 순간, 긴장으로 표정이 달라진다.

수영 (상수 향해 가볍게 목례하고 버스에 오르는)

상수 (표정)

S#15. 전세버스 안(D)

피로와 숙취로 사람들이 곯아떨어진 가운데. 상수와 수영, 나란히 앉아 어색하다. 어디서부터 어떻게 얘기해야 할까. 선뜻 입을 열지 못하고. 숨 막히는 분위기 오가는데.

수영　…어제 왜 그냥 들어갔어요?
상수　(표정)…통화 중인 거 같아서요.
수영　(망설이다가)저기,
상수　어제일…불편했다면 미안합니다.
수영　…불편, 하지 않았어요.
상수　! (이건 또 무슨 의미인가)
수영　(뭔가 얘기하려다, 주변이 의식되는)…오늘 저녁에 잠깐 볼까요?
상수　(표정)
수영　끝나고 다시 얘기해요.
상수　(표정)…네.
수영　(픽 웃는, 이어폰을 꽂으며 눈을 감는다)
상수　(눈 감은 수영의 옆모습을 보는 표정)

S#16. 은행 전경(D)

S#17. 은행 갱의실(D)

점심시간. 미경, 핸드폰 보고 있다. 보면, 미경이 상수에게 보낸 문자 '선배. 문자 보면 전화해.' 떠있고. 답은 오지 않은 상태. 경필, 갱의실에 들어오자마자 냉장고부터 열고. 안에서 샌드위치 꺼내는데.

미경　　그게 점심이에요? 유통기한 지났을 건데.
경필　　(샌드위치만 보며)어제까지라 괜찮아, 요.
미경　　대학 때도 그러더니...(의미 있는)참 아무거나, 잘 먹네요.
경필　　! (미경의 시선 피하는데)
미경　　(빤히)근데 왜 계속 나한테 존대해요?
경필　　(태연한 척)내가? 그랬나. 아니? 아닌데.
미경　　혹시 내가 불편해요?
경필　　(표정)
미경　　(생긋 미소)편하게 해요. 나까지 어색하니까.
경필　　.....

그때, 탈의실에서 유니폼으로 갈아입고 나오는 상수.

미경　　(일어나며)선배 왔어요?
상수　　어어. (경필 보면)
경필　　(한 손 쓱 올리며 인사하고 나가는)
미경　　연수 가서 전화 안 받드라?
상수　　(커피 타며 태연한 척)...끝나고 사람들이랑 한잔하느라.
미경　　(상수를 유심히 보며)되게 재밌었나 봐.
상수　　...그런 자리 뻔하지 뭐. 무슨 일 있었어?
미경　　우리 과였던 현아랑 형수선배 결혼하는 거. 선배도 알지?
상수　　어. 너도 가?
미경　　같이 가자구.
상수　　(대답하려는데)

수영, 출근 차림으로 들어온다.

상수	! (순간의 긴장)
수영	(상수를 보고 일순 멈칫하지만 태연히)안녕하세요.
미경	수영씨 안녕?
상수	(수영에게)오셨어요.
수영	(상수 일견하고)네.
상수	(흐름 돌리듯 미경에게)같이 가자. 결혼식.
미경	(끄덕이는데)

상수, 커피 챙겨 들더니 서둘러 나간다.

미경	(상수 가는 거 보며 수영에게)상수선배, 좀 이상하지.
수영	...글쎄요.
미경	자리 피하는 거 못 느꼈어?
수영	(미경이 뭔가를 아는 건가, 싶어 보는데)
미경	나 때문에 저러는 거야. 내가 고백했거든.
수영	!
미경	어색한 거지. 저렇게 거짓말을 못 하신다.
수영	...(애써 태연히)두 분 그럼...사귀기로 한 거예요?
미경	아직. 엄청 고민할 거야, 저 성격에. 사내연애, 난이도 높지. 너무 진중하시니까.
수영	(표정)
미경	그래도 0퍼센트는 아닌 거 같아.
수영	아, 네...(마지못해 미소 짓는데, 마음이...)

S#18. 은행 객장(D)

유니폼으로 갈아입은 수영, 자리에 앉는다. PB업무 대직이 끝난 뒤 다시 돌아온 본인의 자리. 은정, 옆에 앉으며 괜히 수영에게 한 마디 툭.

은정 예금팀 돌아온 소감이 어때요? PB팀이 더 좋았죠.
수영 (업무용 미소로)아니에요. 그런 거.

수영, 덤덤한 표정으로 자리를 정돈하는데...자기도 모르게 시선이 미경에게 향한다. 석현, 지윤 등과 이야기 나누며 환하게 웃는 미경의 모습. 그리고 미경의 곁으로 합류하는 상수. 자연스레 섞여 웃으며 대화 나누는데...

수영 (미경과 상수를 번갈아 가며 본다. 마음이 쓰인다.)

상수, 대화 도중 수영 쪽을 흘깃 바라본다.
습관처럼 가는 시선, 자각하고 얼른 원위치하는.
/수영, 대기 버튼 누르고 손을 든다.

수영 38번 고객님. 이쪽에서 도와드리겠습니다.

노인(70대/남), 수영의 앞에 검은 비닐봉지를 툭, 하고 내려놓는다.
수영이 받아서 보면, 김이 모락모락 나고 있는 순대다.

노인 순대. 간 좋아허지? 팍팍 넣달라 그랬어.
수영 (미소로)감사합니다. 잘 먹을게요.
노인 그동안 어디 갔었어? 안 보이드라구.

수영 (표정)...다른 업무 대직하느라구요. 오늘은 어떤 일 때문에 오셨어요?

노인 (들고 온 가방에서 묵직한 비닐봉지 꺼낸다)돼지 잡아서.

수영 (보면, 비닐 가득 동전 들어있고)꿀순이 잡으셨구나.

노인 (은정 흘겨보며)저 새침떼기는 믿을 수가 있어야지.

은정 (옆자리에서 들었다. 참나...하는 표정)

수영 (따뜻한 미소로)잠시만 기다리세요.

/동전계수기 앞. 수영, 봉지 안의 동전을 우르르 쏟아넣는다.
설정 버튼을 누르면, 10원, 50원, 100원, 500원 종류별로 분류되어 내려오는 동전. 계수기 정면 액정에 총 금액이 표시된다.

수영 (분류한 동전 들고 자리로 돌아와서)총 123,780원이네요.

노인 (갸웃)아닌데. 내가 집에서 셨을 땐 125,780원이었는데...

수영 (미소로)그럼 제가 직접 세어볼까요?

노인 (잠시 고민하다)아냐. 그냥 줘. 집에 마누라 혼자 있어. 슈퍼 사장한테 부탁은 했는데 혼자 두면 영 불안해서. 치매기가 더 심해졌어.

수영 (아...서랍에서 위치 알리미 기기 꺼내 건네는)이거 받으세요. (받아서 보는 노인에게)보호가 필요한 분들이 긴급상황에 호출할 수 있는 기계예요. GPS, (하려다가 쉽게 설명)할머니가 어디 계시는지 알려드리고, 또 할머니가 도움을 요청하시면 고객님이 바로바로 아실 수 있어요.

노인 (화색)그런 게 있어? (걱정으로)공짜야?

수영 (미소로)무료로 보급해드려요. 핸드폰에 연결하면 되는데 등록도 도와드릴까요?

노인 (핸드폰 내밀며)역시 수영이가 최고야. 고마워, 고마워.

수영, 귀찮은 기색 하나 없이 상냥한 미소로 기기를 등록한다.

S#19. 은행 외경(N)

외부 셔터문 내려가 있고.

수영E 시재 맞습니다.

S#20. 은행 객장(N)

시재 마감을 마친 행원들, 집에 갈 준비를 하고 있는데...
지점장, 수영에게 다가온다.

지점장 안주임. 나랑 풍경물산 접대 좀 가지.
수영 (상수에게 시선이 가며)...지금이요?
상수 (수영을 보는)
지점장 그동안 PB 대직하느라 못 갔잖아. 이제 본업으로 복귀했으니까 같이 가야지.
수영 ...네. 알겠습니다. (상수에게 문자 보내는, 문자 인서트>'오늘은 못 보겠네요')
상수 (문자 확인, 자신을 보고 있는 수영에게 괜찮다는 미소)

수영, 지점장 뒤를 따라 나가고.
지점장에게 '들어가세요' 인사하는 행원들,

지점장이 나가자마자 하아, 한숨을 내쉰다.

은정	안주임은 왜 맨날 끼고 다녀. 진짜 뭐 있는 거 아니에요?
서팀장	있긴 뭐가. 넌 저게 좋아서 가는 걸로 보이니?
은정	싫으면 안 가면 되잖아요.
부지점장	배계장. 부유하게 자랐구나. 상명하복의 메커니즘을 이해를 못 해.
마대리	사실 배계장 말도 틀린 거 없죠 뭐. 안주임도 떨어지는 게 있으니까 저러고 가지.
서팀장	도와주지 못할망정 돌은 던지지 말자. 맞는 개구린 아프다.
상수	(뒤에서 듣는 표정...)
이팀장	누가 보면 안주임 엄만 줄. 엄청 챙기시네.
서팀장	유유상종이라고 하지. 나 젊을 때랑 똑같이 생겼잖아. 청순가련형.
이팀장	(콧방귀 뀌며)무기징역형이었지. 똑같은 건 눈코입 개수뿐이구만.
은정/지윤	(킥! 웃음 터지는)
서팀장	(이팀장 째려보며)눈코입 개수 바뀌고 싶지 않으면 말조심하세요. 이팀장님.

상수, 경필과 석현에게 다가온다.

상수	나도 같이 갈게.
경필	너 오늘 약속 있다며.
상수	(표정 있다가)취소됐어. 같이 가.

S#21. 고급 일식집 – 별실(N)

수영, 지점장, 업체 사장, 업체 직원과 마주 보고 앉아 있다.
상에는 회 정식과 술이 담긴 도자기 병 등이 세팅되어 있고.

지점장	앞으로도 저희가 도울 수 있는 건 물심양면으로 서포트 드리겠습니다.
업체사장	이 시국에 혼자서 사업 못 합니다. 좋은 파트너가 있으니 믿고 버티는 거죠.
수영	(자료 꺼내며)뵙기 전에 보고 왔는데, 보름 후에 만기되는 자금이 있으시더라구요. 기일 늦지 않도록 괜찮은 상품 제안드려도 될까요? 최근 VIP분들 대상으로,
업체사장	(OL, 못마땅한 헛기침 하더니 지점장에게)오늘 이렇게 딱딱한 자리였습니까?
지점장	(얼른)아유, 아니죠. 저희 안주임이 이렇게 시도 때도 없이 열정적입니다. 하하.
업체사장	(빈 술잔과 수영을 번갈아 보는. 안 따르니? 하는 시선)
수영	(느꼈지만...꼿꼿하게 버티는데)
지점장	(오가는 시선에 눈치를 보다가, 얼른 술병을 들면서)제가 한 잔 올리겠습니다.
업체사장	(받으며)은행원들이 참 칼 같아. 보면 자기들 원하는 것만 얘기해. 공사 구분 없이. 사가 있어야 공도 있는 건데.
지점장	(하하 웃으며)저는 안 그렇습니다.
업체사장	(수영 보며)싫은 게 얼굴에 이렇게 티가 나면 어쩌나.
수영	(표정)
업체사장	저 친군 아직 한참 멀었네요. 많이 가르치셔야겠습니다.
지점장	(표정)하하. 요즘 친구들이 우리 때랑은 좀 다릅니다.

업체사장	참 힘든 세상이에요. 사회적 정서가 쓸데없이 예민하달까. 별생각 없이 웃고 마시던 옛날이 그립습니다. 안 그렇습니까?
지점장	(분위기 맞추며)그렇죠. 사람들이 요즘 너무 예민하죠.
수영	(표정)
지점장	(업체사장에게)이것도 좀 드셔보시지요. (수영에게)안주임. 쓰키다시 좀 더.
수영	(호출 버튼 누르고. 조용히 숨 참는)

S#22. 시장통 중국집(N)

한적한 식당 안. 상수, 경필, 석현, 메뉴판 보고 있다.

석현	맘껏 시켜라. 오늘 내가 산다.
경필	(메뉴판 들며)오랜만이다.
상수	(메뉴판 들며 심드렁)주식 올랐구나.
석현	(비장하게)니들한테 보고할 게 있다.
경필	(상수더러)요리도 하나 시킬까?
상수	(멍하니 메뉴만 보며)굴짬뽕 개시했네.
석현	(혼자 비장한)나, 결혼한다. 그 여자랑.
경필	(메뉴만 보며)그렇구나.
상수	나는 굴짬, (하다 뒤늦게 헉!)
상수/경필	(동시에 석현 보며)뭐?!
석현	이번 달 말에 상견례다.
경필	사고 쳤냐?
상수	무슨 결혼을, 만난 지 얼마나 됐다고.

경필 사고 쳤네.

석현 그게 아니라. (후...한숨 쉬고)친구들아. 난 인생관이 바뀌었다. 선 결혼 후 연애. 생각해보면 우리의 선조들은 혼인날 처음 만나도 애 숨풍숨풍 낳고 잘 살았잖아. 문제 될 게 없는 상대랑 결혼 먼저 하는 건 역사적으로 검증된 시스템이야.

경필 지금이 뭔 조선시대냐.

석현 조선시대 이혼율이 더 낮아. 출산율은 더 높고.

경필 (헐)

상수 (걱정되는)괜찮겠냐? 후회...안 할 자신 있어?

석현 웃긴 게. 결심하기 전까진 망설였는데. 결정한 순간부터 그렇게 안 되던 마음 정리가 한 방에 싹 되더라. 진짜 웃기지? 후회...뭐 할 수도 있겠지. 오늘 아침에 똥 안 싸고 나온 것도 후회되는 판에...그래도. 난 결정했고.

경필 (보다가 심각하게)...어쨌든. 요리도 하나 시킨다.

석현 시켜라.

상수 (생각에 잠긴)

S#23. 고급 일식집 앞(N)

수영, 지점장, 업체 사장에게 45도 인사를 하고 배웅한다.

수영 (표정 수습하며)저도 들어가 보겠습니다.

지점장 (유하지만 질책인)아까 당돌했던 거 본인도 알죠?

수영 ...그게 제 업무라고 생각했습니다.

지점장 이런 자리에서 안주임 업무는 상대의 기분을 잘 맞춰주는 거에요. 상하게 하는 게 아니라.

수영　　(굳는 표정, 치미는 감정으로 지점장 보면)

지점장　　(그 시선에 다소 찔끔해서)...아무튼 수고했어요 안주임.

수영　　(고개 숙이고 돌아서려는데)

지점장　　저기 안주임.

수영　　(보면)

지점장　　(지갑에서 만 원짜리 두 장 꺼내려다, 오만 원 꺼내고)택시 타고 가요.

수영　　...아닙니다. 버스 다녀서요.

지점장　　내 마음이 불편해서 그래요. 받아요.

수영　　(지지않고 보며)아닙니다. 정말 괜찮습니다.

지점장　　! (부아가 나는, 본색 드러내는 반말)주면 좀 받아. 받아야 내 마음이 편하다니까.

수영　　(그래서 더 받기 싫은. 물끄러미 보고 있으면)

지점장　　(강하게 수영 보며)...받아.

수영　　.....

수영, 지점장 손에 들린 오만 원을 잡는다.

지점장　　(후련한 표정으로 지폐에서 손 떼며)내일 봅시다. (가고)

수영　　(손에 들린 지폐, 고요히 보는데...)

S#24.　　상수의 집(N)

샤워 후, 수건으로 머리를 털며 욕실에서 나오는 상수.

소파에 털썩 앉더니, 핸드폰을 집어든다.

상수 (수영의 연락처를 띄우고, 잠시 고민하다 문자를 작성하는)

S#25. 수영의 집 – 방(N)

도어락 해제 소리가 들리고. 방으로 수영이 들어온다. 무표정한 얼굴의 수영, 가방을 책상 위에 올려두고. 가방 깊숙한 곳에서 뭔가를 꺼내는데...S#23에서 지점장이 기어이 건넨 오만 원 지폐다.

수영 ....

책상 안쪽에서 상자를 꺼내 드는 수영.
보면, 그동안 지점장에게 받은 돈을 모아둔 상자다. 제법 쌓인 지폐들.

지점장E (다른 톤)안주임 덕분에 분위기 좋았어.
/ (다른 톤)아유 상사가 주면 받는 것도 예의예요.
/ (다른 톤)아 얼른 받아? 내 마음이 그래야 편해요.
수영 (표정)

수영, 오늘 받은 지폐를 잠시 보더니 상자 안에 던져둔다. 침대에 앉아 지친 표정으로 핸드폰을 확인하는데...상수에게서 문자가 와있다.
문자 인서트 >'끝났어요? 내일 저녁에 만날까요?'

상수E 끝났어요? 내일 저녁에 만날까요?
수영 (가만히 그 문자를 보고...책상 위의 상자를 보는)

덩그러니 앉아 있는 수영의 처연한 모습 길게 보여지면서.

S#26. 은행 외경(D)

S#27. 은행 객장(D)

수영, 자리에서 일어나려다가 문득 미경을 보는데...
미경, 미소로 은행에 들어오는 상수를 바라보고 있다.

수영 (표정)

상수, 안으로 들어오다가 입구에 서있는 종현과 눈이 마주친다.

종현 (밝게 눈인사하면)
상수 (멈칫, 하다가 가볍게 목례하고, 자기 자리로 들어가는)

자리에 앉아 있는 상수. 그 앞에 영수증을 내려놓는 수영.
상수, 집중하고 있다가 수영의 등장에 흠칫...! 의식하며 몸을 떼는.

수영 어제 지점장님이 사용하신 업무추진비 영수증이요.
상수 (영수증에 찍힌 시간 22시 경이고)...어제 늦게 끝났어요?
수영 조금요.
상수 (뭔가 말하려다)...네, 처리하겠습니다.

/ 지윤, 핸드폰에 뜬 사진 보며 입으로 '대박...' 중얼거린다.
인서트 > 지점장과 지점장 너머로 잘 보이지 않는 여자가 함께 찍힌 사진. 호텔 로비로 보인다.

지윤E　(핸드폰 문자 보내는 모습 위로)우리 지점장님 맞는데. 옆에 여잔 누구였어?

문자 인서트 > '니네 지점장 사모 아닌 건 확실. 더 젊고 예뻤음'

지윤　(헉...! 작게 중얼)어제면...지점장님이랑 수영씨랑 같이 접대 간 날인데....설마...

지윤, 수영을 보며 '진짜 설마...!' 입을 떡 벌린다.
수영, 자리에 앉아 덤덤한 표정으로 업무 중인데.
지점장, 객장으로 나와서 수영 쪽으로 다가온다.

지점장　안주임. 오늘은 성훈건설 사업팀 접대. 같이 가지.

수영　! (또...)

상수　(보다가...안 되겠다. 조심스레)오늘은 제가 가겠습니다.

지점장　안주임 고객인데 안주임이 가야지. 하계장은 주말 라운딩 투입되시고.

상수　(더 나서지 못하고)...네.

수영　(결심 굳힌)지점장님. 상품 설명 원하시면 업무시간에 근무지로 찾아뵙겠습니다.

상수　!

행원들　(순간 싸늘해지는 분위기에 긴장해서 수영에게 시선 집중)

종현　(입구에 서있다가, 걱정되는 눈으로 수영을 보고)

지점장　(당황으로)그래서, 안 가겠다구요?

수영　업무 얘기도 없는 술자리, (똑바로 보며)불편합니다.

지점장　(싸늘히)불편하다고 일을 안 하겠단 얘긴가요? 오늘만 그런다는 것도 아니고 쭉?

수영 제 업무에 접대가 의무라고 보지 않습니다.

상수 (수영 보며, 다행이기도, 지점장 반응이 걱정이기도 한데)

지점장 (행원들 시선 신경 쓰며 가만히 수영 보다가)...그래요. 그럼 나만 가지 뭐.

수영 ! (떨림 감추며)...감사합니다. (하는데)

지점장 그럼 안주임은 오늘 문서고 정리 좀 하지. 저번에 보니까 보존 기간 지난 서류들 뒤죽박죽 섞여있던데. 감사 뜨기 전에 싹 찾아내서 정리하고 월요일에 파쇄작업까지 완료하세요.

수영 ! (울컥해서 지점장 보고)

상수 (이건 아닌데...하는 얼굴로 지점장을 보는)

행원들 (헉...! 서로 마주 보며 놀라고)

미경 (나서는)그럼 저도 같이 하겠습니다. 혼자 하기 힘든 양이에요.

지점장 (미경에게는 온화한)박대리가 그럴 시간이 어딨어요. 하찮은 일에 신경 쓰지 말고 그럴 시간에 위너스 플랜 고객 업데이트하셔야지. 다들 본인 업무에 충실하세요. 안주임 설마 이것도 불편한 건 아니죠?

수영 (반쯤은 오기. 접대를 가느니)...네. 하겠습니다.

미경 (어쩌냐...하는 얼굴로 수영을 보면)

수영 (모멸감 누르고...미경에게 괜찮다고 미소 짓는)

상수 (수영을 걱정스레 보고...)

S#28. 은행 문서고(D)

수영, 머리를 질끈 묶고 서류 더미를 정리하고 있다.

철제 팬트리에 일정한 간격을 두고 쌓여있는 서류 뭉텅이.

종현　　(사복 입은. 조심스레 들어와)내가 도와주면 안 돼요?
수영　　(돌아보면)
종현　　알려만 줘요. 같이 할게요.
수영　　(보다가, 애써 짓는 미소로)가서 공부해요.
종현　　그래도...
수영　　종현씨가 문서고 출입한 거 알면, 지점장이 뭐라고 할 거예요.
종현　　(아...)

S#29.　　은행 갱의실(N)

퇴근 후. 옷을 갈아입고 탈의실에서 나오는 행원들.
마대리, 은정, 지윤. 먼저 나와서 수다 떨고 있다.

마대리　　이게 무슨 안수영의 난이냐고. 그렇게 귀애하시더니 지점장님. 무서운 사람이야.
지윤　　(걱정되는)문서고 정리 원래 2인 1조잖아요. 월요일에 파쇄하라는 건 오늘까지 서류정리 다 하라는 거고. 주말에도 일해야 할 거 같은데. 완전 학대.
은정　　안수영이 좀 독해. 알아서 하겠지 뭐.

옷 갈아입고 나오던 상수, 대화를 듣고 표정이 굳는다.

경필　　(나와서)뭐해. 안 가고.
상수　　어, 어. 잠깐 좀.

S#30.　　은행 문서고(N)

더 엉망이 되어있는 바닥. 이를 악물고 해치우는 수영. 쉬지 않고 분류 작업을 이어간다.

수영　(흐트러진 머리 쓸어 올리고...표정)

그때, 문서고로 들어오는 상수. 수영의 모습을 잠시 보다가, 다가온다.

상수　괜찮아요?
수영　(보면)
상수　(보는데)
수영　...네.
상수　(안타까운)같이 해요.
수영　(상수에게 이런 모습 보이는 게 싫은, 짐짓 태연히) 지점장님 얘기 못 들었어요? 이런 하찮은 일에 신경 쓰지 말고 본인 업무에 충실하라고.
상수　(표정)
수영　(픽 웃고)기계적인 일이잖아요. 괜찮아요 정말.
상수　(머뭇거리다)어제 밤에 문자 보냈는데...
수영　(표정 있다가)피곤해서 잠들었어요.
상수　...기다릴까요?
수영　아뇨. 늦어질 거 같아서요. 가세요, 먼저.
상수　(보다가)...네.

상수, 수영을 잠시 보다가 밖으로 나가고.
수영, 그제야 상수가 나간 쪽을 돌아본다. 힘이 빠진다.

S#31. 은행 일각(N)

상수, 지하철역을 향해 가다 역 앞에 있는 푸드트럭에 시선이 간다.

상수 (보는 표정)

S#32. 은행 앞(N)

앞씬의 푸드트럭 로고가 찍힌 봉투 들고 있는 상수, 후문에 출입 카드를 대려다, 주춤한다. 이 행동이 수영에게 부담을 주는 건 아닐까.

상수 ......

들어가지도 못하고 떠나지도 못한 채 서있는 상수의 모습에서.

S#33. 은행 갱의실(N)

피곤한 기색의 수영, 물 마시러 들어오는데...
수영의 짐가방이 놓인 의자 위 테이블에 도시락이 세팅되어 있다.
가만히 보는 수영. 그때 울리는 문자 알림. 확인하는 모습 위로,

종현E 저녁은 챙겨 먹고 일해요. 파이팅!

수영 (문자와 도시락을 번갈아 본다. 종현이 가져다 놓은 거구나, 싶은...)

수영, 답문을 보내는 모습 위로,

수영E 고마워요. 챙겨 먹을게요.

S#34. 에스테틱 한 – 휴게실(N)

상수, S#33와 같은 음식을 먹고 있다. 핸드크림 바르며 앉는 정임.

정임 싸 올 거면 2인분을 싸 오든가. 1인분 싸 와서 저만 먹구.

상수 다이어트 하신다면서요. 안 드신다면서요.

정임 (큼...)여기 마사지샵이야. 식당 아니구. 왜 여기서 먹냐구. 안 색은 다 죽어서.

상수 (픽)무슨.

정임 (흘겨보다)요새 출입이 잦다.

상수 (물 마시고)그냥. 심심해서.

정임 심심을 왜 해. (은근히 떠보는)은행에 예쁜 아가씨들도 많던, (하다)많을 텐데.

상수 그러는 엄만 데이트 안 하시나.

정임 젊을 때 실컷 해서 그쪽으론 미련 없다. 니 아버지 전에도 죽네 사네 열렬히 했지.

상수 이게 지금 모자가 나누기에 적당한 대화 주제는 아닌 거 같긴 한데.

정임 사실 더 좋아한 상대도 있었구. 그래도 결혼은 니 아빠랑 해지더라. 결혼할 사람은 따로 있다는 말, 진짠가부다...그랬어. 덕분에 너 낳았으니까.

상수 (웃는)

정임 불꽃 튀게 애닳아 죽는 사랑만 다가 아닌 걸 알았지. 불타는 건 언젠간 재가 됐거든. 그냥 흘러가는 대로 마음 가는 대로 그러고 살다 보면 애늙은이 같은 자식새끼도 생기고... 그러는 게 인생이더라. (상수 보더니)맥주 한 캔 줘?

상수 아니. 내일 아침에 라운딩 가요. (정임의 손 보며)연고 좀 챙겨 발라. 손이 그게...

정임 온실 속에 살았으면 내 손도 꽃잎 같았겠지. 남편 그늘 없이 땡볕 맞으며 사느라.

상수 (표정)

S#35. 미경모의 집 – 외경(D)

S#36. 미경모의 집 – 주방(D)

미경, 무표정한 얼굴로 밥을 먹고 있다.

미경모, 미경 숟가락에 일일이 반찬 놓아주며 종알종알 말 걸고 있는.

미경모 콩나물 맛있게 무쳐졌지.

미경 (무심히)엄마가 한 것도 아니잖아. 아주머니가 한 거지.

미경모 간은 내가 봤어. 내가 어디까지 얘기했지? 아아! 그래서 성혜가 지 남편이 숟가락 딱! 던지자마자 식탁 밑으로 요로케 숨다가 디스크가 터졌댄 거야. 걔가 그렇다? 그걸 그렇게 참아주니까 걔네 주방 벽지에 온갖 양념이 콜라보가 돼 있지. (핸드폰 들며)사진 찍어놨는데. 볼래? 완전 웃긴데 뭔가 마티스 그림 같기도 한 게,

미경 (OL)엄마. 말 하자고, 밥 먹자고.

미경모 (삐쭉)지 아빠랑 똑같아가지구.

미경 (표정)

미경모 니 아빠 어쩌나 싶어서 찌개에다 소금을 두 숟가락이나 때려 넣었는데, 그걸 그냥 먹어. 한마디도 없이. 묵언 수행하는 수도승도 니 아빠보단 말 많이 할 거야.

미경 대화할 상대가 없음 엄마도 친구들 만나.

미경모 아까 얘기 뭐 들었어. 다 지 남편이랑 지지고 볶고 바쁘지. 나만 왕따야.

미경 (물 마시며, 체할 거 같은)

미경모 (화색으로)다 먹었어? 그럼 잠깐 와봐.

미경 (표정)

S#37. 미경모의 집 - 드레스룸(D)

화려하게 꾸며진 드레스룸. 미경모, 옷장에서 이것저것 골라 미경에게 건넨다. 미경, 양팔 가득 미경모가 챙겨주는 옷 받고 있는.

미경 그만 사다 날라. 택도 안 뗀 것 봐. 왜 사.

미경모 아빠한테 시위하는 건데. 벌어온 돈 펑펑 쓰기. 근데도 다 못 쓴다. 짜증 나게.

미경 (속상하고 답답하고)그만 줘. 내 스타일 아냐.

미경모 (가방 하나 더 안기며)가져가서 위에 그림 그려. 너 그거 좋아하잖아.

미경 (한숨 삼키는)엄마, 좀...

미경 핸드폰 알림. 보면, 상수에게서 '나 라운딩 가. 결혼식장에서 바로 보자' 문자 와있고.

미경E (문자 작성하는 위로)골프장 어디야? 픽업 갈게. 같이 가.

S#38. 골프장 전경(D)

S#39. 골프장 – 1번 홀 티잉 구역(D)

드라이버 꺼내 들고 티샷 준비하는 미경부. 그 뒤로 상수, 지점장, 서있다. 지점장, 상수에게 턱짓하면, 준비했던 제안서 꺼내 지점장에게 건네는 상수.

지점장 박대표님. 이번에 좋은 부지 하나 찾으셨다고 들었습니다. 매입하시려면 저희와 함께 가셔야죠.

미경부 (골프채 위협적으로 휘두르며)거기 서 계시면 다칩니다.

지점장 (그 와중에 냉큼 한발 물러서며)금융지원에 대한 사명감을 가지고 상생발전에 최선을 다할 것을 약속드립니다.

미경부 (어드레스에만 집중하는)상생, 이라기엔 은행에 더 좋은 일 아닌가. 그러니까 라운딩하자고 불러내서 그러고 계신 거 아닙니까.

지점장 (물러서지 않고)박대표님, 제안서를 일단 읽어보시면,

미경부 (정중히, 그러나 명백한 거절)라운딩하러 왔으면 라운딩만 합시다. 재미없게 그러지 마시고.

지점장 (말문이 막히지만, 다시 입을 떼려는데)

미경부 (지점장 말 막듯 상수에게)골프 좀 치나?

상수 아, 저는.

지점장 (얼른)이 친구로 말씀드릴 거 같으면 저희 영포점 종상팀의

에이스,

미경부 (상수에게)그쪽에 물었는데.

상수 ...네. 골프, 열심히 하고 있습니다. (올곧은 시선으로 미경부 보면)

미경부 (상수 눈빛 빤히 보다)이번 라운딩은 저 친구랑 합시다.

지점장 (당황해서)아니, 하계장은 아직 백돌입니다. 저랑 해도 지는데요.

미경부 육지점장님도 저한테 못 이기시잖습니까.

지점장 (쩝...)

미경부 (상수에게)본인 생각은 어때. 쨉도 안 되면 도망치는 편인가? 내가 핸디 좀 주지.

상수 (잠시 보다)핸디 안 받겠습니다. 대신...만약에 제가 이기면 이 제안서, 검토해주셨으면 좋겠습니다.

지점장 (헉! 저 자식이 어쩌려고!)

미경부 백돌이가 핸디도 없이 나를 이기겠다. (보다가)그럽시다.

상수 (표정)

/미경부, 힘차게 드라이버를 날린다.
경쾌한 소리와 함께 끝도 없이 나아가는 공. 한 번에 그린 주위 페어웨이에 안착하고. 지점장, 사색이 되는데...

상수 (차분하게 티샷을 준비하는)

/상수 차례.
상수 뒤로 서있는 지점장, 체념의 표정이고. 미경부 역시 여유 가득해서 상수를 보고 있다.

상수 (덤덤한 표정으로 드라이버를 잡고 스윙을 하는데...)

경쾌한 소리와 함께 멀리 뻗어 나가는 샷...! 온그린에 성공한다.

미경부 ! (놀라서 보고)
지점장 (입이 떡 벌어지는데)
상수 (차분하게 티를 뽑아 주머니에 넣고)
지점장 (상수의 뒷모습을 보며 중얼)저 자식 그동안 나 봐줬구만.

S#40. 몽타주(D)

컷컷으로 짧게 보여지는 라운딩.
/상수, 다시 멋지게 공을 쳐 내고. 미경부, 제법이네 하는 시선.
/미경부, 벙커샷 치는데 그린 주변에 겨우 올라가고.
/상수, 퍼팅하는데. 홀컵 가까이에 공을 붙인다.
/미경부의 퍼팅 차례, 골프 퍼터를 골라 드는데.

상수 (미경부에게 조심스레)더 오른쪽 보고 치셔야 합니다. 보기보다 경사가 있습니다.
미경부 (잠시 표정, 상수 말대로 오른쪽 방향으로 자세 잡는)

미경부가 친 공, 홀컵에 들어간다. 기분 좋게 웃는 미경부.
지점장, '못하라고 고사를 지내도 모자랄 판에' 못마땅하게 중얼.
상수, 묵묵히 자신의 공 홀컵에 넣는다.

S#41. 골프장 – 마지막 홀 그린(D)

상수, 캐디에게 스코어 표를 받아 미경부에게 전한다.

상수 축하드립니다. 대표님.

지점장 (울상으로)축하드립니다.

미경부 (상수에게)백돌이 맞아?

상수 (정중한)오늘 운이 좋았습니다.

미경부 운은 내가 좋았던 거 같은데. 그쪽 어드바이스 아니었으면 내가 졌을 거고.

상수 아닙니다. 오늘 라운딩 영광이었습니다, 대표님. 많이 배웠습니다.

미경부 (상수를 고쳐 보는)그래요.

S#42. 골프장 입구(D)

편한 복장으로 갈아입은 미경부, 지점장과 슈트로 갈아입은 상수.

지점장 (표정 수습하며)오늘 시간 내주셔서 감사합니다.

상수 (정중히 목례하는데)

미경부 (상수에게 명함 주며)다음에 다시 붙자고. 그때, 제안서도 가져오고.

상수 !

지점장 (헉!)

상수 감사합니다. 대표님.

지점장 (미경부 다른 곳 보는 사이, 상수 툭 치며 작게)패기 있게 나설 줄도 알고. 오늘 잘했어요, 하계장.

상수　　　　...감사합니다.

그때, 골프장 쪽으로 들어오는 미경의 차.
입구에 차를 댄 미경, 운전석에서 내려 상수 일행에게 다가오는.

지점장　　　(하다가 미경부 눈치 보고)박대리가 여기 웬일이에요.
미경　　　　안녕하세요 지점장님. 하계장님과 약속 있어서 픽업 왔어요. 같이 가봐도 될까요?
상수　　　　(미경 태도에 다소 당황)아, 박대리님. (미경부 소개하려)인사드리세요. 이분은,
미경　　　　(미경부에게 차갑게 인사하는)안녕하세요. (지점장에게)은행에서 뵙겠습니다.
미경부　　　(표정)
상수　　　　(당황하는데)
지점장　　　(미경부 눈치 보며 미경에게)어어, 은행에서 봐요. 박대리.
미경　　　　(운전석 쪽으로 가고)
상수　　　　(미경의 당돌함에 벙 찌는데)
미경부　　　(떨떠름히)다음에 봅시다. 하상수 계장.
상수　　　　(꾸벅 인사하고)

S#43.　　미경의 차 안 + 도로(D)

미경, 운전 중이고. 조수석에 앉은 상수, 조금 굳은 얼굴로.

상수　　　　너 아까 왜 그랬어. 우리 지점에 중요한 고객님인데.
미경　　　　집에서도 제대로 안 하는 인사. 나와서 굳이 해야 하나.

상수 (의아해서 보며)뭐?

미경 아까 그 고객이 우리 아빠라고. (말 돌리는)배고프다. 가서 바로 밥 먹자.

상수 (황당하면서도 미경에게도 뭔가 있구나 싶은...)

S#44. 은행 문서고(D)

유니폼 입은 수영. 쌓아둔 서류 속에서 분류작업에 열중하고 있다.
좀처럼 줄지 않는 양에 급해진 손길, 그러다 종이에 손을 베이는데.
그때. 수영의 핸드폰 울리고. 보면, 액정에 뜬 이름...엄마다.

수영 (받지 않고. 덤덤히 손가락 지혈하는 표정...)

S#45. 결혼식장 – 신부대기실 앞(D)

신부대기실 안으로 들어가는 미경, 신부에게 다가가는 모습 보이고.
입구에 서있는 신랑과 반갑게 인사 나누는 상수.
문득 고개를 돌려 신부대기실을 보는 상수의 시선에서....
인서트 > 웨딩드레스를 입은 신부의 뒷모습.
부케를 든 손, 웨딩드레스 자락, 손에 끼워진 반지 등 컷컷으로.
베일에 가려진 신부의 옆모습이 수영처럼 보이고.

상수 (표정)

동창1 (다가와서 상수 툭 치며)왜. 너도 결혼하고 싶냐?

상수 ...들어가자.

S#46. 결혼식장 – 식당(D)

피로연 장소. 미경, 대학 동창들이 모여있는 테이블에 앉아 있다.

친구1 (스테이크 썰며)한 명은 박사학위 따느라 모아둔 돈도 없고, 한 명은 평생 알바 한 번 안 해봤구. 얘네 먹고는 살겠냐구. 걱정이다. (와인 마시는)

미경 ...좋은 날에 초대받고 왜 그런 말을 해.

친구1 걱정돼서 그렇지. 걱정돼서. 결혼이 플러스가 돼야 하는데, 마이너스가 되잖아.

미경 플러스가 될지 마이너스가 될지, 본인들 아니면 모르는 거 아닌가? 행복의 기준은 다 다른 거고.

친구1 절대적 기준이란 게 있잖아. 절대적 기준.

미경 (환멸 참는)축하하러 왔으면 축하만 해. 무례하게 굴지 말고. 우리도 뒤에서 니 얘기 안 해. 조건 열심히 따지는 니 기준, 존중하니까.

친구1 (이씨...열 받는 얼굴로 와인 원샷하는)

미경 (상수에게 손 흔들고)선배. 여기 앉아요.

상수 (미경 곁에 앉는)

/ 와인잔에 콸콸 따라지는 와인. 보면, 친구1 꽤 취한 모습으로 와인 따라 마시고. 상수와 미경, 간간이 이야기 나누며 미소 짓기도 하는데.

친구1 (상수 물끄러미 보다)선배. 미경이 은행에서도 그래요?

미경 (또 왜 저래...)

상수 뭐가?

친구1 지만 잘난 척하는 거요. 타고난 부모덕 안 보는 척, 앙큼 떠는 거.

미경 (표정)

친구2 (친구1에게)취했어. 왜 싸우자 투야. 얜 그래도 전액 장학금 받고 대학 다녔어.

친구1 (콧방귀 끼며)넌 장학금 받고 다닌 거 되게 자랑스럽게 여기는데. 다 가져놓고 그거까지 뺏은 거야. 너.

미경 (무슨 소린가 싶어 보면)

친구1 너한테 밀려 전액 장학금 놓친 애가 알바 세 탕 뛴 건 알아? 니가 만약 걔처럼 알바하면서 생활비 벌어야 했으면, 그래도 장학금 탔을까?

미경 !

친구1 니가 공부에만 집중할 수 있었던 것도, 결국 알바 따위 할 필요 없었던 니 집안 재력 덕분이라고. 그 가방, 그 옷, 은행 다니는 월급쟁이가 살 수 있는 거 아니잖아. 니가 니 아버지 없음 뭘 할 수 있었는데.

미경 ! (무릎 위에 놓인 냅킨을 꽉 쥐는...)

친구1 그니까 우리랑 다른 척 그만해. 너 그거 완전 위선이고 가식이야.

친구2 (미경에게)얘 취해서 그래. 너 괜찮지?

미경 (표정 수습하며)나 화장실 좀.

미경, 자리 뜨고.

친구1 (와인 마시고)선배도 고생이겠다. 남들 덕 다 보면서 지가 잘난 줄 알아 저러고.

상수 ...니가 뭘 말하는진 알겠는데. 열심히 잘하고 있어, 미경이.

친구1 (표정)

상수 나중에 미경이한테 제대로 사과하는 게 좋겠다. 먼저 일어날게.

상수, 미경의 옷과 가방 챙겨 들고 자리에서 일어난다.

S#47. 결혼식장 앞(N)

미경, 착잡한 표정으로 밖에 서있는데...
다가온 상수, 옷과 가방을 내민다.

미경 나 들켰지.

상수 (보면)

미경 아까. 나 도망가는 거.

상수 ...무슨.

미경 우리끼리 뒤풀이할까? 나 술 한잔 사주라 선배.

상수 (보다가)그래. 가자.

S#48. 포장마차(N)

상수와 미경, 소주 몇 병에 소박한 안주를 두고 대화 중이다.

미경 (꽤 취한)선배. 학교 다닐 때 내가 제일 좋아했던 게 뭐게. 달리기.

상수 (가만히 들어주는)

미경 명확하니까. 그것마저도 부모덕이라고 말하는 애들은 없었거든.

상수　(무슨 말인지 알 거 같고...)

미경　인정받고 싶었어. 우리 엄마아빠 딸로 안 태어났어도, 지금 이 모습으로 살고 있을 거다. 영포점 PB팀 박미경으로. 그렇게 생각했는데.

상수　(묵묵히 술잔 채워주는)

미경　(다시 한 잔...)나도 열심히 사는데. 나도 지들처럼 얼마나 노력하는데. 선배한테 배부른 소리처럼 들릴까 봐 지금도 걱정한다. 나.

상수　...그렇게 생각 안 해. 사람들은 다...각자의 불행과 상처를 안고 사니까. 섣불리 판단하는 것도 섣불리 위로하는 것도 못하겠어 그래서.

미경　(표정 있다가)...근데 이상하다. 되게 위로되네. 그 말이.

상수　(씁쓸한)

S#49.　은행 앞(N)

지칠 대로 지친 표정의 수영, 은행에서 나온다.

밴드 붙인 손가락을 잠시 보다 다시 걷는데...울리는 문자 알림.

문자 인서트>'가게 빼고 내려갈게. 미안하다 수영아.'

엄마E　가게 빼고 내려갈게. 미안하다 수영아.

수영　(표정)

S#50. 인재네 식당 앞 + 시장 일각(N)

수영, '개인 사정으로 휴업합니다' 종이 물끄러미 보고 있다.
답답한 마음으로 돌아서다가, 뭔가를 발견하고 자리에 멈춰 선다.
보면, 인재네 식당 근처에 위치한 부동산이다.

S#51. 시장 내 부동산(N)

TV를 보며 발톱을 깎고 있던 부동산주인.

수영E	실례합니다.
부동산주인	(얼른 자세 고치며)어서오세요. 구하실라구, 내노실라구?
수영	시장에 새로 생긴 굴국밥집이요.

S#52. 낡은 주택가 전경(N)

언덕에 자리한 주택가. 좁은 골목길을 따라 옹기종기 모여있는 주택. 담장 너머로 깨진 장독대 뚜껑에 심어둔 꽃, 쌓아둔 폐지 등 생활감이 느껴지는 풍경들 보이고. 수영, 손에 주소가 적힌 쪽지를 들고 가파른 길을 올라가고 있는 위로,

부동산E	그 시장통 아니면 안 된다고 안 된다고 하더니만, 이젠 또 가게를 빼달라고 빼달라고. 위약금 내도 상관없다고 도망치는 사람들마냥 그르대. 쩌 윗동네 살어요.
수영	.....

S#53. 인재의 집 앞(N)

언덕의 끝에 위치한 집 앞. 칠이 다 벗겨진 철문 앞에 선 수영. 쪽지에 적힌 주소와, 대문 팻말의 주소를 대조한다. 이곳이다. 수영, 철문 틈으로 보이는 오래된 집을 가만히 본다. 깨진 유리 위에 초록색 테이프가 붙여진 문, 빨랫줄에 방치된 빨래, 무성하게 자란 잡초...

수영 (차마 들어가지 못하고, 가만히 서있는)

수영, 돌아서서 가는데...안에서 나오던 경숙, 수영의 뒷모습을 발견한다.

경숙 (표정)

S#54. 미경의 집 앞 + 미경의 차 안(N)

부촌의 느낌이 확연히 나는 주택가.
미경의 아파트 일각 언덕길에 주차되는 미경의 SUV.

/차 안.
조수석에서 잠든 미경. 상수, 미경을 가만히 보다가, 차에서 내린다.

/차 밖.
차에서 내린 상수, 미경이 깨는 걸 기다릴 참이다. 가만히 주변을 둘러보는데...웅장하게 느껴지는 아파트의 문주, 한강이 내려다보이는 야경.
상수, 조용히 그 광경을 내려다보고 서있다. 그 모습 오래 보여지면서.

S#55. 동. 시간경과(N)

아...하는 신음소리를 내며 일어나는 미경. 몸을 일으켜서 잠시 상황을 파악하는데...미경의 시선으로 언덕길을 올라오는 상수가 보인다.

미경 ?

차에서 내리는 미경. 상수, 미경을 발견하고 다가온다.

미경 어디 갔다와?

상수 (손에 든 봉지 내밀며)숙취해소제.

미경 (아...)미안 선배. 나 많이 잤지.

상수 됐어, 인마. 나 이제 간다. 내일 보자.

미경 (웃고)

돌아서서 걷는 상수. 그 모습을 깊은 시선으로 바라보는 미경.

S#56. 은행 객장(D)

영업 준비 중인 객장. 마대리, 끙끙 소리 내며 자리에 엉거주춤 앉는다.

마대리 아이고, 어머니이. 불효자는 근육통으로 먼저 갑니다.

은정 (마대리 책상에 파스 툭! 던지며)여기가 은행이지 병원이에요? 시끄러 진짜.

마대리 (파스 보고 감동받아)나 주려고 사온 거?

은정 미쳤어요? 갱의실에 굴러다니길래 주는 거예요. 그러게 평소에 운동을 좀 하지. 무슨 조깅 한 번 했다고 낑낑대고. 근육이라곤 팔약근 말고 없나 봐요.

마대리 왜 이러셔. 내가 속근육이 얼마나 탄탄한데.

은정 퍽이나요.

상수, 자리에 앉아 서류와 명세표 대조하며 있는데 그 앞으로 커피잔 놓는 손...미경이다.

상수 속은 괜찮냐?

미경 누가 챙겨준 약 덕분에?

상수 (픽 웃고)회의 가야지.

미경 (수영 빈자리 보며)수영씬 또 문서고인가. 괜찮으려나.

상수 (표정. 수영이 걱정되는)

/ 은정, 지윤을 툭툭 치며 핸드폰을 들이민다.

인서트>'잠실점 윤주임'에게서 온 메시지.

지점장과 긴 생머리 여자의 뒷모습이 찍힌 사진.

그 아래로 메시지 '이거 니네 지점장이랑 안수영 아냐?'

은정 지점장님 목격담. 잠실에 있는 냉면맛집에서 어떤 여자랑 팔짱 끼고 있었대. 근데 안수영 아니냐고. 어때 보여?

지윤 (표정)사실....(S#27의 핸드폰 사진 보여주면)저도 이 사진 받았는데.

은정 (보더니)헐 대박. 이 사진도 묘하게 수영씨 같은데. 둘이 진짜 뭐 있는 거 아냐?

지윤 근데 이상하잖아요. 그런 사이면 지점장님이 왜 괴롭히는 거예요?

은정 (갸웃)사랑, 싸움...?

S#57. 은행 문서고(D)

파쇄 문서가 담긴 여러 개의 포대 쌓여있고. 수영, 포대 하나에 파쇄할 서류들을 넣고 있다. 상수, 문서고 안으로 들어와서 그 모습 잠시 보는데...마음이 좋지 않다.

상수 (수영에게 다가와서)보안트럭 왔어요?

수영 네.

상수 같이 옮겨요.

수영 회의시간이잖아요. 가세요.

상수 (표정 있다가, 떨어지지 않는 걸음 떼는데)

수영 (서류에 손을 베이는)아...!

상수 (얼른 다가와서)다쳤어요?

수영 (설핏 웃으며)괜찮아요. (하는데, S#44에서 베인 손가락에 이미 밴드 감겨있고)

상수 (손가락 본, 울컥하는)뭐가 괜찮아요. 다쳤잖아요. 그러게 왜! (하다 감정 삭이는)

수영 (보면)

상수 안 괜찮은데 왜 괜찮다고. 적어도 나한테는 도와달라고 할 수, (이것도 아니고 답답함에 말문 막히고 열은 한숨. 쌓인 서류들 보며, 속상하기도 답답하기도)다른 방법도 있었잖아요. 이렇게 힘든 상황 아니었어도, 다른 방법이,

수영 (OL, 자조 섞인 초연함)뭔데요 그 방법이? 하계장님한텐 지금 내가 답답해 보일지 모르겠지만 난 내 식대로 싸우고 있

는 거예요. 여기서 나란 사람의 입장은 이런 거니까. 알잖아요, 하계장님도.

상수 (표정)

수영 (마음이 닫히는 기분)...재밌네요. 하계장님한텐 이게 선택의 문제로 보인다는 게.

상수 (아...! 실수했다 싶고...말문 막히는데)

수영 난 이 은행에 들어와서 한 번도 힘들지 않은 적이 없었어요.

상수 (표정)

수영 그러니까 신경 쓰지 마시고 회의 가세요. (돌아서서 다시 서류작업 이어가는데)

상수 (표정)

S#58. 은행 회의실(D)

지점장만 서있고. 수영을 제외한 모든 행원들이 자리에 앉아 있다.

지점장 하계장, 자리에서 일어나지.

상수 (일어나면)

지점장 우리의 하계장 덕분에, 우리 영포점이 대성건설과 파트너가 될 기회를 얻었습니다. 이렇게 애사심 투철한 인재가 있기 때문에, 누군가는 불편 운운하며 업무를 회피하는 상황에도, 우리가 앞으로 나아갈 수 있는 겁니다.

상수 (표정)

행원들 (불편하고)

지점장 안주임이 파쇄업무 중이라 예금팀 인원 비니까, 총무팀에서 팔로하고. 행여나, 안주임 돕겠다고 자리 비우지들 마세요.

그거, 본인 업무 태만으로 보일 수 있어요.

상수 .....

지점장, 부지점장, 각자의 서류를 들고 회의실 밖으로 나간다.

마대리 저거...안주임 도와주면 우리한테도 불똥 떨어진단 얘기죠?

미경 너무 대놓고 괴롭히는 거 아니에요? 이건 진짜 아닌 거 같아.

상수 (표정)

S#59. 은행 복도(D)

수영, 급하게 회의실 쪽으로 향하는데,
반대편에서 걸어오는 지점장을 발견한다.

지점장 (수영 보고 다가오며)어딜 그렇게 급하게 갑니까.

수영 (보면)

지점장 (회의실 돌아보고. 표정 있다가)회의 끝났는데. 안주임 없어도 아무 지장 없으니까, 안주임은 가서 안주임 할 일 해요. (수영을 휙 지나치고)

수영 (모멸감 솟지만, 주먹 꾹 쥐고 참는)

잠시 서있던 수영, 문 열린 회의실 앞에 다가가다, 멈칫. 선다.

마대리E 사실 안주임이 독한 거죠.

수영 (표정)

S#60. 은행 회의실 + 회의실 앞 교차(D)

마대리 (이어서)잘못했다, 다신 안 그러겠다, 그럼 또 지점장님이 안 받아줄 분도 아니고.

서팀장 받아주면. 또 접대 자리 가야 하고?

이팀장 그게 뭐. 접대 자리는 나도 가요.

서팀장 여기서, 안수영보다 그런 자리 많이 간 사람 있어?

이팀장 적당히 비위 맞추면서 사는 거지. 내가 아무리 욜로홀로거려도 나도 참고 살아. 안주임이 빽이 있는 것도 아니고 어디서 주임이 지점장한테 개겨 개기길.

서팀장 (말하기 싫다...이팀장 노려보면)

이팀장 뭐야. 다들 속으론 안수영이가 오바했다 생각하잖아. 아냐?

/회의실 앞.

수영, 회의실에서 들려 오는 대화를 듣고 서있다.

감정의 동요가 느껴지지 않는 표정이다.

수영 (듣고 있다가, 돌아서는데)

미경E ...하계장님은 어떻게 생각하세요?

수영 ! (그 말에 걸음 다시 멈추며, 회의실 쪽으로 고개 돌리는)

/회의실 안. 모두의 시선이 상수에게 집중되어 있다.

상수 ...안주임님이 선택한 일이니까요.

/회의실 밖.

수영 (들었다...덤덤한 표정으로 회의실 앞을 지나가는)

/회의실 안.

미경 (상수의 대답이 의외고)

상수 (애써 덤덤하려는)섣불리 나서면 안주임님이 더 곤란해질 수도 있습니다.

S#61. 은행 야외주차장(D)

'보안'이라고 래핑된 보안 파쇄 트럭. 후문 입구에 주차되어 있다. 트럭 앞으로 파쇄서류가 담긴 포대를 끌고 오는 수영, 이미 옮겨둔 포대 사이로 가져다 놓는다.

수영 (흐트러진 머리 쓸어넘기며 이를 악무는)

S#62. 은행 복도(D)

상수, 수첩에 적힌 메모를 보며 전화를 걸고 있다.

상수 (상대가 받자)네, 안녕하세요. 다른 게 아니라요. (하는데)

상수의 시선으로 화장실로 들어가는 수영의 모습이 보인다.

상수 (통화하면서도 수영에게서 시선을 떼지 않는)네.

S#63. 은행 화장실(D)

수영, 손을 씻다가 손가락에 붙은 밴드가 걸리적거리는지 떼어낸다.

빨갛게 부어오른 손가락.

수영 ......

후...감정을 참아내며 벽에 기대어 서있는 수영의 모습에서.

S#64. 은행 야외주차장(D)

상수, 포대를 나르고 있다. 이미 옮겨둔 포대 사이로, 짊어지고 온 포대를 내려놓고. 묵묵히 짐을 옮기는 상수의 모습 보여지고...
다시 포대를 들고 와 내려놓는 상수. 목덜미가 땀으로 흥건하다.
안으로 들어가려는데, 밖으로 나오던 종현과 마주친다.

종현 저도 돕겠습니다.
상수 거의 다 했어요.
종현 그럼 남은 건 제가 옮길게요.
상수 (보다가)...네, 그럼.

/수영, 빨갛게 부어오른 손가락 쓸며 나오는데.
수영의 시선으로 포대 옮기는 종현이 보인다.

수영 (다가가서)종현씨.
종현 안에 거 다 옮겼어요.
수영 종현씨가 왜요. 지점장이 보면 뭐라 할 텐데.
종현 어차피 저한테까진 관심 없어요.
그리고 뭐라 하면, 듣죠, 뭐. 수영씨 돕는 일인데.

수영 (표정)

종현 (수영 손가락 보고)괜찮아요? 손가락.

수영 별거 아니에요. (종현 너머로 포대 보이고)도와줘서 고마워요. 혼자 힘들었겠다.

종현 아, 저거 거의 하계, (장님이...라고 하는 말 묻히며)

파쇄직원E (OL)파쇄 시작하겠습니다!

수영 (종현 너머 보며 대답하는)네, 갈게요! (종현에게)가봐야 해요. 이따 봐요. (가고)

종현 (표정)

/수영, 초연한 얼굴로 파쇄기에 빨려 들어가는 서류들 바라본다.

S#65. 은행 일각(N)

무표정한 수영, 걷고 있다. 걸음이 점점 느려지더니...멈춘다. 걸을 기운도 없는 듯. 위로가 필요하지만, 누구에게도 기대지 않고 살아온 삶. 조용히 감내하고 있는데...수영의 핸드폰이 울리고. 보면, 액정에 뜨는 사람, 엄마다.

수영 (보는 표정...)

S#66. 인재의 집 일각 공터(N)

도심의 야경이 멀리 느껴지는 언덕의 벤치에 앉아 있는 경숙.
수영, 경숙의 곁에 가서 앉는다.

경숙 (힘없는 미소로)왔어.

수영 (묵묵히 있는데...)

경숙 (눈치 보다가)얼굴이 왜 이렇게 까칠해.

수영 엄마.

경숙 (보면)

수영 강요하지마.

경숙 (표정)

수영 엄마는 용서했으니까 나도 용서하라고...
강요하고 있잖아, 지금.

경숙 (망설이다가)...그런 거 아니야 수영아.

수영 그때. 아빠가, 그 사람이 우리 버리고 그렇게 떠났을 때. 엄마가 식당일에 보험까지 팔면서 그렇게 살 때. 나 엄마가 집에 들어오면 엄마 발부터 봤어. 오늘도 피로 물들어있는 거 아닌가. 매일매일 마음 졸이면서.

경숙 !

수영 ...수혁이 죽은 날. 수혁이 핸드폰을 주웠다는 사람을 만나러 갔었어.

S#67. 어떤 주택 앞(N) – 회상

앞이 안 보일 정도의 폭우가 쏟아지고 있다. 고등학교 교복(앞자락에 피가 묻은)을 입고 있는 수영, 누군가와 통화하며 두리번거리는데...맞은편에서 행인이 수영을 향해 손을 들어 보인다. 행인, 수영에게 수혁의 핸드폰을 내밀고. 수영, 고맙다는 인사를 할 여유도 없이 멍하다. 행인에게 받은 핸드폰 액정을 터치하면, 1부 S#29의 수혁과 수영의 웃는 사진이 떠있고.

수영　　(수혁의 미소를 보고 먹먹한)...여긴 왜 왔었어 수혁아.

수영, 울음을 꾸역꾸역 참아내며 망연한 표정으로 비를 맞고 서있는데...수영이 서있는 바로 앞 주택의 현관문이 열리더니, 안에서 누군가가 밖으로 나온다. 우산을 펼쳐 들고 담배를 꺼내무는 사람....인재다. 인재를 발견하고 눈이 커지는 수영, 이게 무슨 상황인지 이해가 잘되지 않는데...그때 집에서 나온 중년여자, 인재를 향해 뭐라 말하고. 미소로 고개 끄덕이는 인재. 내연관계처럼 보인다.

수영　　(설마...싶다가 서서히 감이 잡히는...분노로 일그러지고)

들어가려던 인재, 수영을 발견하고 헉! 경악하는.
놀라서 수영에게 다가오는데.

수영　　(부들부들 떨리는)아빠가 왜 여깄어? 저 아줌만 누구야? 몇 달 동안 연락도 안 되더니 왜 여기서.
인재　　(말문 막힌 얼굴로 수영을 보는)
수영　　(분노에 차서)수혁이도 봤어?
인재　　(당황하는 표정)
수영　　수혁이가...이 동네에 온 게...아빠 때문이었어?

쏟아지는 빗속에서 서로를 쳐다보고 있는 수영과 인재.
정적을 깨듯, 수영의 주머니에서 또 다른 핸드폰이 요란하게 울리고.
수영, 귓가에 핸드폰을 갖다 대는데...

의사E　　안수혁씨 보호자분 되시죠. 환자분, 방금 사망하셨습니다.

수영 !

S#68. 인재의 집 일각 공터(N)

수영 ...우리가 왜 이렇게 됐을까, 생각하고 생각했는데...아무리 생각해도 우린 잘못한 게 없었어. 그래서 그 사람 용서한 엄마도, 난...이해 못 해.

경숙 ...수영아. 니 아버지, (말 고르다)좋은, 사람이야.

수영 (기가 막히는)

경숙 (자조적인)자식 잃은 슬픔은...니 아버지랑 나밖에 모르잖아. 살다 보면...다 아무것도 아니게 돼. 아빠...미워하지마. 다...엄마 잘못이야.

수영 (울컥)뭐가 엄마 잘못인데. 왜 맨날 죄인처럼 그렇게.

경숙 (머뭇거리다)자식 먼저 보낸 부모는 평생 죄인이다. 엄마... 그렇게 속죄하고 살게. 그니까 넌...아무도 미워하지마.

수영 ...가게 그냥 해.

경숙, 수영의 손을 가만히 잡는데...그 손 위로 투둑, 빗방울이 떨어진다.

경숙 잠깐 있어. 우산 갖다 줄게.

수영 .....

경숙, 급한 걸음으로 걷는데, 다리를 절면서 간다.
처음 보는 경숙의 걸음걸이.

수영 (표정이 굳는데...!)

수영, 멍하게 있다 정신이 든 듯 급하게 경숙을 따라가고.

수영　　(경숙 막아서며)뭐야 엄마. 왜 그러고 걸어?
경숙　　(아...)
수영　　왜 이러는데. 언제부터 이런 건데.
경숙　　(미소로)괜찮아. 익숙해져서 별로 안 불편해. 아프지도 않고. 아무렇지도 않아.
수영　　뭐가 아무렇지도 않아. 왜 그러고 걷냐니까. 엄만 도대체 왜! (감정 터지는)나 보란 듯이 불행하게 사는 거 안 하면 안 돼? 제발 좀...이렇게 안 살면 안 돼?
경숙　　(미어지는)수영아.
수영　　(눈물 감추듯 매몰차게 돌아서서 간다)
경숙　　(기어이 흐르는 눈물. 딸의 뒷모습을 멀거니 바라보고)

S#69.　　도로 + 버스 안(N)

창밖으로 폭우가 쏟아지고 있다. 창밖을 보며 멍한 수영의 모습 위로,

수영N　　**이런 거다.**

플래시백 인서트 >1부 S#71. 거리 일각(N)

상수　　좋아해요. 좋아한다고요.
수영　　근데 어쩌죠? 나 종현씨랑 사귀는 거 맞는데.

수영N　　**괜한 오기를 부리게 하고.**

플래시백 인서트 >4부 S#65. 연수원 일각(N)

수영을 강하게 끌어안는 상수. 동요하는 수영의 표정.

수영N **흔들렸으면서도.**

플래시백 인서트 >5부 S#11. 연수원 일각(N)

상수 만약 그날 호텔에서, 내가 약속을 지켰었다면....
나랑 만났습니까?

수영 (대답 못 하는 표정 위로)

수영N **끝내 솔직하지 못했던 이유.**

S#70. 버스정류장 + 거리 일각(N)

버스에서 내리는 수영. 정류장에 서서 세차게 쏟아지는 비를 올려본다.
플래시백 >4부 S#7. 망설이는 상수를 물끄러미 보고 있는 수영.

수영N **그 남자의 망설임을 나조차 이해해버렸으니까.**

쏟아지는 빗속을 처연하게 걸어가는 수영의 위로,

수영N **감정에 솔직할 수 있는 권리가 나한테 없다는 거. 발버둥 쳐봤자 내가 가진 처지라는 게...고작 이 정도라는 거.**

빗속을 걷는 수영, 아무런 표정이 없이, 덤덤해 보인다. 그런 수영의 앞을 막아서는 사람...우산을 씌워주며 싱그럽게 미소 짓는 종현이고.

수영N **그런데도.**

종현 비 맞으면 감기 걸려요. (미소로 보다가, 심상치 않은 표정에)...무슨 일 있어요?

수영N **(종현 보는 위로)이 남자는.**

종현 ! (일순 놀라는, 우산을 씌우자 보이는 수영의 얼굴에...)

수영 (주륵, 굵은 눈물이 흐른다...조용히 울고 있었던...)

종현 (잠시 보다 얼른 우산 치우고)

수영 (가만히 보면)

종현 (배려를 감추려는 횡설수설)아. 날씨가 너무 좋아서요. 제가 제일 좋아하는 날씨.

수영 (종현의 의도 알겠고...)

종현 사실 우리 동네는 비올 때 제일 예쁘거든요.

수영 (고마운 눈으로 보면)

종현 (깊은 눈으로 마주 보다)안주임님. 우리 뛸까요?

수영 ...네?

종현 (씩 웃는)뛰어요. 네? (조심스레 수영의 손목을 잡아 끄는)

수영 (종현에게 끌려가는데)

비에 젖은 골목길. 가로등 빛이 예쁘게 번져오는 골목을 함께 뛰는 두 사람. 처음엔 마지못해 뛰던 수영도, 점점 빠르게 뛰며 표정이 풀어진다. 나란히 뛰는 두 사람의 모습 예쁘게 그려지면서.

S#71. 편의점 앞(N)

편의점 밖 천막 아래에 서있는 수영.

종현, 안에서 일회용 수건을 사서 나온다.

종현　(수영에게 건네는)

수영　(수건 받아서 물기 털어내는데)

종현　그리고 이것도요. (밴드 상자에서, 밴드 꺼내더니...수영의 손가락에 붙여주려는)

수영　(그 모습 보다가)...왜 이렇게 잘해줘요.

종현　(툭 진심)에이, 그거 모르면 진짜 바보다.

수영　(모르지 않는다. 지긋이 종현을 보는 시선)

플래시백 > 3부 S#5. 종현, '저 안주임님 좋아해요.'
/3부 S#58. 종현, '진짜 멋있는 사람이에요.'
/4부 S#58. 종현, '5년 후의 안주임님은 더 근사해질 거예요.'
/편의점에서, 옥상에서, 도서관에서, 수영을 보며 환하게 웃어 주었던 종현 컷컷으로.

수영　...왜 자꾸 나한테...위로가 되는데요.

종현　! (동요 일다가, 말 돌리듯)다 됐다! (봉투 건네며)이따 또 갈아줘야 해요. 연고도 꼭 바르구. (씩 웃고 떨림 감추며)동네친구 말고 남자친구 되고 싶어서 노력하는 중이에요.

수영　(물끄러미 보면)

종현　(그 시선에 살짝 당황...)

수영　(전에 없던 시선으로 깊게 보는데)

종현　...아, 제 말은요.

수영　(OL)해요.

종현　(의아해서 보면)

수영　(되돌릴 수 없는 순간, 결연히)남자친구.

종현　(헉!)

수영　　해요, 그거.

종현　　! (벙 찌는)

수영　　(그 표정에 픽 하고 터지는 미소)

종현　　(점점 밝아지는 표정)와...! 와...(믿기지 않는)

수영　　(조금 쑥스러운. 밴드 붙인 손 보며)꽁꽁 싸놨네.

종현　　와! (수영 손 덥석)정말이죠! 진짜죠!

수영　　(옅은 미소)네, 진짜요.

종현, 신나서 웃다가 와...! 만세 하며 빗속으로 들어간다. 만세 포즈로 손을 들어 올렸다가, 강아지처럼 좋아 뛰는 종현, 환하게 웃는다. 수영, 그 모습 바라보면서 조용히 미소 짓는다. 이렇게 시작되는 것도 사랑이겠지 싶은...두 사람의 모습 길게 보여지면서.

S#72.　　은행 일각(D)

또각또각, 검은색 하이힐을 신은 누군가. 은행을 향해 다가가고 있다.

S#73.　　은행 객장(D)

행원들, 자리에 앉아 각자 업무 중이고.
종현, 입구에 서있다 문을 열어주는데.

감사직원　　(종현을 날카롭게 바라보고)고맙습니다.

종현　　(기세에 눌려)아닙니다.

감사직원의 시선으로 보이는 행원들. 상수, 미경, 은정, 지윤을 지나, 무표정한 얼굴을 하고 있는 수영에게 시선이 멎는다. 업무 중이던 행원들의 시선이 하나둘 객장 한가운데에 서있는 감사직원에게 향하는데...

감사직원　본점 감사실에서 나왔습니다.
행원들　! (놀라는데)
수영　(덤덤히 감사직원을 보는)
부지점장　(긴장으로 나오며)무슨 일로, 오셨습니까?

/감사직원을 회의실로 안내하는 부지점장.
멀어지는 감사직원을 눈으로 바라보며 지윤에게 다가오는 은정.

은정　그거 아냐?
지윤　뭐요?
은정　(속닥)지점장님 불륜.
지윤　사생활로도 감사가 나와요?
은정　불륜 상대가 은행 안에 있다면...얘기가 다르지.
지윤　(손으로 입을 가리며)대박...

술렁이는 행원들. 상수와 수영만 묵묵히 본인 업무를 하고 있는데...

부지점장　(회의실에서 나와서)마두식 대리, 배은정 계장. 차례로 회의실로 들어가지.
은정　(당황)저요?
마대리　저, 지은 죄라고는 싸바싸바 좀 한 거뿐인데요.
부지점장　두 사람이 인터뷰 대상자야.

의아해서 서로를 마주 보는 마대리와 은정.

S#74. 은행 회의실(D)

감사직원이 마대리와 은정을 인터뷰하는 모습이 교차로 이어진다.
회의실로 들어와 긴장된 표정으로 감사직원 앞에 앉는 마대리.

마대리 절, 찾으셨다고...
감사직원 지금부터 저와 나누는 모든 대화는 비밀이 보장됩니다.

/화면 바뀌면, 감사직원 앞에 은정이 앉아 있고.

은정 ...제가 무슨 말씀을 드려야 할까요...?

/감사직원의 설명, 무음 처리되고.
설명을 듣는 마대리, 은정의 표정 차례로 보여진다.

S#75. 은행 객장(D)

상수, 자기 자리에서 조용히 업무 중이고. 마대리, 은정, 행원들에게 속닥거리며 뭔가 얘기하는 중이다. 문서고 쪽에서 서류 들고나오는 수영, 자신의 자리를 향해 가는데. 서팀장, 이팀장, 부지점장, 지윤 등 모두의 표정이 심각해지며 수영의 눈치를 살핀다. 그때. 무서운 기세로 은행 문을 열고 들어오는 사람, 얼굴이 시뻘겋게 상기된 지점장이다. 지점장의 등장에 행원들 모두 헉...! 하고 숨을 멈추는데. 지점장, 전에 본 적 없는 무서운 얼굴로 수영을 향해 저벅저벅 걸어가고...!

지점장 (은행이 떠나가라 소리치는)안수여영!!!

행원들 (헉! 놀라고)

상수 ! (놀라서 보는)

수영 ! (떨리는 손, 주먹 꾹 쥐고 버티고)

지점장 (행원들 제치며 수영 쪽으로 거침없이 다가오며)너! 너어! 너어어어! (하는데)

모두의 시선이 수영에게 집중되고. 수영을 한 대 때리기라도 할 듯 무섭게 수영에게 다가가는 지점장. 입구에 서있던 종현, 저도 모르게 객장 쪽으로 한 발 다가가고. 지점장이 수영의 바로 앞까지 쳐들어가는데...!
본능처럼 수영과 지점장 사이에 끼어들어 수영을 보호하듯 서는 상수.
자신의 앞에 선 상수를 쳐다보는 수영,
그리고 상수의 무섭게 굳은 표정에서 엔딩...!

The Interest of Love

The Interest of Love

6부

Ep 6

S#1.　　고속버스터미널(N) – 과거

'통영⇔서울' 행선판 붙은 버스, 하차장으로 들어와 정차한다. 버스 문이 열리고 차례대로 내리는 승객들. 가장 마지막 승객, 앳된 얼굴의 수영이다. 분주히 오가는 인파 속, 양손에 짐가방 든 채, 잠시 서있는데...왼쪽 머리에 흰색 리본핀 꽂았고. 누군가와 어깨를 부딪쳐 들고 있던 짐들을 떨어트리는데...아무도 신경 쓰지 않는다. 짐가방 주워들고 떠밀리듯 걷기 시작하는 수영. (S#4. 몽타주까지 리본핀 착용)

수영N　　**크고, 반짝이는 낯선 도시. 서울에 대한 첫 느낌은 그랬다.**
나를 모르는 사람들이 내가 모르는 삶을 사는 곳.
그 막연함이 오히려 희망처럼 느껴지기도 했다.

S#2.　　수영의 집 외경(D) – 과거

현재 수영의 집.
부동산(50대/女)의 뒤를 따라 들어가는 수영의 덤덤한 표정.

부동산E　　이 집이에요.
수영　　(낡은 빌라 올려다보는)

S#3.　　수영의 집 – 거실(D) – 과거

노란 장판, 꽃무늬 벽지, 금이 간 싱크대 타일 등, 한눈에도 낡고 오래된 집. 부동산, 불을 켜는데 어느 곳은 스위치도 안 들어온다.
천천히 둘러보는 수영.

부동산 지은 지 40년도 더 돼서 낡기도 낡고 싱크대도 손 좀 봐야 돼요. 대신 방값이 싸. 여긴 바로 들어올 수 있어요.

수영, 베란다로 통하는 문을 연다. 평수에 비해 넓은 공간이다. 쏟아지는 빛줄기 사이로 떠다니는 먼지. 가만히 베란다를 보는 수영의 시선.

부동산 옛날 집들은 베란다가 쓸데없이 넓어서. 아무래도 아까 그 풀옵션 원룸이 낫죠?

수영 (베란다에 시선 둔 채)아뇨. 여기로 할게요.

부동산 근데 다른 가족들은. 아가씨 혼자?

수영 ...네, 저 혼자예요.

/부동산은 돌아간 후.

수영, 텅 빈 거실 한가운데에 누워있다. 쓸쓸하고 추워 보인다.

수영N **춥고, 어둡고, 낡아빠진, 꼭 나 같았던 공간에서. 나는 안도했다. 열심히 노력하면 뭐든 채울 수 있다고 믿었다.**

S#4. 몽타주 – 과거

/횟집식당 주방(D)

사장, 빠른 속도로 회를 뜨고 있다. 도마 옆으로 쌓이는 내장찌꺼기. 무표정한 얼굴로 옆에 서있던 수영, 생선대가리와 통뼈는 매운탕용 바구니에 빼놓고, 내장찌꺼기 등은 맨손으로 그러모아 쓰레기통에 버린다.

/횟집 외부 수돗가(D)

한겨울 느낌. 보온 조끼만 걸친 수영, 수돗가에 앉아 설거지를 하고 있다. 한쪽에는 고무대야 가득 물에 불리고 있는 그릇들, 한쪽에는 깨끗이 닦인 그릇 쌓여있고. 수세미 들고 힘주어 닦는 수영, 텅 빈 표정. 기계적으로 움직이는 느낌이다. 그때 오리털 파카를 입은 사장, 큰 대야에 담긴 더러운 그릇들 다시 수영 옆에 우르르 쌓아두고. 수영, 다시 가득해진 그릇들에도 동요 없이 반복적으로 움직이는.

수영N **발버둥 치지 않으면 평범하기조차 힘들었지만 어떻게든 닿고 싶었다.**

/어느 아파트(D)

한강이 내려다보이는 아파트 거실. 수영, 창밖 풍경을 건조한 눈으로 바라보고 있다. 화면 빠지면, 벽 쪽에 놓인 기다란 테이블 위로 차려진 홈파티 플레이팅. 생화로 장식한 센터피스 주변으로 은은한 캔들 조명과, 각종 핑거 푸드. 세팅되어 있다. 20대女, 방에서 거실로 나오며 '여기 돈이요.' 하면. 봉투 받으며 정중히 인사하는 수영. 그제야 보이는 수영이 입고 있는 옷, 프랜차이즈 로고가 적힌 앞치마에 카디건 차림이고.

/어느 아파트 – 현관 앞(D)

수영, 박스 두 개 들고 시야확보가 잘 안 되는 상태로 현관을 나가려는데...반짝이는 구두를 신은 누군가, 수영이 나가도록 문을 잡아준다. 수영, 작게 목례하고...수영이 신은 낡은 운동화와 교차되며 들어오는 구두 신은 사람, 미경이다. 20대女에게 꽃다발 건네며 '생일 축하해'라고 하는 미경, 문득 수영이 나간 쪽을 돌아보는. 오래 전, 서로가 모를 때 그렇게 지나친 적이 있었던 두 여자고.

수영N　　**조금은 더 그럴싸해지고 싶었다.**

/수영의 집(D)
쓸고 닦은 자리 위로 중고 소파, 조립식 가구, 주워온 선반이 놓인다. 수영, 변색된 벽지 위에 페인트칠을 하고, 싱크대 타일에 흰색 시트지를 붙이는 모습 컷컷으로. 거실 선반 위 놓인 수영과 수혁의 사진 액자 앞. 수영이 착용하던 흰색 리본핀 놓여있다.

S#5.　　은행 자동화실(D) – 과거

무표정한 얼굴의 수영, 현금이 나오자 꺼내드는데...손에 여기저기 상처가 있다. 은행에서 나가려던 수영의 시선이 어딘가에 멎고. 보면, 은행 파트타이머 텔러 모집 공고문.

수영　　(표정)

S#6.　　다른 지점 객장(D) – 과거

유니폼을 입은 수영. 화면 확장되면, 창구에 앉아 있다.

수영　　어서 오십시오 고객님.
은정E　　처음엔 파트타이머로 들어왔다가 서비스직군으로 입사했다는데.

S#7. 몽타주

/ 식당(D)

혼자 밥 먹던 수영, 식당 안으로 들어오는 같은 유니폼 입은 여직원 1/2에게 손을 들어 보인다. 그러나 쌩하니 모른 척 지나가는 여직원 1/2고. 뒤따라 들어오던 남직원 1/2만 수영에게 묘한 눈빛으로 눈인사 하며 바로 옆 테이블에 착석한다. 여직원 1/2, 그 모습 보다 수영을 곱지 않은 시선으로 흘깃거리며 쑥덕이는.

수영 (표정 있다가, 묵묵히 밥 먹는)
은정E 처음부터 완전히 겉돌았대요. 곁을 안 준다고 해야 되나.

/ 은행 다른 지점 – 객장(D)

영업 전. 수영, 팸플릿에 형광펜 칠을 하며 중얼중얼 문구를 외운다. 여직원 1/2가 옆을 지나가지만 이제 신경 쓰지도 않고 자기 할 일을 하는 수영이고.

은정E 보는 사람 질릴 정도로 꼿꼿하고, 독하고. 맨날 실적, 실적.

S#8. 본사 면접실(D) – 과거

문에 '직군전환 임원면접' 안내문 붙어있고. 임원들 앞에 정장차림의 수영이 앉아 면접 중이다.

임원1 고등학교 졸업하고...경력이 몇 년 비네요?
수영 (손 맞잡은 채 애써 덤덤하려는)아르바이트, 했습니다.
임원 (건성으로 이력서 훑어보다)실적은 참 훌륭하네요.

수영　　네. 열심히 했습니다.

임원1　　직군전환 신청은 왜 했어요?

수영　　노력한 만큼, 인정...받고 싶습니다. (임원들 쳐다보는 시선 위로)

은정E　　근데 그게 쉽냐구요. 몇천 명이 지원해도 합격하는 건 200명. 그중에 고졸은 한두 명 있을까 말깐데.

S#9.　　본사 엘리베이터 안 + 인사부실 앞(D) - 과거+현재

면접을 마치고 나온 수영, 문득 거울 속 제 모습을 보는데...'안수영 주임' 명찰줄에 시선이 가고. 떨어질 걸 예상하는 씁쓸한 얼굴. 그래도 괜찮다는 듯 씩씩하게 웃어 보이는데.

/인사부 앞. 엘리베이터 문이 열리면. 건조하고 서늘한 표정인 현재의 수영이 내린다. 가슴에 달린 명찰줄, 여전히 '안수영 주임'이고. 수영의 시선 끝으로 보이는 '인사부 감찰팀' 푯말.

수영　　(조용히 올려 보다가, 결심한 듯 문을 열고 들어가는 모습 위로)

은정E　　안수영 주임이 신고한 거 맞죠?

S#10.　　은행 회의실(D)

5부 S#74의 인터뷰씬 확장. 은정과 마대리의 답변이 교차된다.

은정　　사실 전 안수영 주임이랑 별로 안 친해서.

/마대리　　지점장님이 강압행위를요? 아유. 지점장님이 안주임을 얼마

나 챙겼는데요.

/은정　　유독 챙기시긴 했어요.

/마대리　　근데 이거 비밀보장 되는 거 맞죠?

마대리와 은정이 하는 얘기를 꼼꼼히 적는 감사직원의 모습에서.

S#11.　　은행 객장(D)

5부 S#75의 확장. 상수, 자기 자리에서 조용히 업무 중이고.
마대리, 은정, 행원들에게 인터뷰 내용을 얘기해주고 있다.

이팀장　　(놀라서)그러니까, 안수영이가 지점장님을 고발했단 말이야? 강압행위로?

부지점장　　(착잡한 표정으로 한숨 쉬는)

지윤　　(은정에게 속닥)불륜. 내연녀. 그런 쪽 아니구요?

은정　　그쪽 아니구.

서팀장　　(안타까운)안수영이 많이 힘들었나보네. 그래서 자기들 뭐라 그랬어?

마대리　　(시선 돌리며)인터뷰 대화는 비밀보장이 원칙입니다.

은정　　(시선 돌리고)있는 그대로 얘기했죠. 사실대로.

서팀장　　(불안)자기들 안주임 밉다고 지점장님 편만 든 건 아니지?

은정　　서팀장님은 절 어떻게 보시고!

서팀장　　(어떻게 보긴...)

마대리　　제가 권력과 시류에 편승해서 없는 사실 막 지어낼 사람으로 보이세요?

서팀장　　(어...)

이팀장 정퇴 얼마 안 남은 지점장님 두고 안주임 손을 들어주겠어? 안주임도 참...

마대리 계란으로 그랜드캐년을 치는 거죠.

미경 ...그건 결과가 나와야 아는 거구요.

석현 근데 지점장님은 아직 이 사태를...모르시는 거죠?

문서고 쪽에서 서류 들고 나오는 수영, 자신의 자리를 향해 가는데.
행원들, 수영의 등장에 말을 멈추고 수영의 눈치를 살핀다.
그때, 무서운 기세로 은행 문을 열고 들어오는 사람...! 얼굴이 시뻘겋게 상기된 지점장이다. 지점장의 등장에 행원들 모두 헉...! 하고 숨을 멈추는데. 지점장, 전에 본 적 없는 무서운 얼굴로 수영을 향해 저벅저벅 걸어가고...!

지점장 (은행이 떠나가라 소리치는)안수여엉!!!

행원들 (헉! 놀라고)

상수 ! (놀라서 보는)

수영 ! (긴장하는데)

지점장 (행원들 제치며 수영 쪽으로 거침없이 다가오며)너! 너어! 너어어어! (하는데)

무서운 기세로 수영에게 다가오는 지점장.
입구에 서있던 종현, 저도 모르게 객장 쪽으로 한 발 움직이고.
지점장이 수영의 바로 앞까지 다가온 순간...!
지점장과 수영 사이에 수영을 보호하듯 서는 상수.

수영 !

종현 (수영을 막아서는 상수를 보고)

상수 (지점장에게)진정하시고 말씀하시죠.

지점장 (그제야 보는 시선 의식하고 수영에게)내 방으로 와요. 지금 당장. (가고)

행원들 (일 나는 거 아냐? /지점장님 저러는 거 처음 봐 /술렁이는 분위기)

수영 (자리에서 쇼핑백 챙겨 지점장실로 향하려는데)

상수 괜찮겠어요?

수영 (표정)네. 괜찮아요.

상수 (걱정스레 수영을 보는데)

미경 (상수의 표정을 봤다)

종현 (수영을 가장 멀리서 지켜보고 있는)

상수, 미경, 종현의 시선을 받고 있는 수영의 모습 위로 뜨는 타이틀, **〈사랑의 이해〉**

S#12. 은행 지점장실(D)

상석에 앉은 지점장, 그 옆으로 수영이 앉아 있다. 팽팽한 긴장감 흐르는.

지점장 (본색을 드러내는 반말)뭐 하는 짓이야 이게? 내가 지금 안주임 때문에 얼마나 곤란한 줄 알아? 내가 언제 강압행위 했어. (위압적으로)당장 취소해.

수영 저한테 정식으로 사과, 해주세요.

지점장 (황당)내가 뭘. 내가 그럴 행동을 했어? 안주임이 그럴 만한 대상이야?

수영 (차분한 시선으로 보면)

지점장 안주임 은근히 하대 받는 거 안타까워서 나라도 챙기자, 그래도 우리 점 식군데, 나 아니면 누가 챙기나, 이렇게 챙겨주는 지점장이 어디 있어. 그 결과가 이거야? 안주임을 존중한 나의 인품을 이런 식으로 격하해?

수영 (더 해보란 듯 가만히 듣고 있고)

지점장 (기를 누르며 강하게 몰아붙이는)접대 갈 때마다 내가 안주임을 얼마나 배려했어! 꼬박꼬박 택시비까지 주는 지점장이 어딨다고! 그 은혜를 이렇게 갚아?

수영 (기다렸다는 듯, 5부 S#25의 신발상자 꺼내고. 뚜껑 열면, 돈 보이는)

지점장 (당황해서 보면)뭐야, 이게?

수영 지점장님이 주신 택시비, 한 번도 감사했던 적 없습니다. 제가 받은 부당한 처우에 대한 대가 같아서요. 챙겨주신 그 은혜, 돌려드릴게요.

지점장 ! (애 장난이 아니구나)이걸 모아뒀어? 안수영 너 진짜 독하고 무서운 애구나.

수영 ...정말 절 존중하셨어요?

지점장 (표정)

수영 그럼 지난분기 제 인사고과는 왜 낮게 주셨어요? 실적은 제일 좋은 제가, 왜 성과급은 제일 적게 받았어야 했나요?

지점장 (말문 막히는데)

수영 유력행사 하시면 받아 들일 수밖에 없는 게 제 위치니까 참았습니다. 근데.

지점장 (긴장으로 침 삼키면)

수영 그랬더니 아무것도 달라지는 게 없더라구요. 이제 안 그러려고요. 그러니까 하세요. 사과.

지점장 !

수영 (흔들림 없이 지점장 바라보는)

지점장 (수영이 괘씸한)기어이 나한테 맞서겠다고?

수영 (단호히)네. 그럴 겁니다.

S#13. 은행 복도(D)

상수, 걱정하는 얼굴로 서성이다,
수영이 지점장실에서 나오자 얼른 다가간다.

수영 (상수 보며)왜 그랬어요. 아까. 다른 사람들이 오해하면 어쩌려고.

상수 지금 그게 중요한 게 아니잖아요. 지점장님은 뭐라 그래요?

수영 (이제 정말 종현과 사귀는 사이가 됐고. 선을 그어야겠다 싶은)내가 알아서 잘 할 거예요. 하계장님은 마음 쓰지 마세요. (상수의 대답을 차단하듯 먼저 가버리고)

상수 ! (수영의 뒷모습을 보는 표정)

S#14. 은행 객장(D)

수영, 아무 말 없이 자리로 돌아와, 서류를 챙기고 복도 쪽으로 나가고.
행원들, 눈알을 굴려가며 바쁘게 눈빛만 주고받는데.
지점장, 지점장실 문 쾅! 닫고 나온다.

지점장 (화풀이하듯 종현에게)정청경. 세차! (해놔라)

종현 (지점장에게 감정 좋지 않지만)...네, 지점장님.

지점장, 밖으로 나가고. 그와 동시에 속닥거리는 행원들.

마대리 와...내 돌잔치 때 받아먹은 떡이 다시 올라올 거 같애. 숨 막혀.

지윤 그럼 이제 어떻게 되는 거예요? 강압행위 인정되면 지점장님 짤리는 거예요?

이팀장 지점장님 짤릴 확률보다 안주임이 쫓겨날 확률이 더 높지.

지윤 (걱정에...)그걸 감수하고 그랬단 거네요.

상수 (가방 챙겨 일어나며)저 현장 실사 다녀오겠습니다.

부지점장 어어. 그래, 갔다 와. (박수 치며)우리도 영업 준비하자.

상수 (덤덤한 표정으로 나가는)

S#15. 은행 앞(D)

상수, 은행에서 나오는데. 미경, 뒤따라 나온다.

미경 선배!

상수 (돌아보면)

미경 언제 와?

상수 가봐야 알 거 같은데.

미경 아...(아쉽)그래. 갔다 와. (가는 상수 뒷모습 보는데)

S#16. 은행 자동화실(D)

종현, 객장 너머로 보이는 수영을 바라보다가...문자를 작성한다.

S#17. 은행 객장(D)

수영, 핸드폰 진동음이 울리자 확인하는 위로.

종현E 수영씨. 괜찮은 거예요?

수영E (문자 작성하는)네. 걱정 마요.

수영, 멀리 있는 종현을 향해 조용히 미소 짓는다.
/화면 바뀌면, 노인 고객 접객 중인 수영.

수영 인터넷으로 물건도 주문하시잖아요. 모바일 뱅킹이라고 어렵게 생각 안 하셔도 돼요.

노인고객 그럼 한번 해줘 봐요. (스마트폰 내밀면)

수영 (스마트폰 받아서 어플 깔며)비대면으로 조합원 가입도 가능하시구요, 음성뱅킹 서비스도 있어요. 간단 로그인 설정해 드릴게요. 메뉴도 알아보기 쉬우실 거예요. 사용하다 어려우시면 언제든 물어보시구요.

행원들, 각자 자기 일을 보면서도, 슬쩍슬쩍 수영을 힐끔거린다. 은정과 지윤, 수영을 물끄러미 보다 서로 눈빛 주고받으며, 졌다는 듯 고개를 절레절레 흔든다.

은정E 진짜 대단하지 않아요?

S#18. 은행 갱의실 + 밖(D)

이팀장, 서팀장, 마대리, 은정, 테이블에 둘러앉아 배달 음식 먹고 있다.

은정 (수영 따라서)비대면으로 조합원 가입도 가능하시구요, 음성뱅킹 서비스도 하고 있어요. (하더니)지금 이게 돼?

서팀장 그런 걸 프로페셔널이라고 하는 거야.

마대리 (절레절레)난 무서워 죽겠어. 전 있죠. 이제 안주임이 막!

그때 갱의실 안으로 들어오는 수영.

마대리 막...! (하다, 수영 보고)부르려고 했는데 왔네요. 안주임.

이팀장 그, 그러게. 이리 와서 이것 좀 같이 먹지.

수영 (대답하려는데)

미경E (OL)수영씬 저랑 나갈 거예요.

수영 (돌아보면)

미경 (갱의실 밖으로 수영 팔짱 끼고 나오며)어차피 입맛도 없을 텐데. 놀고 오자.

수영 (픽 웃고)뭐 하구요.

미경 (엄지 검지로 총 모양 만들며)사격?

탕탕탕! 총 쏘는 소리 선행되며.

S#19. 터프팅 공방(D)

벽면 선반을 채운 알록달록한 색감의 실들, 실 합사를 위한 물레와 오버로크 기계 놓여있고. 각종 도안들과 완성된 작품들이 걸려있는 따뜻한 분위기의 작은 공방. 작업용 앞치마를 입은 수영과 미경, 나무틀에 고정된 캔버스 위로 터프팅건을 탕탕! 쏘고 있다.

수영 (재밌는, 집중한 표정인데)

미경 스트레스 막 풀리지. 총 쏘는 소리 같고.

수영 (테두리 쏘면서)곡선이 어려워요. (다시 위치 잡으며)자꾸 삐뚤어지고.

미경 선에서 좀 어긋나도 티 안 나. 찌그러지고 엉켜도 그림이 되는 거. 그게 매력.

수영 ...저 때문에 대리님까지 점심 거르셨네요.

미경 고마우면 이제 언니라고 부르든가.

수영 (픽 미소)...언니.

미경 와. 언니란 말에 이렇게 설렌다. (웃고, 뭔가 말하려다)다 잘 될 거야.

수영 (씁쓸한 미소)네.

/테이블에 각자의 작품 올려두고 살펴보는 두 사람. 아직 미완성이다.

미경 (수영 작품 보며)감각 있다. 첫날인데 이 정도면.

수영 재밌었어요. 이런 게 있는 줄도 몰랐는데.

미경 나랑 노니까 재밌지.

수영 (미소로)네.

미경 다음에 시간 맞춰서 다시 오자. (강사에게)저희 거 보관해주세요.

그때, 선반에 올려둔 수영 핸드폰 울리고.

미경, 수영에게 '내가 가져다줄게' 손짓하며 핸드폰 가져오는데.

미경　　여기.

수영　　(액정에 뜬 이름 '종현씨' 보고, 받는)네. (사이)그래요. 네. (사이)네. (끊고)

미경　　(호기심 이는)누구 전화?

수영　　(어쩔까 싶다가)...남자친구요.

미경　　! 수영씨 남자친구 있었어? 언제부터?

수영　　...얼마 안 됐어요.

미경　　(뭔가 말하려다, 문득 생각이 스치는)

플래시백 >5부 S#75. 수영을 막아서는 상수의 모습. 지켜보는 미경.

미경　　(설마)혹시...그 남자친구, 우리 지점 사람이야?

수영　　...네.

미경　　! 그럼 그 사람,

수영　　(OL)종현씨요.

미경　　누구?

수영　　...청경이요. 우리 은행 경비원 하는.

미경　　아...! (안도감 퍼지며 미소)그 잘생긴?

수영　　(웃는)네.

미경　　너무 잘 어울린다. 축하해.

수영　　(표정)

S#20. 은행 – 후문 주차장(D)

지점장 지정주차 구역. 종현, 지점장의 차를 닦고 있다.
세정제를 뿌려가며 윤을 내는데, 후문으로 들어오는 검소한 옷차림의 중년부인. 은행 안으로 들어가려다, 망설여지는 듯 머뭇거린다.

중년부인 (지점장 차 닦는 종현 흘깃, 다가가서)저기, 지점장 안에 있어요?

종현 지점장님 오늘 외근이신데, 어떤 업무로 찾으세요? 다른 직원분,

중년부인 (OL)아니, 다시 올게요.

종현 (표정)

S#21. 백화점 – 명품매장(D)

미경모, 소파에 앉아 직원이 추천해주는 제품 보고 있는데.
저 멀리서 미경모를 발견한 친구1, 씩씩거리며 걸어오는 것 보인다.

미경모 비슷한 라인이 있긴 한데. 완전 똑같은 건 또 아니니까, (하는데)

친구1 야! 윤미선! (하며 미경모 앞에서 씩씩대고)

미경모 어머, 성혜야. (의아한)너 왜 그래. 코평수는 커져가지구.

친구1 (주변 의식하고)너어. 따라 나와. 당장.

미경모 (의아한데)

S#22. 백화점 할인매장 앞(D)

정임, 여러 브랜드를 모아 놓은 할인 매대에서 남자 넥타이를 보고 있다. 두 개 정도를 손에 들고 고민 중인 그때, 어디선가 들려 오는 날카로운 목소리.

친구1E 너 진짜 미쳤어어?

정임 (돌아보는)

S#23. 백화점 다른 일각(D)

미경모, 두 팔을 어정쩡하게 들어 올려 방어태세 중이고. 그 앞에 금방이라도 미경모의 머리채를 낚아챌 기세로 서있는 친구1(성혜).

친구1 그 얘길 왜 하구 다녀!

미경모 (쳐다보는 사람들에게 괜찮다고 미소 보이고)성혜야. 보는 눈이 많다?

친구1 내 남편이 밥상머리에서 맨날 숟가락 날린다고! 나 식탁 밑에 숨다 디스크 터졌다고! 니가 소문냈잖아!

미경모 넌 날 어떻게 보구! (억울)나 진짜 진숙이한테밖에 얘기 안 했어!

친구1 (하!)진숙이한테 말하면 다 말하는 거지! 걔 입이 얼마나 싼데! 너도 알잖아.

미경모 (뜨끔)니 남편 미적 감각이 워낙 훌륭해서 숟가락을 날려도 그림! 그런 뜻이었어.

친구1 까구 있네! 니가 나 은근히 질투하는 거 내가 모를 줄 알아?

미경모 (표정)

친구1 뭐가 그렇게 부러웠어! (가방 들이밀며)너도 못 드는 리뮈티드에뒤션 들어서?

미경모 (표정 있다가)누, 누가 부럽대! 누가 널 질투한대! 나 물욕 없는 사람이거든!

친구1 (미경모 멱살 덥석 잡고 흔들며)그럼 왜 그랬냐구. 이 청경채 같은 지지배야!

미경모 (기겁)얘, 이성을 찾아. 어머어머! 얘 교양을 완전히 잃었네 지금! 옷 늘어나아아!

정임 (성큼성큼 다가와 친구1의 팔목을 강하게 잡는)이거 놓고 얘기하세요.

미경모 !

친구1 (정임에게)당신은 뭔데 끼어들어. 안 빠져?

정임 (카리스마 넘치게)제가 빠지고 경찰 불러요?

친구1 뭐. 뭐?

정임 초면인데 반말은 좀 그렇구요.

미경모 (톡 끼어들며)그래, 얘. 너 반말하지 마.

친구1 (기세에 눌려)누, 누구신데 끼어드냐구...요!

정임 (미경모 보호하듯 뒤로 두며)나 이 사람 친구예요.

미경모 ! (어머, 한원장...)

S#24. 백화점 할인매장 앞(D)

미경모, 정임을 졸졸졸 따라다니며, 끊임없이 말을 붙인다.

미경모 한원장, 완전 걸크뤄시! 나 반했잖아요.

정임 (넥타이 고르며)그러니까 왜 그러셨어요. 정말 그 가방이 샘

	나셨어요?
미경모	(심드렁)그 가방 사다준 게 지 남편이라구. 자기한테 너무 다정하고 잘 한다구... 너무 자랑을 하니까. 얄미워서 나도 모르게...딱 한 명한테만 얘기한 건데.
정임	(픽 웃는)
미경모	우리 남편은 일 년에 백 마디를 안 하는 사람이라. 한원장 남편은 안 그러죠.
정임	(덤덤히)죽었어요 제 남편은. 오래 전에.
미경모	(헉!)...왜? (하다 얼른)어머 미안해요. 리액션이 경솔했다.
정임	(괜찮다는 미소)이런 얘기 이제 아프지도 않아요. 아플 새도 없었고.
미경모	(정임 짠하게 보다가 손 덥석 잡으며)자기야.
정임	(뜨악한데)
미경모	(천진한)우리 진짜 친구하자.
정임	(헐)

S#25. 백화점 앞(D)

미경모, 정임에게 쇼핑백 하나 내민다.

정임	(의아해서 확인하면, 포장된 넥타이고)사모님. 이건 좀,
미경모	쉿. 우리 친구하기로 했잖아요. (손 흔들며)샵에서 봐요!
정임	(가는 미경모 뒷모습 보며 허! 웃음 터지는)

S#26. 은행 객장(N)

마감 후 객장, 행원들 '피곤하다' 등 주고받으며 갱의실로 향하고.
외근 후 돌아온 상수, 자리에서 소지품을 챙긴다.

경필 (다가와서)이제 들어오냐?
상수 넌 안 들어가냐.
경필 오늘 키당.
상수 (짐 챙기는데)
경필 (꿰뚫듯 보다가)어디 갔다 왔냐.
상수 (묵묵히 서류 뒤적이고)
경필 사람들한텐 실사 간다고 뻥쳐놓고 어디 갔다 오셨냐구요.
상수 (표정 있다가)...문단속이나 해라. (하고 가는)
경필 (표정)

S#27. 은행 갱의실(N)

서팀장, 은정, 지윤, 여자탈의실 쪽에서 사복 차림으로 우르르 나오는.

서팀장 안주임은?
은정 스팟 팜플릿 정리하고 간대요.
서팀장 도와들 줘라 좀.
지윤 (삐죽)혼자 한댔어요. 급한 것도 아닌데 사실...
서팀장 (으이구...)

S#28.   은행 문서고(N)

수영, 사복차림으로 팬트리 한 켠에 팸플릿 정리하고 있다.

그때 상수, 불쑥 들어오다가 수영을 보고 멈칫하고. 표정 수습하며 문 살짝 열어둔 채, 수영 쪽으로 다가온다. (문서고는 밖에서만 열 수 있음)

수영   (상수 보는 표정)

상수   (흠칫, 하지만 태연하게)아직 계셨네요.

수영   네. (팸플릿 보이며)이거 채워두고 가려구요.

상수   전 내일 오전에 필요한 서류 좀. 미리 찾아두려고...

수영   (보다가, 미묘하게 사무적인 말투)네. 그럼 일 보세요.

상수   (표정)...네.

상수, 눈에 띄게 건조해진 수영을 보며, 무거워지는데.

S#29.   은행 복도(N)

이팀장, 마대리, 갱의실에서 나온다.

이팀장   (뒷목 주무르는)나 버섯목 오는 거 같아. 요새 은행 분위기 다크해서 스트레스고.

마대리   (얼른 이팀장 어깨 주무르며)요기 앞에 30년 된 골뱅이 집 가서 한잔 꺾으실까요? 사이즈는 뿔소란데, 희한하게 맛은 전복입니다.

이팀장   가자, 가. 가봐야 기다릴 처자식도 없는데. 골뱅이라도 먹고 가자. (하다가, 열려있는 문서고에 시선 주며)누가 또 열어놨네. 웬 꼬리들이 길어 저렇게.

마대리 제가 냉큼 닫고 오겠습니다.

마대리, 문서고로 다가가 문을 닫고. 웅장하게 닫히는 개폐장치.

경필 (복도에서 돌아 나오며)오우! 마대리님 땡큐!

마대리 경필이 너도 골뱅이 먹으러 갈래? 요 앞.

경필 불만 끄고 따라가겠습니다.

경필, 복도부터 차례로 형광등 스위치를 끄기 시작한다.

S#30. 은행 문서고(N)

수영, 문득 돌아보면 상수가 아직 서류를 찾는 중이다.

수영 (보다가, 상수를 얼른 보내야겠다 싶은)어떤 서류예요?

상수 (보면)

수영 이번에 문서고 정리하면서 위치가 좀 바뀌어서요. 뭐 찾으세요?

상수 ...대출약정서부본이랑 근저당권설정계약서부본요.

수영 아 그거.

수영, 상수를 지나쳐 높은 선반 쪽으로 팔을 뻗는데...
그 순간 문서고의 불이 꺼지고. 순식간에 어두워지는 실내.

수영 !

상수 !

수영　　(당황해서 팔을 뻗은 자세 그대로 뒷걸음질 치는데)

상수　　(수영의 뒤에 서있다가 백허그 하듯 몸이 포개지는)

수영　　(표정)

상수　　(긴장하는 표정)

S#31.　　은행 입구(N)

경필, 입구 잠금장치에 보안카드를 갖다 댄다. '띠링!' 신호음이 울리자마자 자리를 뜨는데...빨간 신호가 연달아 점멸하며 '세팅이 완료되지 않았습니다' 경고음성 나온다.

S#32.　　은행 문서고(N)

어두운 문서고 안. 정적이 흐르고 있다. 상수와 수영, S#30에서 이어지는 상황. 어색하게 거리를 두며 멀찍이 선다.

상수　　(정적을 깨며)소계장이 확인도 안 하고 소등했나 봐요. 핸드폰 있어요?

수영　　...갱의실에요.

상수　　(난감한)나도 객장에. (하다)어차피 움직임 잡히면 경비업체에서 연락 가니까 조금만 기다려요.

수영　　일단...비상등부터 켜죠.

상수　　(표정)

수영, 어둠 속에서 입구 쪽 방향을 가늠하며 스위치를 찾고.
상수, '후...' 긴장을 뱉어내듯 숨을 내쉬고, 스위치를 찾기 시작하는.

수영 (입구 쪽 문을 더듬어보는데, 찾지 못하겠고. 상황도, 상수도 불편한 마음인데)못 찾겠네요.

상수 제가 할게요. 안주임님 계세요.

수영 아뇨, 그냥 제가...(만류하듯 돌아보는데...)

수영의 손바닥이 닿은 곳, 상수의 가슴팍이다...!
벽을 등진 수영, 상수와 벽 사이에 갇힌 모양새고. 놀란 두 사람, 그대로 굳는다. 어둠 속에서 어렴풋이 보이는 두 사람의 실루엣, 밀착되어 있는데...적막 속에 퍼지는 숨소리.

상수 (심장박동이 빨라지는 느낌이고)

수영 (상수의 가슴 위에 올려진 손...심장박동이 느껴지는 듯 한데)

상수 (손으로 입을 가리며)저, 손, 손 좀...

수영 ! 아. (황급히 손 떼며)죄송해요.

두 사람, 다시 거리를 두고 선다. 어색하고 불편하다.
/어둠 속에서 벽 쪽에 붙어 앉아 있는 상수와 수영.

상수 (머뭇거리다)...미안해요.

수영 (표정)뭐가요.

상수 지점장님 일...쉽게 얘기한 거요.

수영 ...쉽게 얘기한 게 아니라는 거 나도 알아요.

상수 (보면)

수영 하계장님은 그렇게 생각할 수도 있는 문제니까.

상수 (표정)

수영 나도 미안해요.

상수　　뭐가요.

수영　　그날, 약속 못 지킨 걸로, 과하게 화냈던 거.

상수　　...아닙니다. 화낼만한 상황이었잖아요. 그날 일도 내가, 미안했어요. 내가 약속만 제대로 지켰어도...(하다, 멈칫하는데)

수영　　(순순한 상수를, 잠시 본다. 좋은 남자다. 그래서 더 확실하게 해야겠고)연수원에서 나한테 물었죠. 그날...우리가 만났으면. (상수의 말을 그대로 하려다, 말을 다듬어)달라졌을 거냐고.

상수　　(긴장으로 보면)

수영　　(상수와의 차이, 종현과 사귀는 현실...확실하게 선 긋는 단호함)아뇨.

상수　　!

수영　　우린 결국 잘 안됐을 거예요. 너무 다르니까.

상수　　(의미를 알지만 오기가 나는)...뭐가 그렇게 달라요, 우리가. 난 모르겠는데.

수영　　(씁쓸한 미소)아뇨, 하계장님도 알아요. 아니까 망설였던 거고.

상수　　그런 게 아니라고 했잖아요.

수영　　같은 말이에요.

상수　　(표정)

수영　　(자신의 미련에도 종지부 찍듯)하계장님은 하계장님이 원하는 걸 채워줄 사람을 만나세요.

상수　　!

수영　　(표정)

상수　　나한테 하려고 했던 말이...수영씨가 하려던 대답이 이거였어요?

수영 ...네.

상수 (말문 막히는데)

수영 (외면하고)

상수 ...수영씬 만난 거예요? 수영씨가 원하는 걸 채워줄 사람.

수영 (아무렇지 않을 수 없지만, 덤덤히)...네.

상수 (먹먹했다가, 다시 뭐라고 하려는데)

그때 벌컥 열리는 문서고의 문.
안으로 쏟아져 들어오는 환한 빛. 경필이 서있다.

상수 (어둠 속에 숨겼던 참담한 표정이 드러나고)

수영 (상수의 표정 봤지만, 외면하며 일어나는)

경필 아 미안미안! 있는 줄도 모르고 갔네. 골뱅이 먹다 경비업체 전화 받고 뛰어왔어.

수영 전 먼저 들어가 볼게요. (가고)

상수 (손으로 얼굴을 쓸어내리며 표정을 수습하는)

경필 (상수 뚫어지게 보며)안에서 둘이 뭘 했는데 표정이 그러냐. 다 죽어가는 울상.

상수 하긴 뭘 해, 비켜. (나가면)

경필 (상수의 뒷모습을 보는 의뭉스러운 표정)

S#33. 버스정류장(N)

퇴근 후 집으로 가려는 사람들로 북적거리는 버스정류장.
수영, 벤치에 앉아 핸드폰을 보고 있다. 도착하는 종현의 문자.
문자 인서트 >'도착하면 연락해요^^'

수영 (버스 오는 쪽을 보는데...상수가 걸어오는 것이 보인다)

상수 (수영을 봤고....표정)

거리를 두고, 벤치의 끝과 끝에 앉은 상수와 수영, 말이 없다. 반대 방향으로 고개를 돌리고 있는 두 사람. 그러나 벤치에 올려둔 손끝은 서로를 향해 있는데...그때 버스정류장으로 다가오는 버스.

수영 (일어서며)먼저 가볼게요. 버스가 와서.

상수 아, 네.

수영 (목례하고, 버스에 다가가려는데)

상수 안주임님.

수영 (돌아보면)

상수 (차마, 수영을 잡지 못하는)...조심히 들어가세요.

수영 (상수의 마음 모르지 않지만)네.

버스에 오르는 수영. 버스가 출발하는 모습을 그저 보는 상수.
수영이 떠난 버스정류장...

수영E 하계장님은 하계장님이 원하는 걸 채워줄 사람을 만나세요.

상수 (미치겠고...)

그렇게 혼자 남겨진 상수. 한숨을 뱉어내며 덩그러니...있다.

S#34. 남산 일각(N)

걸어오던 수영의 시선으로 보이는 종현, 가방을 메고 기다리고 있다. 잠시 걸음을 멈추는 수영. 자신을 기다리며 설레 보이는 종현을 가만히 보는데. 종현, 그 시선을 느끼고 수영을 향해 다가온다.

수영　　좀 늦었죠. 미안해요. 일이...생겨서.
종현　　(덥석 손 잡으며 씩 웃는)가요.
수영　　(표정)

S#35.　　레스토랑 외경(N)

S#36.　　레스토랑(N)

창문 너머로 남산타워가 보이는 작은 레스토랑. 손님은 수영과 종현뿐이다. 테이블 위에는 소박한 음식 세팅되어 있고. 식사 중인 두 사람.

종현　　맛있죠.
수영　　(웃는)네. 맛있네요. 자주 오는 곳이에요?
종현　　아뇨. 딱 한 번 와봤어요. 처음 서울 올라왔을 때요. 혼자 밥 먹는 게 좀 뻘쭘해서 자꾸 창밖만 봤는데.
수영　　(보면)
종현　　(남산타워를 가리키며)저게 보이더라구요. 남산타워. 그냥 그게 기억에 남았어요.
수영　　서울 사람들은 잘 가지도 않는데. 서울에 처음 온 사람들은 다들 그렇게 남산타워에 가더라.
종현　　(장난)촌놈이라고 놀리는 거예요?
수영　　촌년이었다고 고백하는 건데. 나도 그랬거든요. 서울 와서 얼마 안 있다가 갔었는데. 밑에서 볼 때보단 별로 안 높은 거 같기도 하고. 이게 다인가? 싶기도 하고.

종현 (웃고)나도 그 생각 했는데. 그래도 꼭 한 번 다시 와보고 싶었어요. 여자친구 생기면.

수영 (표정)

종현 요즘 수영씨 힘들어하는 거 아는데 도와주지도 못하고. 미안해요.

수영 노력했어요. 기대 같은 거 안 하려고. 내편 같은 거 없어도 괜찮다고. 근데 든든하다. 내편 있는 기분. (잠시 있다)내가 더 미안해요. 말 안 하고 사고 쳐서.

종현 ...이제 어떻게 되는 거예요?

수영 지점장님 아니라 내가 다른 지점으로 갈 수도 있어요. 사실 그 가능성이 더 크고.

종현 (표정)그럼 왜...

수영 내가 정하고 싶었어요. 어떤 결말이 닥치든 휩쓸려가는 거 말고. 내가 선택하고 내가 감당하고 싶어서.

종현 (보는)

수영 괜찮아요. 옮길 때도 됐죠, 뭘. 환경 바뀌면 자극도 될 거구.

종현 (밝게)우리 주말에 데이트 할까요?

수영 시험 다음 주 아니에요?

종현 (부러 장난)평소에 열심히 안 한 사람이나 벼락치기 하는 거예요.

수영 (장단 맞추는)아아. 자신이 만만하다?

종현 모의고사에서 합격 커트라인 가볍게 넘는 정도? (쑥스러운) 오래 준비했으니까.

수영 (미소로)그래도 이제 가서 공부해요. 너무 늦었다.

종현 (끄덕이다가)근데 언덕길 내려가려면 수영씨 발 아프겠어요.

수영 ?

종현 그 구두요. 엄청 불편해 보이는데. 발 안 아파요? 아플 거 같은데.

수영 뭐야. 맛있는 거 사주고 갑자기 약 올리는 거예요?

종현 (씩 웃는)

종현, 가방에서 신발상자를 꺼내 수영의 앞으로 온다. 한쪽 무릎을 바닥에 대고, 상자에서 운동화를 꺼내 수영의 앞에 놔주는 종현.

수영 (놀라서 보면)

종현 (수영이 신게 도와주며)응원 선물이에요. 지점장님한테 꼭 이겨요.

수영 뭐예요, 선물까지...

종현 마음에 들어요?

수영 (고마운 미소로)네. 아껴서 신을게요.

종현 아끼지 말고 팍팍 신어요. 힘들 때도 아끼지 말고 나 팍팍 부르구요.

수영 (표정)...그럴게요.

수영, 자신을 향해 웃는 종현을 보는데 마냥 기뻐할 수 없는 마음이고. 수영의 마음을 모르는 종현, 운동화 끈을 묶어주며 기분 좋은.

S#37. 은행 외경(D)

S#38. 은행 회의실(D)

행원들, 모두 모여 있고. 지점장, 굳은 얼굴로 회의실에 들어온다.
수영과 지점장을 번갈아 보며 눈치 보는 분위기.

지점장 다들 모였으면 시작하겠습니다.
수영 (표정)
상수 (수영 보는 시선)

/화면 바뀌면, 마무리 되어가는 회의.

지점장 블루힐 아파트 집단 대출이 곧 있을 예정이니까, 종상팀 예금팀 미리미리 본인들 업무 정리들 해주시고. 상황에 따라 포터블도 지원 예정이니까 그렇게들 아시고. 그리고....(큼...눈치 보는)

지점장이 입을 다물자 정적이 흐르는데...의아해서 쳐다보는 행원들.

지점장 (후...결심한 얼굴로)저기, 안주임.
수영 (표정)...네.
지점장 (뭔가 말하려다, 도저히 못하겠는. 말 돌리듯)...그, 문서고 정리, 수고했어요.
수영 (이건 또 뭔가 싶은)아, 네.
상수 (표정)

지점장　(말하긴 해야겠고)저기, 그리고...저기, 본의 아니게 내가 마음 상하게 했다면은, (입이 안 떨어지는)음...아..음...유감입니다. 전 행원들 두루두루 살피는 게 내 직책이다 보니, 세심하게 배려하지 못한 점 사, 사,

행원들　(지점장 입모양 실시간으로 더빙하며 사, 사...)

지점장　(에라)사과합니다. 앞으로 마음 상하게 할 일 없게, 유념하겠어요.

수영　! (의외고)

지점장, 말 마치자마자 본인 짐 챙겨서 서둘러 회의실 밖으로 나가고.

부지점장　(뭔가 아는, 웃음 참는 얼굴로)다들 영업 준비들 해요 얼른. (나가는)

서팀장　대박. 뭐야, 방금?

미경　(씩 웃는)지금 지점장님이 공개적으로 사과하신 거 같은데요.

수영　(의외인데)

서팀장　! (마대리, 은정에게)자기들, 인터뷰 때 뭐라 그랬어?

마대리　눈치 채셨어요? 이게 다 제 덕분인 것을?

은정　뭐래. 내 덕분이거든요? 내가 바로 이 자리에서!

수영　(의아해서 마대리와 은정 보면)

S#39.　은행 회의실(D) – 회상

S#10의 확장. 은정과 마대리의 인터뷰.

은정　안주임이 예민한 사람이긴 해요. (돌변)근데, 없는 말 지어

내는 사람은 아니에요.

/마대리 　지점장님 진짜 훌륭하신 분이죠. (은밀히)하지만 유력행사를 즐겨하십니다.

/은정 　(담담한 팩폭)강압행위, 부당업무 지시, 저도 봤어요. 저라도 못 참았어요.

/마대리 　근데 이거 비밀보장 되는 거 맞죠?

S#40. 　은행 회의실(D)

수영, 의외고, 놀라서 은정과 마대리 보는데.

은정 　(손으로 제지하며)고맙다, 감사하다, 닭살스런 얘긴 안 받을게요.

이팀장 　(아연해져서)그럼 뭐야. 지점장님 징계라도 받으신 거야? 그럼 본부장 승진은? 나 끌어주신다고 했던 거는? (마대리에게)너 정의감이 이렇게 투철했니.

마대리 　아니 저는...언제 나한테도 닥칠 일일지 모른다고 생각하니까. 맨날 살얼음판에서 트리플 악셀 뛰는 분위기도 불편하구.

서팀장 　(이팀장에게 혀 끌끌 차며)그니까 작작 했어야지. 지점장님도 이제 상감마마놀이 자중하시겠네. 난공불락의 성에 금 좀 갔으니까.

미경 　(수영 보며 잘됐다고 웃는)

수영 　(기대도 안 했는데...잘됐다 싶고...)

상수 　(행원들 얘기에도 조용히 차만 마시는데)

경필 　(그런 상수를 뚫어지게 쳐다보는)

마대리 　(수영에게)인간적으로 커피 정돈 쏴야 하지 않나 싶구요?

이팀장 (기운 빠져서)난 아이스로.

수영 (웃는)네. 살게요. 커피. (미소 짓는 얼굴 위로)

경필E 하상수. 니가 그랬잖아.

S#41. 은행 흡연구역(D)

상수와 경필, 서서 얘기 중이다.

경필 (피우던 담배 휙 던지며)은행이 어떤 조직인데 강압행위에 순순히 견책 처분을 내려. 서무담당이 업무추진비 횡령으로 고발하면 또 몰라.

상수 ...어떻게 알았냐.

경필 어떻게 모르냐.

상수 (표정)

인서트 >5부 S#62. 은행 복도(D) 연결

상수 다른 게 아니라요, 지난 주 금요일에 박차장님이요. (듣고)휴가, 셨다구요. (통화하며, 영수증 여러 개 붙은 수첩에 형광펜으로 칠하는 등)

복도 일각에 서있는 경필, 상수의 모습을 무표정하게 보는 위로,

경필E 업무비 내역 대조해서 사적으로 쓴 거 다 찾아내고.

인서트 >추가씬. 본사 감사실(D).

감사직원과 마주 보고 대화 중인 상수 모습 위로,

경필E 본사까지 찾아가서 정의의 칼을 휘둘렀잖아.

상수 (표정)

경필 근데 왜 사람들한텐 아무 말을 안 하지.

상수 굳이...알 필요 없잖아.

경필 왜 필요가 없어. 안수영이 이거 알게 되면 너한테 고마워할 거 아냐.

상수 (픽 웃는)그럼 뭐가 달라지는데.

경필 솔직히 말해라. 내가 안수영 상황이었어도 너 이렇게 나섰어?

상수 (표정)

경필 상사 고발한 부하직원. 본점 갈 때 마이너스가 될지도 모를 행동, 안수영이 아니라 나였어도 했냐고.

상수 (보다가, 진지하게 농담)내가 미쳤냐. 너 짤리게 냅두지.

경필 (이 자식이!...보다가 툭)너 아직 미련 있지.

상수 ...그만해라.

경필 그만해야하는 건 너지. 석현일 보고도 느끼는 게 없냐. 몇 년을 죽네 사네 뜨겁게 연애를 해도, 결혼은 급 맞춰서 다른 사람이랑 하잖아.

상수 (감정 담아 경필 보면)

경필 왜. 내가 또 너무 속물이었어?

상수 (한숨 쉬며 고개 돌리는데)

경필 사랑이 뭐. 뭔데. 그렇게 대단해? 사람들은 참 이상해. 물건 하나를 사도 재고 따지고 후기까지 샅샅이 따져보면서. 사랑이란 감정에만 무진장 결벽을 떨어요. 속으로는 온갖 계산 다 하면서 아닌 척. 다른 게 섞이면 천하의 나쁜 놈, 속물 취급.

상수 (표정)

경필 (더 말 않고. 담배 건네며)주랴?

상수 ...됐다.

경필 (표정)

S#42. 은행 객장(D)

미경, 상수 자리에 오는데 비어있다.

미경 (표정)

S#43. 은행 일각 + 후문 주차장(D)

수영, 양손에 커피 캐리어 들고 은행으로 돌아오고 있다.

수영 (안도감으로 옅은 미소)

지점장 차 왁스칠 중이던 종현, 수영 발견하고 얼른 다가오는.
한 손에 세차용 밀대를 든 채고.

수영 (종현 너머로 보며)지점장님이 또 세차 시켰어요?

종현 (늘 있던 일이고)네.

수영 (기분 좋지 않은데)종현씨가 세차장 직원도 아니고. 왜 자꾸.

종현 (커피 캐리어 보며)내가 들어줄까요?

수영 (캐리어 뒤로 빼며)하나 뽑아가요. 종현씨 거도 샀어요.

종현 (참!)들었어요. 잘 해결 됐다면서요? 지점장님이 사과도 하시고.

수영　　네. 다들...덕분에요.

종현　　(안도의 한숨)다행이다. 사실 나 진짜 걱정 많이 했어요.

수영　　(미소)알아요.

종현　　(씩 웃다 이마에 붙은 수영의 머리카락 보고)잠깐만요. (떼주려는)

/은행으로 들어오던 상수, 멈칫한다. 보면, 수영의 머리를 쓰다듬는 듯한 종현. 다정한 연인의 모습인 두 사람 보이고.

상수　　(조용히 보는데)

미경　　(상수 곁에 쓱 다가온, 수영과 종현 보며)선밴 몰랐지. 계속 모른 척 해줘.

상수　　(미경 보는)...넌 알고 있었어?

미경　　수영씨랑 나 많이 친해졌거든. 사귄 지 얼마 안 됐대.

상수　　(이미 알고 있었던 사실이고. 차라리 덤덤해지는)

미경　　수영씨랑 종혁씨, 너무 잘 어울리지.

상수　　...종현씨야, 이름. 종혁씨 아니고.

미경　　아. 종현씨.

수영, 먼저 은행으로 올라가고.
종현, 수영이 준 커피를 마시며 씨익, 행복하게 웃는다.

미경　　(흐뭇한)수영씨 되게 좋아하나봐. 부럽다, 사내연애.

상수　　(덤덤히 보는)

S#44. 인재네 식당(N)

상수, 거의 손 안 댄 굴국밥 앞에 둔 채 조용히 술을 마시고 있다.
이미 쌓인 소주 몇 병.

상수 (다시 한 잔을 비워내고)

플래시백 인서트>S#32. 문서고

수영 우린 결국 잘 안됐을 거예요. 하계장님은 하계장님이 원하는 걸 채워줄 사람을 만나세요.

플래시백 인서트>S#41. 은행 흡연구역

경필 그만해야하는 건 너지.

상수 (마른세수를 하고, 숨을 내쉬는. 괴롭다.)

인재 (상수 옆 식탁 정리하고 있는데)

상수 (꽤 취한, 벽에 붙은 통영굴국밥 홍보지 보고)혹시 통영에서 오셨어요...?

인재 (행주질 하다, 상수 보는)아, 네.

상수 (씁쓸한 미소)...거긴 어떤 곳이에요?

인재 (보면)

상수 ...제가 아는 사람도 거기 살았거든요. 궁금해서요. 어떤 곳인가...그냥...궁금해서...

인재 (보다가, 잔잔히)바다가 예뻐요. 퍼렇고...기회 되면 한번 가봐요. 좋아요.

상수 (자조하는)...글쎄요. 있을까요...그런 기회가...

인재 은행일이 많이 힘들어요? 과음하시네.

상수　　...힘들죠. 힘든데...안 힘들어요. 그런 건...(다시 잔을 채우는데)

인재　　(상수 물 컵에 물 따라주며)그것만 마시고 일어나요. 많이 마셨어요.

상수　　(순순히)...네. 정리 해야죠, 이제...

S#45.　몽타주

/은행 객장(D)

수영, 고객에게 팸플릿 보여주고, 작성할 공간에 형관펜으로 동그라미 쳐서 건네는. 상수, 프린터기에서 출력한 서류 들고 자리로 돌아오다가 수영과 부딪힐 뻔하는데. 어색한 분위기 없이 사무적인 목례 주고받으며 자리로 돌아가는 두 사람.

/은행 – 갱의실(N)

퇴근차림으로 탈의실에서 나오는 행원들.
시끌시끌한 분위기 속에서 수영은 미경과, 상수는 경필과 대화 중이다.
상수, 밝게 웃는 수영에게 시선이 가고...마음을 정리하듯, 덤덤한 미소.
더 이상 서로를 의식하지 않는 듯한 두 사람의 분위기.

S#46.　미경의 집 – 외경(D)

S#47.　미경의 집 – 거실+주방(D)

미경모, 콧노래 흥흥거리며 냉장고에 반찬 채우고 있다.

미경 (수면안대 머리에 쓰고 방에서 나오며)저번에 준 것도 아직 다 안 먹었는데.

미경모 그건 버렸어. 오늘 갖다 둔 거 먹어. (반찬통 들고)이건 내가 한 거. (얼른)이것만 안 먹으면 나쁜 딸이야 너.

미경 (픽)기분 좋아 보이네, 엄마.

미경모 그래? 나 새 친구 생겼다.

미경 새 친구? 누구?

미경모 있어. 완전 걸크러시. 날 막 지켜주는 사람.

미경 (참나. 웃고)이제 아빠 사생팬 그만하겠네.

미경모 니 아빤 오늘도 출근했거든? (참!)니네 은행 사람도 만난다던데.

미경 (표정)

S#48. 박대표 사무실(D)

한 쪽엔 퍼팅 매트 깔려있는 사무실.
상수, 슈트 갖춰 입고 제안서를 미경부에게 보여주고 있다.

상수 부지 매입하실 때 최대한도 가능하시도록 본부에 승인 받았습니다. 금리 면에서도 특별우대 적용해서 최대한 좋은 혜택으로 도움 드리겠습니다.

미경부 (제안서 보고)검토해 봅시다.

상수 감사합니다.

미경부 결혼은 했고?

상수 ...미혼입니다.

미경부 남자는 먹여 살릴 식솔이 있어야 진짜 어른이 되는 건데. 만나는 사람도 없고?

상수 (표정)없습니다.

미경부 (보다가)다음엔 제대로 된 라운딩 한번 합시다.

상수 네. 대표님.

미경부 (상수 살피는 표정)

S#49. 박대표 회사 앞(D)

상수, 건물 밖으로 나오는데.

미경E 선배!

상수 (앞을 보는데, 미경이고)

미경 (다가와서)여긴 어쩐 일이야?

상수 외근. 너는, (하다)아버지 뵈러?

미경 아니. 선배랑 놀러.

상수 (표정)

S#50. 도서관(D)

한산한 내부. 수영과 종현, 가장 안쪽 자리에 마주 보고 앉아 있다.
종현은 모의고사 문제집, 수영은 업무 관련 자료 보고 있는.

종현 (수영 앞에 똑똑 노크하더니 작게)목 안 말라요?

수영 (작게)음료수 마실래요?

종현, 가방 들고 수영 옆자리로 자리 옮기고.

종현 (텀블러 꺼내 수영에게 건네는)아침에 만든 거예요.

수영 (웃으면서 받고)부지런해. (마시는데)뭐 넣었어요? 되게 맛있다.

종현 (수영을 빤히 보는)

수영 (입가 만지며)뭐 묻었어요?

종현 못생겨서요.

수영 (웃는)어디가요.

종현 (짐짓 심각)눈이랑 코랑, 특히 (수영의 입술 가리키며)여기가.

수영 (웃음이 나오는데)

종현 (짧은 순간 수영의 입술에 쪽! 입 맞추고 떨어지는)

수영 !

종현 (아무 일 없었다는 듯 다시 공부에 집중)

수영 (놀란, 당황스러운데)

종현 그만 보고 공부해요. 나 잘생긴 거 아니까.

수영 (허...터지는 웃음)

종현 (책은 시선에 두고 씩 웃으며)수영씨 거예요.

수영 (종현을 가만히 보는)

상수N **사랑은 가장 이해할 수 없는 영역이라고 했다.**

S#51. 북카페(D)

창가에는 테이블, 벽 쪽에는 서가, 살롱 분위기의 예술서적 전문서점. 상수, 전면책장에서 자코메티 관련된 책을 집어 든다. '자코메티가 사랑한 마지막 모델'이라는 제목의 책, 물끄러미 보고 있는 위로,

상수N **하지만 나는 나 자신을 가장 이해할 수 없었다.**
망설였던 그때도, 돌아서야 하는 지금도.

미경 (상수 옆에 다가와서, 책의 표지를 쓱 보고)자코메티. 대단한 사람이었지. 대단한 예술가, 대단한 사랑꾼.

상수 (보면)

미경 (상수 옆에 다가와서)자코메티는 사랑했던 여자가 셋이나 있었대. 고작 3개월 만났지만 뮤즈로 불린 이사벨, 마지막 열정을 불태웠던 매춘부 캐롤린, 그리고 평생 자코메티를 바라본 아내 아네트. 선밴 자코메티가 누굴 제일 사랑했을 거 같아?

상수 (잠시 생각하다)사랑했어야 했던 사람은 아내겠지.

미경 그치. 근데 불타는 사랑을 아내가 아니라 다른 여자한테 쏟아 붓고 아직까지 사생활로 욕을 먹는다.

상수 마음이...마음대로 안 되니까.

미경 죽을 땐 후회했을 걸. 집에서 밥 먹고, 차 마시고, 같은 침대에 눕고, 체온처럼 당연했던 아내가 진짜 사랑이었다고 막 깨달으면서.

상수 후회 안 했을 수도 있지. 세 명의 여자 말고 또 다른 여자가 있었을 수도 있고.

미경 뭐야. 왜 자코메티 대변해.

상수 (웃는데)

미경 (상수 손에서 책 뺏어들며)선밴 이렇게 살면 안 돼? 선밴 예술가가 아니라 은행원이니까.

상수 (픽 웃는)

S#52. 야외 주차장 + 상수 차 안(D)

상수와 미경, 주차된 상수의 차로 걸어온다.

미경 택시 타는 데 내려줘.

상수 (차 문 열며)근처잖아. 태워줄게.

미경 (씩 웃으며)그럼 좋구.

/차 안. 차에 타는 두 사람.

미경 곧 공고 뜰 거 같은데. 본점.

상수 (표정)

미경 지원할 거야?

상수 (대답하려는데, 순간 당황하는 표정)어?

미경 왜?

상수 차가 이상해서. (시동 거는데, 소리만 나는)

S#53. 도로 + 렉카 차 안(D)

기사, 운전 중이고. 상수와 미경, 뒷자리에 앉아 있다.

렉카 뒤로 견인되어 끌려오는 상수의 차 보이고.

미경 (킥 웃음이 터지는데)

상수 웃겨?

미경 (푸하하)웃기잖아.

상수 (픽 웃음이 새는)재밌냐.

미경 어, 너무.

상수 넌 진짜.

미경 진짜 해맑지. 나랑 있음 기분이 막 좋아지지.

상수 (어이가 없다. 웃는)

미경 보기 좋다. 그렇게 웃으니까.

상수 (웃으며)그냥 택시 타고 가라니까.

미경 이렇게 신나는데 왜? 나 한 번은 렉카 타보고 싶었어. 선배도 이제 길가에서 렉카 볼 때마다 내 생각 날 걸.

상수 저주 거는 거야?

미경 (상수 코앞에서 손가락 돌리며)어. 내 생각나라. 내 생각나라.

상수 (웃는)

S#54. 도서관 앞 교차로(N)

횡단보도 앞에서 신호 기다리는 수영과 종현. 건너편 도로를 지나쳐가는 렉카 차, 상수의 차다. 수영은 보지 못한 채 지나치는 상수와 미경인데... 그때 어디선가 들려 오는 호루라기 소리. 보면, 교차로 한가운데서 수신호를 하며 도로를 통제 중인 교통경찰이 보인다.

종현 (경찰에 시선이 가는데)

수영 (종현 보다가)나중에 종현씨가 저렇게 되는 거예요?

종현 (쑥스러운)시험, 붙으면요?

수영 (협조한 차량에 거수경례 하는 경찰 보며)되게 멋있겠다.

종현 (함께 보며)경찰 되면 첫 번째 경례는 수영씨한테 해줄 거예요.

수영 (미소로)약속이에요.

종현 (다짐으로)네. 꼭 지킬게요.

S#55. 수영의 집 일각(N)

수영과 종현, 나란히 걷고 있다.

종현 나 때문에 괜히 도서관에서 시간 보내구. 미안하다.

수영 뭐가요.

종현 대신 시험 끝나면 내가 진짜! 맛있는 거 살게요.

수영 (웃는)

종현 (수영 옆모습 보다가, 슬그머니 손잡는)

수영 !

종현 (잡은 손, 깍지까지 끼는데)

수영 (픽..웃음 나는)뭐해요?

종현 어릴 때 안 배웠어요? 친구랑 사이좋게 손잡고 다니기. 난 배웠는데. 열심히.

수영 우리가 친군가.

종현 친구보다 더 친한 사이죠.

수영 이렇게 꼬박꼬박 존댓말 하는데요? 되게 어려운 사이 같은데.

종현 맞아요. 나한테 어려운 사람.

수영 (표정)

종현 창구에 앉아서 수영씨한테 대뜸 반말하는 사람들, 수영씨 편해서 그러는 거잖아요. 나한텐 누구보다 예의를 갖춰서 대하고 싶은 사람인데.

수영 (표정)

종현 그러니까 맞아요. 수영씨는 나한테 제일 어려운 사람.

수영 (보다가...)시험 치는 날 아침에...우리 집 올래요?

종현 (보면)

수영 속 든든해야 시험 잘 치잖아요. 그래야 나도 진짜 맛있는 거

얻어먹구. (종현에게 잘 하려는 노력)아침 해줄게요.

종현　　(환하게 펴지는 미소)신난다. (잡은 손 크게 흔들며)신난다!

수영　　(종현 따라가며 조용히 웃는)

S#56.　　편의점(N)

편한 옷 입고 있는 상수, 계산중이다.

계산대 위에 놓여진 음료수, 담배 한 갑.

상수　　(카드 건네려다 잠시 표정 있더니)담밴 그냥 두세요.

S#57.　　편의점 앞(N)

상수, 음료수 들고 나오는데. 편의점 앞 도로에 접촉사고 난 차량 두 대가 서있다. 사고차량 앞으로 정차하는 렉카차.

상수　　(음료수 캔 따다가 멈짓)

플래시백 인서트>S#53. 상수 차 안(D)

미경　　렉카 볼 때마다 내 생각 날 걸.
내 생각나라, 내 생각나라.

상수　　(생각났다. 픽 웃고 음료수 마시는)

S#58. 수영의 집 – 거실 + 주방(D)

수영, 앞치마 입고 상을 차리고 있다.

막 완성한 요리 식탁에 올려두는데. 그때, 초인종 소리 들리고.

수영 (앞치마 끈 풀어 내리며 나가는)

/집으로 들어오는 종현, 뒤춤에서 불쑥 뭔가를 내민다.

보면, 들꽃으로 만든 꽃다발.

수영 (받아 들며)그냥 오지.

종현 (쑥스러운)여자친구 집에 처음 올 땐 꽃다발 같은 거 사가는 거라고.

수영 누가요?

종현 인터넷에서..

수영 (웃는)

S#59. 수영의 집 – 베란다(D)

종현, 감탄하는 눈으로 베란다를 보고 있다. 아기자기 꾸며놓은 공간.

허브 화분을 보다가 전자피아노, 그 위에 걸린 그림까지.

수영의 취향이 느껴지는 공간을 한참 바라보고 있는 종현.

종현 (저도 모르게 중얼)근사하다.

수영 정말요?

종현 (앗!)미안해요. 내 맘대로 열어봐서.

수영 그러라고 얼마나 열심히 청소했는데.

종현　　여기 너무 멋진 거 같아요.

수영　　이 집에서 내가 제일 좋아하는 공간이에요. 사실 베란다 때문에 여기 사는 거구.

종현　　(화분 보며)이거 다 수영씨가 키운 거예요?

수영　　네. 꿈이었거든요. (웃고)파스타 먹을 때나 차 마시고 싶을 때 막 뜯어먹어요.

종현　　(웃는)피아노도 칠 줄 아나 봐요. 멋지다.

수영　　독학이에요. 잘은 못쳐요.

종현　　지금 한 번 쳐주면 안 되나.

수영　　지금은 너무 아침이구. 다음에. 얼른 와요. 밥 다 됐어요.

종현　　(웃는)

S#60.　　수영의 집 – 주방(D)

수영과 종현, 마주 보고 앉아 있다.

종현　　(감탄하는)와...요리까지 잘해.

수영　　먹어보지도 않구. 먹어봐요.

종현　　(국 떠먹는)완전 맛있다. 근데 반찬 조합이...좀 이색적이네요.

수영　　(반찬들 각각 가리키며)이건 일본에서 시험 치기 전에 먹는 돈까스, 이건 홍콩에서 시험 치기 전에 먹는 캐슈넛 볶음이랑 사과샐러드, 이건 중국에서 시험 치기 전에 먹는 족발. (웃는)나도 검색해봤어요. 인터넷.

종현　　(표정)

수영　　(차분히 보다)종현씨가 나 힘들 때마다 많이 위로해줬잖아

요. 중요한 시험이니까...나도 뭔가 해주고 싶었어요. (웃는)이
자까지 쳐서.

종현 (수영 깊게 보다가)꼭 붙어야겠다. 맛있는 이자니까.

수영 (반찬 올려주며)꼭꼭 씹어 먹어요.

S#61. 몽타주

/ 영포중학교 전경(D)

'2022년 경찰공무원 채용 필기시험장' 현수막 걸려 있고,

/ 영포중학교 – 교실 안(D)

종이 넘어가는 소리만 들리는 교실 안.

문제를 풀어나가고 있는 종현의 모습 보이고.

/ 수영의 집 – 거실(D)

수영, 종현에게 받은 꽃다발을 거실 벽 한 켠에 걸어둔다. 꽃다발을 보며
잔잔히 미소 짓던 수영, 문득 시계를 보는데...핸드폰 문자를 남기는.

문자 인서트 >'시험 잘 봤어요? 끝나면 연락해요.'

S#62. 영포중학교 일각(D)

밝은 표정으로 학교에서 나오는 종현. 핸드폰 전원을 켜고. 전원이 켜지
자, 연락처에서 수영을 찾는데. 그때, 울리는 전화벨.

종현 (갸웃, 하다 받고)여보세요?

전화를 받는 종현의 뒷모습. 길게 보여지면서.

S#63. 에스테틱 한(D)

정임, 데스크에 앉아 있는데.

화려한 모자를 쓴 미경모, 에스테틱으로 들어온다.

정임 (의아해서)오셨어요. 오늘 예약 아니신데?

미경모 알아요 알아. 놀러왔어. 우리 친구 먹기로 했잖아.

미경모, 응접실 데스크에 가져온 쇼핑백 올려둔다.

미경모 밥 안 먹었죠? 내가 한남동 카페에서 브런치 테이카웃 해왔어.

정임 (미경모가 재밌는)조금 있다 먹을게요. 저 곧 상담예약이 있어서.

그때, 샵 안으로 손님 들어오고.

정임 오셨네요. 먼저 드세요. (손님에게)어서오세요.

미경모 안 되는데. 이거 바로 먹어야 바삭한데. (얼른 일어나며)그 상담 내가 할게요.

정임 (황당한)네?

미경모 아니 왜? 내가 에스테틱 수십 년 다니면서 보고 들은 게 있는데. 못할까 봐?

정임 아니, 저기,

미경모 (손님에게)무슨 관리 받으시게. 아쿠아케어? 모공? 아님 등드름 관리? 여기 다 잘 해요. 10회 끊으면 디씨도 되구. 그죠 한원장?

정임 (기가 막힌. 어이없는 웃음 터지고)네. 디씨 돼요.

S#64. 상수의 집(N)

상수, 책 보고 있는데. 도어락 해제소리가 들리고. 정임 들어오는.

정임 안 잤네.

상수 엄마. 벨 누르고 들어와 좀.

정임 전기세 나가게 뭐 하러. (쇼핑백 툭 올려두며)바로 갈 거거든요.

상수 뭔데?

정임 친구가 준 선물.

상수 (꺼내 보면, 넥타이고)너무 과한 선물 아냐?

정임 (픽 웃으며)그러게나 말이다. (현관으로 나가며)간다.

상수 벌써 가요?

정임 용건 끝. 피곤해. 너도 쉬어라.

상수 (따라 나와 배웅하며)가요.

정임 (나가려다가, 벽에 붙은 2021년 달력 보더니)언제적 달력이야. 좀 바꿔.

상수 (표정)

/정임이 돌아간 후. 상수, 벽에 붙은 달력을 물끄러미 본다.

상수 (표정)

플래시백 인서트>4부 S#2. 상수에게 달력을 주며 환하게 웃던 수영.

상수 (잠시 있다가, 달력을 떼어내고...덤덤하려는 표정)

상수가 달력을 떼고 휑해지는 벽.
달력이 있던 자리만 미세하게 벽지 색깔이 다르다.
수영을 향한 감정의 흔적처럼...

S#65. 수영의 집 - 거실(N)

수영, 핸드폰을 보고 있다.
보면, 종현에게 보낸 '시험 잘 끝났어요? /연락이 안 되네요. /아직 안 들어왔어요?' 문자들.

수영 (왜 연락이 없나...걱정되는데)

S#66. 은행 객장(D)

수영, 갱의실 쪽에서 나오다 청경유니폼 입은 남자 뒷모습 보고.
얼른 다가가는데, 돌아서는 남자, 종현 아닌 대체근무자다.

수영 (의아한데)
부지점장 (객장으로 들어오며)다들 좋은 아침!
행원들 오셨어요. /좋은 아침입니다.

서팀장 부지점장님 요즘 기분 엄청 좋아 보이시네.

은정 (속닥)지점장님 기세가 꺾이셨잖아요. 작용, 반작용.

지윤 근데 종현씨는 오늘 왜 안 나왔어요?

수영 (표정)

상수 (수영을 흘깃 보는 시선)

서팀장 그러게.

수영 (핸드폰을 확인하면, 종현에게 보낸 문자, 여전히 읽지 않음으로 되어있는...)

S#67. 은행 옥상(D)

수영, 종현에게 전화를 거는데 연결음 흐르다, 음성사서함으로 넘어간다.

수영 (삐 소리 들리면)종현씨. 연락이 안 되네요. (잠시 있다)무슨 일 있는 거예요?

수영, 취소 버튼을 누른다. '음성녹음이 취소되었습니다' 들리고.

수영 (표정)

S#68. 은행 객장(D)

마대리, 커피 타서 나오다 지점장과 정면으로 부딪힌다.

마대리 (인터뷰 사건으로 찔리는, 눈치 보며)방금 손님 들어가셨는데. 약속 돼 있으시다구.

지점장 약속? 누구?

S#69. 은행 지점장실(D)

S#20의 중년부인, 선 채로 지점장실 찬찬히 둘러보다 책상 위로 다가간다. 보면, 지점장과 지점장부인의 다정해 보이는 사진.

중년부인 (물끄러미 보는데)

지점장 (문 열고 들어오다, 중년부인 보고 화들짝)

중년부인 (태연한)어서 와요.

지점장 (뜨악해서, 문 얼른 닫는)미쳤어? 가뜩이나 개념 없는 직원 때문에 우습게 된 마당에 당신까지 여길 오면 어떡해. 내가 6개월만 참으랬잖아. 본부장 되면 그때,

중년부인 (OL. 사진액자 들어 보이며)참으로 정다운 금수 한 쌍이네. 재혼을 할 거면 이혼을 먼저 하는 게 순서지. (차분히)이게 무슨 개 같은 경우야.

지점장 !

S#70. 은행 객장(D)

지점장부인, 긴 머리 휘날리며 여유롭게 객장 안으로 들어온다.
마대리, 냉큼 나와서 지점장부인에게 90도로 인사하는.

마대리 오셨습니까 사모님.

지점장부인 (OL)아이스 아메리카노로. (하고 휙 가버리는)

마대리 (가는 뒤통수에 대고 중얼)근데 지금 손님이 계신데.

S#71. 은행 지점장실(D)

지점장과 중년부인, 팽팽하게 대치 중인데.

지점장부인E 오빠아. (하며 들어오는데, 중년부인 보고 우아하게)어머. 손님 계셨네요.

중년부인 (지점장 보며)돌아가신 어머님이 내가 모르는 따님을 낳으셨네.

지점장 (한숨, 지점장부인에게)문 닫아. 문 꽉 닫고 들어와.

지점장부인 뭔데. 이 여자 누군데.

지점장 (이마 감싸며 한숨 쉬는데)

마대리 (문 열고, 활기차게 들어오며)시워언한 아이스 아메리카노 대령입니다.

지점장부인 (OL)이 여자 누구냐니까!

그때, 책상 위 사진 액자를 지점장부인 발치에 던지는 중년부인.
요란하게 깨지는 사진 액자. 순식간에 얼어붙는 분위기.

지점장부인 (놀라서 입만 벙긋거리는데)

중년부인 니네 오빠, 법적 부인이에요. 내가.

지점장 (이런 씨...)

마대리 (눈만 껌뻑이며 사태 파악 중인데)

S#72. 은행 객장(D)

조용한 객장에 '꺄아아!' 지점장부인의 비명소리 울려 퍼지고.
그와 동시에 지점장실에서 톡 튀어나오는 마대리. 한껏 신났다.

마대리 대박! 부부의 세계, 부부의 세계! 실시간 실시간!

행원들, 의아해서 서로를 쳐다보는데.

/이팀장 그럼 우리가 사모님으로 알고 있었던 분이 사모님이 아니고,
마대리 (툭)내연녀.
이팀장 먼저 들어간 여사님이,
마대리 (툭)사모님요.
지윤 (은정에게 속닥)그때 그 사진. 내연녀 사진이었나 봐요.
은정 (지윤에게 속닥)뒷모습 똑같더라구. 괜히 수영씨만 의심했네.
/상수 (이미 알고 있었고)
경필 (상수 툭 치며)업무추진비 횡령해서 저기에 쓴 거냐?
상수 (어깨 으쓱)

그때. 지점장실에서 나오는 중년부인, 고고한 표정으로 나가고. 그 뒤로 지점장부인, 씩씩대며 은행 밖으로 나가는. 그리고 마지막으로 어두운 표정으로 나오는 지점장, 엉거주춤하게 일어서는 행원들 향해 손사래.

지점장 나 휴가 갑니다. (나가고)
부지점장 (웃음 참는. 씰룩이는 입가)
이팀장 (털썩 자리에 앉고)지점장님은 왜 갑자기 사고를 이렇게.
수영 (자리로 돌아오는데)
마대리 안주임 좋은 구경 놓쳤네.
수영 네?
마대리 방금 여기서 실시간 드라마가,
이팀장 두식아. 심란하다. 조용히 하자.

마대리 넵.

서팀장 근데 종현씨는 왜 안 나와요?

부지점장 아, 종현씨도 휴가 냈어.

수영 (들었다. 휴가...? 싶은데)

상수 (반사적으로 수영을 의식, 그런 자신의 모습 자각하고 후... 자조 섞인 한숨)

S#73. 은행 일각(N)

상수, 신호를 기다리고 있는데. 그 앞으로 미경의 차가 멈춰 선다.

미경 (차창 내리고 상수보며)야! 타!

상수 (하! 웃음 터지는)

S#74. 버스 안 + 도로(N)

한산한 버스 안. 2인 좌석에 홀로 앉아 있는 수영. 가만히 창밖을 보다 핸드폰 열어서, 종현에게 보낸 메시지들을 확인하는데. 마지막으로 보낸 메시지, '휴가..냈어요? 무슨 일 있는 건 아닌지...걱정해요 나.'
그때, 실시간으로 '읽음' 표시로 바뀌고.

수영 (표정)

그와 동시에 핸드폰이 진동한다. 액정에 뜨는 이름, 종현이다.

수영 (얼른 받으며)종현씨. 어떻게 된 거예요.

(듣다)어디예요, 지금?

S#75. 버스정류장 + 도로(N)

버스에서 내린 수영. 바로 뒤에 정차한 택시로 갈아탄다. 출발하는 택시.

S#76. 한강공원 주차장(N)

운동복 차림으로 갈아입은 미경. 차 밖에 서있고.

미경의 차 문이 열리면, 운동복으로 갈아입은 상수가 내린다.

상수 달밤에 뭔 체조를.

미경 선배 달밤에 안 달려봤지. 기분 엄청 좋아져. 신발 사이즌?

상수 맞아. 내 사이즌 어떻게 알았어?

미경 어떻게 알아 내가. 사이즈별로 트렁크에 실어놨지.

상수 ! 야. 뭐 그렇게까지.

미경 (웃으며)뻥이야. 제일 기본 사이즈라며 그게.

상수 (어이없어 웃는)

미경 동작대교까지 뛰자.

상수 너무 안 멀어?

미경 힘들면 말해, 하계장. 내가 업어줄게.

상수 까분다. 또.

미경 (스트레칭 하며 걸어가는)

상수 (픽 웃고 따라가는데)

상수와 미경이 지나간 자리에 정차하는 택시.

문이 열리면, 택시에서 수영이 내린다.

수영 (표정)

S#77. 한강공원 조깅로(N)

상수와 미경, 속도를 맞춰 나란히 달린다.

상수 너 진짜 무리하는 거 아냐?
미경 내가 맞춰주고 있는 걸론 안 보여?
상수 그래. 너 잘 달린다.
미경 기분 좋지.
상수 (그동안의 감정들 털 듯)어! 좋네!
미경 나도!
상수 (웃는)
미경 기분 좋다! (빠르게 앞서 달리고)
상수 (픽 웃고는 따라 달리는)

S#78. 한강공원 일각(N)

수영, 두리번거리다 어딘가에 시선이 멎는다.
보면, 벤치에 앉아 있는 종현 보이는.

수영 (걱정 반 긴장 반으로 다가가는)
종현 (기척에 돌아보고, 어색한 미소로)수영씨. 왔어요?
수영 (기색 살피며)어떻게 된 거예요.

종현 ...시험치고 나니까 긴장이 풀렸나 봐요. 몸살...앓아서.

수영 (아...)그랬구나. (벤치에 앉으며)나 되게 걱정했는데.

종현 ...미안해요.

수영 지금은 괜찮아요?

종현 (애써 짓는 미소로)네.

수영 그럼 다행이구. (한강 바라보며)예쁘게도 반짝인다.

종현 (수영을 애틋하게 보는)

S#79. 한강공원 조깅로(N)

상수, 빠른 속도로 달리는 데에 집중하고 있다. 헉헉 거리는 숨소리, 흐르는 땀. 어지러운 감정을 떨쳐내듯 규칙적으로 숨을 뱉는다. 미련과 체념, 그 모든 감정이 지나가는 상수의 복합적인 표정.

상수 (호흡조절하며 앞서 뛰던 미경 옆으로 다가와)야! 그렇게 막 뛰면 심장 터져 너!

미경 선배나 걱정하시지! 내 심장이 나이 더 어리거든! (하면서 더 속도 내는데)

상수 넘어진다니까!

미경 내 취미가 마라톤이거든요! 선배도 잘 달리네!

상수 (진심으로)후련하다, 그냥!

미경 뭐가 답답했어? (하는데)

말이 채 끝나기도 전에 걸음이 꼬여 수풀 쪽으로 넘어지는 미경.

상수 (놀라서, 얼른 다가가는)

미경 아...(아프고, 쪽팔리다가...뭔가를 발견했다!)

상수 (다가와서)야. 괜찮아?

상수가 와서 보면, 미경의 양 무릎이 까져 피가 흐르고 있고.

상수 피나잖아 너. (답답한)그니까 내가 너 속도 조절하라고. 아니 넌 무슨 애가 그렇게 몸 사릴 줄 모르고, (수풀에 엎드려 있는 미경에게)야. 왜 그래. 울어?

미경 (OL, 해맑게)짠! (하며 상수 코앞에 동전 들이미는)

상수 (황당해서)뭐 하냐.

미경 (동전 흔들며)안 보여, 이거?

상수 (황당)무릎에 피 철철 흘리면서 오백 원 주웠다고 좋아하는 거야, 지금?

미경 98년도 오백 원! IMF라 딱 8천개만 찍었다는 98년도산 오백 원!

상수 (뒤늦게 숨을 고르며 미경을 보는데, 헛웃음이 터지는. 앤 참 유쾌하다 싶은)

미경 네잎클로버보다 영접하기 힘든 레어템! 완전 대박이지!

상수 (다치고도 마냥 해맑은 미경을 고쳐 보는)그래. 진짜 대박이다.

S#80. 한강공원 일각(N)

무거워진 공기를 느끼는 수영. 종현의 눈치를 살피다가,

수영 (분위기 풀려는)종현씨, 이거 봐요.

종현 (수영의 시선을 따라가면)

수영 (종현이 사준 신발)나 이거 신었는데.

종현 (옅은 미소로)네. 잘 어울려요.

수영 (그래도 무거운 공기가 어색해 발끝만 톡톡 차는데)

종현 ...수영씨.

수영 (뭔가 있다 싶은)...네.

종현 ...할, 얘기가 있어요.

수영 (표정)

S#81. 한강공원 조깅로(N)

상수, 미경의 무릎에 밴드를 붙여준다.

미경 (동전 보며 킥킥 웃는)완전 신기해. 로또 살까.

상수 (기막힌)좋기도 하겠다. 무릎은 다 까져서.

미경 다치면 좀 어때. 달리는 동안 기분 좋았잖아. 상처는 날 수도 있는 거고, 넘어진 덕분에 이것도 찾았고. 내일 가서 자랑해야지.

상수 (미경을 가만히 보는)

미경 (상수 표정에)왜. 갖고 싶어?

상수 (웃는)뭐?

미경 (장난스런)그냥은 못 주구, 나랑 사귀면 주지.

상수 (표정)

미경 (기대 안 했고. 남은 밴드, 연고 챙겨드는데)

상수 (가만히 미경 보는)

미경 (일어서며)이제 가자.

상수 (일어서며, 미경 마주 보는)나 줘. 그거.

미경 ? (그러다, 무슨 뜻인지 알겠고, 놀라서 보는)

상수 (표정)

S#82. 한강공원 일각 + 조깅로 교차(N)

수영, 방금 종현에게서 들은 얘기에 당황한 얼굴이다.

수영 종현씨...방금 뭐라고.

종현 우리...

/미경, 믿기지 않는 얼굴로 상수 보는.

미경 선배, 지금 그 말.

상수 니 말대로 나 아직 백퍼센튼 아냐. 그래도 괜찮아?

미경 1퍼센트만 줘. 나머진 내가 채울게. 난 자신 있거든. 선배랑 잘 해나갈 자신.

상수 (픽 웃으며 손바닥 내밀면)

미경 (그 위에 동전 놓으며)그럼 이제 우리, 사귀는 거다?

상수 (미경 향해 웃는)그래, 인마.

/종현 수영씨.

수영 (긴장으로 보면)

종현 헤어져요 우리.

수영 !

수영의 시선을 회피하는 종현, 이해가지 않는 상황에 굳은 표정의 수영,
뜻밖의 고백에 설렌 표정의 미경, 미경을 향해 따뜻하게 웃는 상수.
얽혀 들어가는 네 남녀의 감정들, 두 커플의 모습이 이분할 되며 엔딩...!

The Interest of Love

7 부

Ep 7

S#1. 한강공원 주차장(N)

선루프 개방하고 나란히 앉은 상수와 미경. 가운데 편의점 봉지 놓여있다. 미경, 맥주캔 따서 상수에게 건네고.

미경 (맥주캔 하나 더 따서 들어 보이는)짠!

상수 (픽 웃고, 맥주캔 부딪치는)

미경 (시원하게 마시고)아. 너무 시원해. 선밴 왜 안 마셔?

상수 운전은 누가해.

미경 대리하면 되지.

상수 됐어. 너 마셔.

미경 (상수 뚫어지게 보는)

상수 ...왜.

미경 남자친구 보는 거야. 왜 나랑 사귄다고 했나.

상수 (표정 있다가, 동전 들어 보이며)그래야 준다며. 이거.

미경 뭐야.

상수 (말 돌리며 놀리듯)그러는 넌. 그렇게 나 좋다는 애가 왜 대학 땐 거들떠도 안 봤을까. 너, 그때는 이 열렬한 사랑. 누구한테 퍼부었냐?

미경 (표정)그땐 타이밍이 안 맞았잖아. 선배 복학할 때 난 졸업하구. (장난스레)그러는 선밴. 진짜 사귀는 사람 없었어? 좋아하는 사람도?

상수 (수영이 떠오르지만)

미경 (얼른)아냐아냐. 안 들을래. 벌써 질투 나니까 패스.

상수 (활짝 웃는 미경의 얼굴 가만히 보는 위로)

종현E 우리 헤어져요.

S#2. 한강공원 일각(N)

6부 엔딩씬 연결.

수영, 멍해져서 종현을 보고, 종현은 수영의 시선을 외면한다.

수영 (당황)...무슨 말인지 이해가 가게 해요. 말도 없이 휴가 내고 연락도 안 받더니 갑자기 나타나서 지금 무슨.

종현 (고개를 떨구고 나직이 한숨)

수영 (답답하지만 기다려주는데)

종현 (수영에겐 차마 말할 수 없고)...미안해요.

수영 사과는 나중에. 제대로 설명부터 해요.

종현 (고개조차 들지 않는)

수영 (보다가)종현씨.

종현 (슬픈 눈으로 수영을 보는데)

수영 (그 눈빛에 말문이 막히고)

종현 (다시 죄인처럼 고개를 숙이면)

수영 (막연히 보다가)...혹시 시험 잘 못 봤어요?

종현 (가만히 있는데)

수영 공부 때문에. 그래서 그래요?

종현 (시선 피한 채)...네.

수영 (표정 있다가 기막힌)그렇다고...헤어지자고...

종현 ...미안해요.

수영 (뭔가 다른 게 있다는 생각이 들지만)

종현 (둘러대듯)가봐야 해요.

수영 (표정)이러고 어딜 가요.

종현 ...나중에, 나중에 다시 얘기해요.

수영 (기가 막히는데)

종현 ...갈게요. (천천히 돌아서서 가고)

수영 (가는 종현 잡지 못하고, 보는. 뭐가 뭔지 모르겠다)

S#3. 골목길(N)

힘이 빠진 얼굴로, 터벅터벅 쓸쓸히 걷고 있는 수영.

걸음이 느려지더니, 멈춰 서서 종현과의 어떤 순간을 떠올린다.

S#4. 동. 회상(N)

5부 S#71의 추가씬. 비 오는 골목길을 걷는 수영과 종현.

사귀기로 한 날의 풋풋한 분위기.

종현 (수영을 힐끔 보는)

수영 (그 시선 느끼고)...왜요?

종현 신기해서요. 우리가 이런 사이가 됐다는 게.

수영 그러게요. 종현씨 처음 봤을 땐 우리가 이렇게 될 줄 몰랐는데.

종현 나는 알았는데. (천연덕스레)미래에서 보고 왔거든요.

수영 (픽 웃고는, 장단 맞춰)또 뭐 보고 왔는데요?

종현 수영씬 승진해서 본점에서 일하고 있고, 나는 시험 합격해서 경찰 돼 있고.

수영 (픽 웃는)

종현 그리고 우리는 비가 올 때마다 산책하던데. (수영 손 잡으며)딱 이러고.

수영 (종현의 손에 움찔했다 미소로)그때도 우리가 만나고 있어요?

종현 네. 헤어질 생각 없던데요. 둘 다.

수영 (헛웃음 터지는데)

S#5. 골목길(N)

그랬던 종현의 심경변화에. 수영, 혼란스럽다.

수영 (하...긴 숨 뱉어내는데)

쓸쓸해 보이는 수영의 모습 위로 뜨는 타이틀, 〈**사랑의 이해**〉

S#6. 버스정류장 + 일각(D)

상수, 버스에서 내린다.

은행 쪽으로 걸어가는데, 조금 떨어진 앞에 수영의 뒷모습이 보인다.

상수 (저도 모르게 걸음이 빨라지려는데)

그때, 상수의 핸드폰 벨소리 울리고.

상수, 시선은 수영에게 둔 채 핸드폰 꺼내서 받는데.

미경E 선배 언제 와? 나 벌써 도착!

상수 어, 어...다 왔어 이제.

상수, 통화하며 더 멀어진 수영의 뒷모습을 확인한다.

수영에게 다가가지 않고, 간격 유지한 채 천천히 걷는 상수.

S#7.　　　은행 전경(D)

S#8.　　　은행 객의실(D)

객의실 안으로 들어오는 활기찬 미경.

미경　　　좋은 아침입니다!

서팀장　　　박대리, 뭐 좋은 일 있어?

미경　　　그래 보여요?

서팀장　　　뭔데. 나도 대리만족 좀 하자.

이팀장　　　좋은 일은 노부지한테 있지.

S#9.　　　은행 지점장실(D)

스마일, 하는 소리와 함께 셀카 찍는 부지점장.

의자에 각 잡고 기대서 난리블루스다.

부지점장　　　안락하고, 편안한 게...지점장실 의자가 다르긴 다르네.

부지점장, 책상 위에 놓인 지점장의 황금색 교탁종을 괜히 땡! 쳐보는데.

지점장실 문을 열고 들어오는 사람, 마대리다.

마대리　　　(경쾌하게)좋은 아침입니다. 지점장님!

부지점장　　　뭐?...지점장?

마대리　　　(천연덕)아휴, 제가 이런 실수를! 앉아 계신 모습이 너무나도 지점장님 같으셔서, 저도 모르게 그만!

부지점장 (내심 좋은)그럴 수도 있지.

마대리 (커피 놔주고 얼른 안마하며)블루마운틴에 시럽 두 바퀴 반의 반, 맞으시죠?

그때 노크하고 들어오는 이팀장, 안마 중인 마대리를 보고 기겁한다.

이팀장 (부지점장에게 서류 건네고)결재서륩니다. (마대리 힐끗)

부지점장 (서류철 넘겨보다, 말투도 괜히 근엄)실사는 언제 나가나.

이팀장 서류 작업 끝나는 대로 나갈 계획입니다.

부지점장 (마대리에게)압을 좀 올려서. 이번 주말엔 뭐 하나들. 가볍게 등산 어때?

이팀장 (난색)네? 등산..이요?

부지점장 왜, 싫어? 골프는 되고 등산은 안 되고?

마대리 세상에. 소름...! 안 그래도 이번 주말엔 꼭 등산 가야지, 등산 마렵다 생각했는데. 전부터 느꼈는데 지점장님과 저는 쏘울이 일맥상통하는 거 같습니다.

부지점장 (좋은 티 누르며)나 지점장 아니라니까. 지점장님 휴가 다녀오실 동안만 여기 쓰는 거라고. 거, 사람 왜 자꾸...

마대리 어이쿠, 제가 또 실수를!

이팀장 (꼴값들 하네..)

S#10. 은행 객장(D)

행원들, 각자의 자리에서 오픈 준비 중이고.

마대리, 행원들 앞에서 브리핑 중이다.

마대리 이번 주 일요일, 장소는 청계산 입구, 집합 시간은 정각 열 시입니다. 정상에서 빠르게 단체 사진 찍으시고, 하산 후 바로 해산! 하긴 아쉬우니까! 근처 맛집에서 즐겁고 유익한 뒤풀이가 예정되어 있습니다.

서팀장 이제 대세는 등산인가.

이팀장 뭐? 등산이 마려워? 쏘울이가 일맥상통해? 저런 박쥐 같은 놈.

마대리 (시선 피하며)다들 참석하실 거죠?

/서팀장 난 시부모님 결혼기념일.

/은정 소개팅 있어요.

/지윤 사촌 언니 결혼식이...

/경필 하필 그날 제사라서. 하필 또 제가 종손이고.

/석현 저는 상견례 때 입을 양복을 좀.

마대리 (둘러보다)안주임은요?

수영 ...갈게요.

마대리 (미리 체크하며)우리 하상수는 무조건 가는 거고.

미경 (그 말에 얼른)저도 갈게요. (상수보며 눈 찡긋)

상수 (픽 웃는데)

수영 (상수와 미경 사이에 오가는 시선 봤고)

대체근무자 (유니폼 입고 객장으로 나오며)안녕하십니까. (하고 자리로 가고)

서팀장 종현씨는 휴가를 오래 쓰네.

수영 (표정, 자리에서 일어나는)

상수 (어딘가 어두운 수영의 표정이 신경 쓰이는)

S#11.　은행 갱의실(D)

수영, 커피포트에 정수기 물을 받고 있다. 멍하게 생각에 빠진 얼굴인데. 막 갱의실로 들어온 상수의 시선에, 물이 넘치려는 커피포트가 보이고.

상수　(다급히)안주임님!

수영　(멍하니 있는데)

상수　(얼른 와서 정수기 버튼 누르자)

수영　(그제야 생각에서 깨고, 흘러넘친 물 수습하는)

상수　(행주 가져와 같이 닦으며)두세요. 다 했어요.

수영　...감사해요.

상수　(신경 쓰이지만, 더 묻지 않고)출발할까요?

수영　네?

상수　오늘 영진물산 가는 거...

수영　(아..!)네. 네, 준비하고 나올게요. (여자탈의실 쪽으로 들어가고)

상수　(표정)

S#12.　은행 여자탈의실(D)

수영, 캐비닛에서 외투를 꺼내 입는다.

수영　(정신 차리자 싶은 표정으로)

S#13.　도로 + 지점차량 안(D)

KCU은행 래핑된 지점차량. 좁은 내부에 상수와 수영, 거의 붙다시피 했다. 미경과 사귀면서도 여전히 수영이 신경 쓰이는 상수는 수영을 의식하며 흘깃, 수영은 종현을 떠올리는 듯 멍하니 창밖을 바라보고 있다.

상수　(좁아 보이는 수영에게)불편하죠.

수영　네?

상수　(아...)차가 좁아서.

수영　(표정)아뇨. 괜찮아요. (창밖으로 시선 돌리면)

상수　(수영 옆모습 보다, 조용히 음악을 켠다)

수영　(생각에 빠진 채 창밖 보고)

상수　(조용히 운전만 하는)

S#14.　영진물산 – 회의실(D)

상수, 직원 두 명에게 대출 관련 상담 중이고,

상수　연소득이 기준 금액 이상이시고, 재직기간도 충족되시니까 (서류에 동그라미 치며)이 금액까지 대출 가능하십니다. 서류는 갖고 오셨어요?

수영, 다른 한쪽에서 직원들 통장 안내 중이다.

수영　급여 이체만 걸어 두셔도 정기적인 리워드를 받으실 수 있어요. (서류 건네며)체크한 부분만 적어주시면 됩니다. 여기랑, 여기요. (직원이 적는 동안, 잠시 창밖을 보는데...)

직원　(수영에게)이건요?

수영　(못 듣고)

직원	저기요.
수영	(그제야)아, 네. 설명 드릴게요. (설명 이어가는데)
상수	(수영을 힐긋. 저도 모르게 시선 가는)

S#15. 주차장(D)

상수와 수영, 거리를 둔 채 주차된 차를 향해 걸어온다.

수영	(무표정한 얼굴로 조수석 문을 열고 타는데)
상수	(뭐라 할까...싶다가 마음 접고 운전석 문을 열고 타는)

S#16. 은행 갱의실(D)

경필, 믹스커피를 타고 있는데. 갱의실 안으로 들어오는 미경.

경필	(뜨거운 물을 붓다가 움찔)
미경	(경필 힐긋 보고 피식)
경필	(모르는 척 커피 타서 호로록 마시는데)
미경	그게 점심이에요?
경필	어? 아니, 상수 들어오면 같이 먹게.
미경	상수선밴 나랑 먹을 건데.
경필	약속했어?
미경	(싱긋)지금 하려구요.

S#17.　　도로 + 지점차량 안(D)

상수와 수영, 조용히 가고 있다. 정적이 흐르는 차 안.
그때 블루투스와 연결된 상수의 핸드폰 벨소리가 차량 오디오로 울리고.
액정에는 '박미경' 이름 뜬다.

수영　(미경의 이름 뜬 것 봤고)
상수　(수영 의식되는, 블루투스 대신, 이어폰 귀에 꽂으며 받는) 어어.
미경E　(이어폰 밖으로 들리는 목소리)선배, 언제 들어와. 나 너무 배고픈데.
상수　(조용한 차내, 미경의 목소리가 수영에게 들릴 거 같은데)
미경E　선배! 안 들려?
상수　어, 들려. 지금 끝나서 가는 길이야.
수영　(내색 없이 창밖 보는데)

S#18.　　은행 갱의실(D)

미경, 커피 마시는 경필 옆에 둔 채 상수와 통화 중이다.

미경　나 먹고 싶은 거 있는데. (듣고)수영씨도 같이 먹자 그래 그럼. (경필에게 시선 주며)경필선배도 같이 가지 뭐.
경필　(미경과 시선 마주치고)
미경　(경필 눈 보면서 생긋 웃는)알았어. 가 있을게. 빨리와. (전화 끊고, 경필에게)들었죠? 우리 점심 같이 먹어요.
경필　...상수랑 엄청 친해졌나 보네.
미경　친해지면 안 돼요?

경필 ...아니 뭐. 친해졌나 보네...그거지.

미경 (피식 웃고)준비하고 나와요.

경필 (표정)

S#19. 도로 + 지점차량(D)

상수, 전화 끊고 수영의 안색을 살피는. 말을 어떻게 꺼내나 싶은 눈치.

수영 ...박대리님 전화예요?

상수 네. 점심, 같이 하자는데. 소계장이랑 다 같이...안주임님 불편하면 그냥...안 가도 되구요.

수영 (상수 보다가)불편할 게 뭐 있어요.

상수 (괜히 수영의 눈치를 보게 되는 기분인데)

수영 (부러 태연히)근데 어디서 먹어요?

S#20. 인재네 식당(D)

표정이 굳어있는 수영. 보면, 상수, 미경, 경필과 함께 앉은 곳, 인재네 식당이다. 식탁에 상수 미경, 맞은편에 수영과 경필이 앉아 있다.

수영 (오자는 데가 여기였다. 마음 불편한)

미경 (상수에게)이 멤버로 점심은 처음이다. 그치.

상수 (수저 꺼내며)어 그러네. (자연스레 미경의 수저 놓고)

수영 (그 모습 보는)

경필 (미경의 수저 챙기는 상수 보고)

상수 (수저를 더 꺼내는데)

수영 (상수보다 먼저 자신의 수저를 챙기고)

경필 (상수와 수영 사이에 오가는 미묘한 텐션 인지하고 픽. 웃는)

상수 (수영에게 놔주려던 수저, 경필에게 건네는데)

미경 (상수에게)저번에 우리가 먹은 게 굴국밥이었지. 맛있었는데.

상수 (수영에게)굴국밥 말고 시락국도 맛있어요.

미경 (눈치 못 채고)왜? 수영씨 굴 안 좋아해?

수영 (상수 일견하고, 미경에게 웃으며)아뇨. 좋아해요.

상수 (표정)

미경 아님 오늘은 시락국 먹어보지 뭐. 수영씨도 괜찮지?

수영 (미소로)네.

상수 (표정)

/경숙, 쟁반에 펄펄 끓는 국밥 네 그릇 담아 서빙해오는데...
상수, 경숙의 다리가 불편해 보이자 얼른 일어나 경숙 대신 쟁반을 들어 국밥을 옮기는.

경숙 (수영의 눈치를 보고)

수영 (꼿꼿이 앉아 표정을 감추는)

상수 (옆 식탁에 쟁반 내려놓고, 차례로 국밥을 놔주는)

경숙 (수영을 의식, 상수에게 쟁반 받으며)고마워요. 맛있게들 들어요. (하고 가고)

상수 (들깨가루 통을 열어 자신의 국밥에 넣고, 자연스레 미경의 국밥에도 넣으려는데)

경필 (반사적으로 상수 손에서 들깨가루 통을 만류하듯 뺏는)

상수 ?

미경 (표정)

경필	(아차 싶은)...내가 먼저 먹게.
상수	(별...)그래라.
미경	(경필에게 그러지 말라는 무언의 시선)
경필	(당황하며 들깨가루 푹푹 넣고)
상수	야. 그만 넣어.
경필	남, 남이사. 난 좋아해. 들깨가루. (미경에게 툭)넌 대학 때 안 먹지 않았나?
미경	(표정 있다가)아니? (경필이 든 들깨가루 통 빼앗아 자신의 국에 넣으며)좋아해요.
경필	(표정)
상수	(경필과 미경 사이의 기류 인지 못하고, 수영에게)입에 맞아요?
수영	(표정)네.
경필	(상수와 수영, 미경까지. 살피듯 보더니 불쑥)근데 정청경은 휴가를 오래 쓰네.
수영	(멈칫)
상수	(수영을 흘깃)
경필	(재밌다는 듯 씩 웃으며)무슨 일 있나? (하며 수영과 상수 힐긋 보는데)
미경	(수영 눈치 보더니 먼저)선밴 여전하구나. 그 오지랖. 궁금하면 선배가 종현씨한테 연락해보든가요.
수영	(조용히 밥 먹고)
상수	(수영이 의식되지만...)
미경	(상수 먹는 것 보더니)아주머니! 여기 굴젓 좀 더 주세요.
경필	(상수를 살뜰히 챙기는 미경을 유심히 보는)
미경	(대답이 없자 두리번)어디 가셨나.

수영 (얼른)제가 더 가져올게요.

/수영, 부엌 쪽으로 가선 경숙에게 접시 내밀며.

수영 굴젓 좀...더 주세요.
경숙 (접시에 굴젓 가득 담아 주며)많이...먹어요.
수영 (접시 받아 들고 표정)네.

S#21. 슈퍼마켓 앞(D)
인재네 식당 인근에 위치한 슈퍼마켓에서 나오는 상수와 경필.
경필은 담뱃갑 비닐을 벗기고, 상수는 봉투에서 사이다를 꺼낸다.

경필 (사이다 마시는 상수 보고 픽)왜. 소화 안 돼?
상수 어, 좀.
경필 (음 붙여서 중얼)소화가 왜 안 될까요오.
상수 (무시하고 사이다 마시는데)
경필 (툭)급 전개네.
상수 뭐가?
경필 너랑 박미경. 둘이 사귀는 거.
상수 (음료 마시다 켁켁)...너 어떻게 알았어?
경필 (능글)어떻게 알아. 떠봤는데 방금 니가 알려줬지.
상수 (이 자식...하듯 보는데)
경필 ...오래 봤으니까. 딱 보면 알겠던데 뭐.
상수 (표정)
경필 근데 박미경은 아냐?

상수 뭘.

경필 니가 안수영 좋아한 거.

상수 (표정)

경필 하긴. 안다 해도 박미경이 물러설 캐릭은 아니지. (전화 울리면, 받고)네, 강사님. 벌써 도착하셨어요? 저 앞입니다. 네. (전화 끊고, 상수에게)잘해봐라. 응원한다.

상수 (가는 경필 뒷모습 보는 표정)

S#22. 인재네 식당 안(D)

수영과 미경, 일어나려는 분위기.

미경 종현씬 뭐 하고 있어? 휴가 맞춰서 같이 여행이라도 가지.

수영 (멈칫하지만)시험 끝나서 그냥 쉬고 싶은가 봐요.

미경 아...(하다)오늘 퇴근하고 뭐해?

수영 ...가볼 데가 있어요.

미경 종현씨 만나러?

수영 (얼버무리는 미소)...네.

미경 그럼 내일은?

수영 내일은 괜찮아요.

미경 터프팅 마무리하러 가자. 나 수영씨한테 할 말도 있구.

수영 (보다가)네.

S#23. 인재네 식당 앞(D)

수영과 미경, 식당 밖으로 나오는데.

건너편 슈퍼마켓에서 식당 쪽으로 걸어오는 상수.

미경	(혼자 있는 상수 보고)경필선밴 먼저 갔나보네.
상수	노래 교실.
수영	(친근해 보이는 상수와 미경을 보는데)
상수	(그 시선에 괜히 고개를 돌리게 되고)

그때, 경숙이 비닐봉지 여러 개를 들고 나온다.

경숙	이거요. 별건 아니고 굴젓인데...아까 보니까 잘 드시는 거 같아서.
수영	(표정)
미경	어머. 감사해요.
상수	(지갑 꺼내려 하며)얼마 드리면,
수영	(경숙 보는데)
경숙	(수영의 시선 피하며)아니에요, 아니에요. 뭐 별거라구. 그냥 받아줘요.
상수	(아...)그럼 감사히 먹겠습니다.
경숙	(수영 일견하고)또 와요. (얼른 들어가는)
미경	(봉투 안 보며)많이도 넣으셨다. 남는 것도 없으시게. 우리 다음에 또 와주자.
수영	(표정)저, 먼저 들어가 볼게요. 두 분, 천천히 오세요. (하고 가고)
미경	(수영 뒷모습 보며)종현씨랑 통화하고 오려나보다. 그치.
상수	어. 뭐...

S#24. 도로 + 버스 안(N)

버스 안 오른쪽 창가 자리에 앉는 수영. 차창에 머리를 기댄다.

핸드폰을 꺼내 보는데, 연락온 곳 없고. 수영, 문자를 작성한다.

문자 인서트 >'종현씨. 우리 얘기 좀 해요.'

착잡한 표정인데...그때 투둑, 버스 밖으로 빗방울이 떨어지기 시작한다.

S#25. 도로 + 미경의 차 안(N)

운전 중인 상수, 조수석에는 미경이 앉아 있다.

미경 (차창 밖 보며)비 오네.

상수 다른 날 갈까?

미경 비 오면 오는 대로 가는 거지. 난 좋아. 비 오는 것도.

상수 (웃고, 적신호에 브레이크를 밟는데)

S#26. 도로 + 버스 안(N)

신호에 걸려 천천히 멈춰 서는 버스.

빗소리에 눈을 감고 있던 수영이 눈을 뜨고 창밖을 내다본다.

S#27. 도로 + 미경의 차 안(N)

수영이 탄 버스 오른쪽으로 정차해있는 차량, 상수와 미경이 탄 차다.

상수, 무심코 창밖을 보다, 바로 옆 버스 안에 있는...수영을 발견한다.

상수 ! (수영을 보는)

미경　　선배가 좋아하는 거 좋아하고 싶어. 내가 좋아하는 거 선배도 좋아했으면 좋겠구.

상수　　(못 듣고, 수영을 쳐다보는데)

상수, 수영을 바라보려는데 빗줄기에 가려 흐릿하게 보인다.

상수　　(자각도 못한 채 수영을 쫓는 시선)

S#28.　　도로 + 버스 안(N)

창밖을 내려다보던 수영도 상수를 발견한다.

수영　　! (조금 놀라 상수를 보는데. 흔들리는 시선)

S#29.　　도로 + 미경의 차 안(N)

상수와 수영, 잠시 서로를 바라보고 있는데...청신호로 바뀌는 신호.
창밖으로 먼저 출발하는 버스 보이고. 상수, 멍해진 채 창밖만 보는데.

미경　　선배.

상수　　(직진 신호 받고 멀리 가는 버스를 바라보고)

미경　　선배. 신호 바뀌었잖아.

상수　　(그제야)어. (우회전 깜빡이 넣고 차를 출발시키는)

S#30. 교차로 전경(N)

비가 쏟아지는 사거리 교차로. 상수와 수영, 다른 방향으로 갈라진다.

S#31. 버스정류장(N)

버스에서 내린 수영, 핸드폰을 열어 확인하는데 종현에게서 답이 없다.

수영 (한숨을 내쉬는. 답답하고 화도 나려고 한다)

S#32. 골목길 + 편의점 앞(N)

비가 그친 골목길. 수영, 무표정한 얼굴로 걷는데 맞은편에서 연인 두 명이 까르르 웃으며 걸어온다. 자신을 스쳐 가는 연인들의 뒷모습을 잠시 보던 수영, 편의점 쪽으로 걸어간다.

S#33. 캠핑 노지(N)

인적 드문 한적한 노지에 주차된 미경의 차. 캠핑용 의자에 나란히 앉은 상수와 미경. 미니 화로대 주변에 커피포트, 은박지에 싼 고구마 등 놓여 있고. 타닥타닥 장작 타는 소리만 들리는 고요한 분위기.

상수 (제대로 불멍 중이고)

미경 (그런 상수를 보며 기막혀 픽 웃으며)좋아?

상수 넌 별로야? 그렇게 못마땅한 것 치고 장비가 되게 본격적인데.

미경 선배가 좋다며. 아무리 그래도. 우리가 지금 산소 산화되는 거나 봐야 돼?

상수 (장난치는)문명의 시작이고, 인류번영의 산물이지.

미경 인류번영은 종족 번식에서 기인한 거거든?

상수 종족 번식도 불이 붙어야, 역사가 시작되는 거고.

미경 불구경만 하면 역사는 언제 시작되는데.

상수 (웃고)고구마 까줄까?

미경 일단 하나 까줘 보든가.

상수 (화로대에 넣어둔 고구마 꺼내며)진짜 등산 가게?

미경 가야지.

상수 (껍질을 까면서)힘들지 않겠어. 주말에 쉬지도 못하고.

미경 선배가 가잖아.

상수 갔다 오면 힘들 텐데.

미경 남자친구 혼자 그 사지로 내몰 수야 없지. 체력도 내가 훨씬 좋은데.

상수 저번처럼 대차게 넘어지지나 마시죠, 박대리님.

미경 나 이번에도 넘어지면, 또 고백해주나?

상수 (고구마 건네며)이거나 먹어라.

미경 (웃으며 고구마 받는데)아, 뜨거! 이걸 맨손으로 깠어? 안 뜨거워?

상수 (태연히)뜨거워. 엄청.

미경 (그런 상수의 자상함이 더없이 좋고)

S#34. 종현의 옥탑방(N)

편의점 봉지를 들고 종현의 옥탑 계단을 올라오는 수영. 올라와서 보면, 황폐하게 느껴지는 옥상 분위기. 예쁘게 매달려 있던 알전구는 바닥에 떨어져 깨져 있고, 종이쓰레기 등이 바람에 흩날린다. 수영, 짧게 한숨 쉬고 똑똑...현관을 두드리는데, 조용하다.

수영 (평상에 앉아 야경을 내려다보는데, 기분이 가라앉는)

종현이 사준 신발을 내려다보던 수영, 발치에 보이는 구겨진 종잇조각. 괜히 주워서 보는데...

수영 (종이를 펴보던 수영의 표정이 살짝 굳는)
종현E 수영씨?
수영 (얼른 종이를 주머니에 넣고 일어서는데)
종현 (손에 박스 여러 개 들고 있는)
수영 (그 박스에 시선이 가서 보다가, 봉지 들어 보이며)저녁. 안 먹었죠?

S#35. 종현의 옥탑방 안(N)

종현의 뒤를 따라 집 안으로 들어가던 수영, 표정이 굳는다. 종이 박스들이 여기저기 쌓여 있고, 옷과 책더미들도 사방으로 어수선하게 널려 있다. 종현, 수영이 앉을 수 있게 박스들을 한쪽으로 치우며 공간을 만드는데,

수영 (표정 굳어서)...뭐예요? 종현씨, 이사 가요?
종현 (박스 세워두며 말이 없는데)
수영 (이제 화가 나는)끝까지 말 안 할 거예요? (손에든 비닐 툭 떨어트리며)어딜 봐요. 말하고 있잖아요 내가.
종현 (후...한숨 쉬고 수영에게서 돌아선 채로)...네. 여기 방 빼요.

(망설이다)내일 은행일도 정리할 거구요.

수영 (굳는)왜요?

종현 (뒷모습 보인 채 박스 정리만 하는)

수영 공부 때문에 그렇다는 말, 핑곈 거 알면서도 속아줬어요. 기다렸다구. 근데. 사람 뒤통수치듯 이게 뭐 하는 거예요? 이사 가고 은행 그만두면, 난 아. 그런가보다. 그래야 하나?

종현 (박스를 정리하던 손이 멎고)

수영 난 종현씨가 헤어지자 그러면 네, 알겠습니다, 해야 해요?

종현 (여전히 우뚝 서있는데)

수영 (아닌 거 알지만 건드리는)그새 내가 싫어졌어요?

종현 (긴 한숨)

수영 왜. 막상 사겨보니 별로예요?

종현 (움찔하는데)

수영 알아서 나가떨어져야 하는데 내가 눈치 없이 이러는 거냐구!

종현 (감정이 툭 터지듯, 수영 쪽으로 돌아서는데 눈가가 붉다)아버지가.

수영 (종현의 표정에 멈칫)

종현 (절망적인)아버지가 쓰러졌어요.

수영 (표정)

S#36. 지방종합병원 중환자실(D) – 회상

출입문이 열리면, 중환자실로 들어오는 종현. 가쁜 숨을 몰아쉬며 주위를 두리번거린다. 종현부의 침상 옆으로 망연자실해 앉아 있는 종현모, 울고 있는 듯 어깨가 들썩거린다.

종현 (눈물 꾹 참고 다가가면)

종현모 (종현의 얼굴을 보자마자 와르르 무너지고)

머리와 다리에 붕대를 감고, 산소호흡기와 수액, 소변줄 등에 어지럽게 매달려 있는 종현부. 붕대 사이로 보이는 새까맣게 탄 피부와, 깡마른 몸에 종현의 말문이 막힌다.

종현 저희 아버지 괜찮으신 거죠? 이대로 못 깨어나시거나..(차마 말 못 잇는데)

의사 그건 아닌데, 사실 뇌진탕보다 골반골절이 심각해요. 의식 회복하시면 수술 잡으시죠. 세 차례 정도는 예상하셔야 합니다.

종현 !

간호사 (종현에게 종이 건네며)원무과에서 중간 수납 먼저 하고 오세요.

S#37. 지방종합병원 원무과(D) – 회상

병원비 정산을 하고, 영수증을 받아 드는 종현.

종현 (머뭇거리다)저...앞으로 수술비는 얼마나 더 들까요?

종현E 얼마나 거지같은 줄 알아요?

S#38. 종현의 옥탑방 안(N)

수영, 종현의 이야기를 듣고 굳은 표정.

종현 (괴로움과 자조가 섞인)아버지가 무사하단 것보다 당장 수술비부터 걱정되는 상황이. 난 내가 0인 줄 알았는데, 가진 게 없어도 채우면 되는 그런 숫자. 근데 착각이었어요.

수영 !

종현 (울컥하는)나한텐 0도 과분했고, 내 인생은 마이너스였고. 그냥 다, 다.

수영 (할 말을 잃는데)

종현 근데 이런 얘길 수영씨한테 어떻게 해요.

수영 (마음이 아프고)

종현 (비참하고...힘든)

수영 이사는, 어디로 가는 거예요?

종현 (자조 섞인 미소)어디로든요.

수영 (종현이 안쓰럽기도, 이 상황이 답답하기도, 감정이 복잡한)

종현 ...그만 가줄래요. 짐 싸야 해서요.

수영 (표정 있다가)...은행일은 천천히 생각해요. 휴가 끝날 때까지, 다시 생각해봐요.

종현 (눈물 고인 눈으로 수영 외면하는데)

수영 ...오늘은 그만 갈게요.

수영, 방을 나가고.
종현, 손에 잡히는 대로 짐을 넣다가, 참았던 눈물이 기어이 흐르는.

S#39. 종현의 옥탑방(N)

먹먹해져 벌게진 눈으로 종현의 옥탑방 문을 바라보고 있는 수영.
하...어찌해야 할지 모르겠고. 깊은숨을 내뱉는다.

S#40. 은행 전경(D)

S#41. 은행 PB룸(D)

미경, 마주 앉은 고객에게 투자상품 설명하고 있다.

미경 주식이나 채권 등 다양한 상품에 투자하실 수 있도록 포트폴리오 구성해드릴게요. 연말정산 세금공제 혜택도 챙겨드리구요.

고객 근데 아까부터 말을 너무 어렵게 한다. 저번에 집에 온 아가씨는 쉽게 해주던데.

미경 어떤 부분이 어려우셨어요?

고객 그걸 나한테 물어보면 어떡해요.

미경 (표정)

고객 그냥 우리 집에 온 그 아가씨 불러주지.

미경 (아...)그 직원은 다른 업무 담당이어서요. 제가 다시 설명을,

고객 (OL)됐고. 생각 좀 더 해보고 다시 올게요.

미경 네. 알겠습니다. (일어서서 배웅하러 고객을 따라 나가는)

/미경, 무표정하게 있다 문득 서랍을 여는데, 수영에게서 받은 자료집 보인다. 꺼내 찬찬히 훑어보는데, 꼼꼼하게 체크되어 있는 자료집.

미경 안수영. 되게 열심히 했네.

S#42. 은행 입구(D)

외근에서 돌아오던 상수(6부 S#64의 넥타이 하고 있는),
객장에 들어가려다, 안을 주시하고 있는 미경모 뒷모습 본다.

상수 도와드릴까요. 고객님?

돌아보면, 한껏 치장하고 온 미경모.

상수 어떤 업무 도와드릴까요?
미경모 여기...박미경 대리라고 있죠?
상수 VIP 고객님이세요?
미경모 내가 VIP긴 하죠.
상수 이쪽으로 오세요. 제가 안내해 드릴게요.

상수, 미경모가 들어갈 수 있게 문을 열어주고, PB룸까지 안내한다.

상수 (PB룸 가리키며)저쪽으로 들어가시면 되세요.
미경모 고마워요.
상수 아닙니다. 즐거운 하루되십시오.
미경모 (가려다 다시 한번 상수 돌아보고, 넥타이에 시선 두는)넥타
이...안목있네.
상수 (자리로 돌아가 앉아, 호출벨 누르고)3번 고객님!
미경모 (상수 일견하고, PB룸으로 들어가는)

S#43. 은행 PB룸(D)

미경모, 미경이 건넨 만년필로 서류에 싸인을 멋지게 휘갈긴다.

미경모 근데, 그때 우리 집에 왔던 아가씨는?

미경 아...수영씬 원래 예금팀이야.

미경모 그럼 니가 그 사람이 한 거 몽땅 가로챈 거야?

미경 (살짝 날카로운)원래 내 일이야. (표정 수습)점심 사줘?

미경모 아니? 나 약속 있어. 새 베프랑.

미경 (웃으며)그럼 좋구.

미경모 (한쪽에 내려놓은 쇼핑백)이건 사람들 주고.
(다른 쇼핑백 건네며)이건 니 비타민. 꼭 대령해야 먹지.

미경 됐다니까.

미경모 이게 몸에 얼마나 좋은 건데.

미경 ...얼마나 좋은데?

미경모 스위스에서 직수입한 종합비타민인데, 비타민계의 명품이라고. 비타민 원투쓰리, 엽산에 칼슘, 마그네슘 암튼 좋은 건 다 때려 넣었대.

미경 그래?

S#44. 은행 객장(D)

서류 정리하고 있던 상수, 그때 띵. 문자메시지 도착하고 확인하면 미경.
문자 인서트>'급히 비상구로'

미경E 급히 비상구로.

S#45. 은행 비상구(D)

상수, 비상구 문을 열고 나가면...미경, 급한 마음에 상수 팔을 잡아끈다.

상수 왜. 무슨 일인데.

미경 (쇼핑백 내밀며)선배 이거. 비타민. (생수 뚜껑 열며)지금 하나 먹어.

상수 너 먹어. 난 됐어.

미경 이게 얼마나 좋은 건데. 스위스에서 직수입한 종합비타민인데, 비타민 원투쓰리, 엽산에 칼슘, 마그네슘 암튼 좋은 건 다 때려 넣었대. 챙겨줄 때 먹지?

상수 (웃는)니 덕분에 오래 살겠다.

미경 나도 선배 덕분에 지병 하나 고쳤거든.

상수 무슨 지병? 너 어디 아파?

미경 (속닥)월요병.

상수 뭐?

미경 일요일만 되면 너무 우울했는데. 아니다, 토요일 밤부터 이미 퇴근하고 싶었어. 근데 이젠, 출근하고 싶어. 선배 보려구.

상수 (황당한 웃음이 터지고)넌 안 민망하냐. 그런 말 막 하면?

미경 하나도. 더 할 수 있는데. 더 해볼까? (예쁘게 웃는)

S#46. 브런치 레스토랑(D)

미경모, 정임과 브런치를 먹고 있다.

미경모 딸자식 키워봐야 아무짝에도 소용없어. 지금도 나랑 안 놀아주는데 나중에 연애라도 해봐.

정임　　(그저 웃는데)

미경모　　어느 놈 데려오나 눈에 불을 켜고 지켜볼 거야, 내가.

정임　　사모님 닮았으면 좋은 남편감 데려오겠죠.

미경모　　하기사, 우리 애가 날 닮아서 보통 눈 높은 게 아니거든요. 귀티나게 생긴 것도 빼다 박구. 한원장 아들은 몇 살이랬지? 연애 안 해요?

정임　　모르겠어요. 물어보질 않아서.

미경모　　내가 정말 친구로서 해주는 말인데, 한원장은 나중에 내 딸 같은 며느리 보지 마.

정임　　왜요?

미경모　　나야 내 딸이니까 데리고 살지. 며느리면, 어휴 상전. 끔찍해.

정임　　전 그냥 아들이 좋다는 여자면 돼요. 연애 좀 했음 싶은데.

미경모　　연애도 젊을 때나 좋지, 나이 드니까 남편이고 자식이고 다 필요 없고. 내 얘기 들어주는 사람이 있으니까 인생이 아름다워. 고마워요, 한원장. 여기 맛있지. 담엔 건너편 살롱 같이 가요.

정임　　(미소로)네. 그래요.

S#47.　　은행 일각(D)

수영, 혼자 점심 먹고 들어오는 길.

한숨을 쉬며 앞을 보는데, 은행 쪽으로 걸어오는 종현을 발견한다.

착잡한 표정으로 은행을 올려다보는 종현의 모습.

수영　　(표정 굳는, 걸음이 빨라지는데)

S#48. 은행 앞(D)

종현, 은행에 들어가려는데, 그 앞을 막아서는 수영.

수영 (화난)기어이, 그만두려고 왔어요?

종현 (힘든, 애써 웃으며)말했잖아요. 어제.

수영 (종현의 팔 낚아채며 앞장서는)

종현 (순순히 끌려가는 표정)

S#49. 은행 일각 + 다른 일각(D)

수영과 종현, 마주 보고 서있다.

수영 왜 그렇게 극단적이에요? 종현씨 상황, 힘든 거 알겠는데! 은행까지 그만둘 필요는 없잖아요.

종현 (초연한 표정으로 보면)

수영 아버지는 수술하시면 괜찮아지실 거고, (희망을 주듯)종현씨 시험 붙으면,

종현 (OL)떨어졌어요. 시험도.

수영 !

종현 (서글픈 웃음, 자포자기)청경일...월급 적잖아요. 공부하면서 하려고 했던 일인데 이젠 할 이유도 없고.

수영 (표정)그럼 난요. 난 왜 포기해요? 은행일은 돈 때문이라고 쳐요. 나랑은 왜 헤어지려고 하는 건데요? 종현씨 사정이 어떻게 되든 나한테 종현씬 똑같아요.

종현 아뇨, 달라요. 내가 만약 아무 미래도 없는 청경 알바나 하는 애였으면 수영씨 같은 사람 만날 수 있었겠어요?

수영 (표정)

종현 (먹먹히 보다)난 이제 시험도 떨어졌고, 집안 형편은 그거보다 더 떨어졌어요.

수영 (울컥하는데)

종현 내가 너무 쪽팔려서 그래요. 이런 모습 들킨 것도, 내가 고작 이 정도란 것도, 다 보인 게 너무 쪽팔린다구요. 그런데도 수영씨 보면, 주제도 모르고 자꾸 욕심이 나서...

수영 (뭐라 더 못하고 굳어 있는데)

종현 ...내가 힘들어요.

수영 (감정이 터지는)그럼 어떡하라구!

/일각에서 은행으로 돌아오던 상수.
수영의 목소리에 뒤를 돌아보는데, 상수의 시선으로 마주 보고 서있는 수영과 종현 보인다. 한눈에 보기에도 좋지 않은 분위기.
수영이 뭐라고 말하는 중이고, 종현은 고개 숙인 채 듣는.

상수 (두 사람을 보는 표정)

/수영의 눈가도 붉어진다. 종현, 죄인처럼 수영의 말을 묵묵히 받아내는.

수영 조용히 헤어져 주면 돼요? 그게 진짜 바라는 거예요? 뭐가 그렇게 쉬운데!

종현 (툭 터지는)쉽냐구요? 어려워요! 나라고 이러고 싶은 게 아니잖아요. 어떡해요, 그럼! 상황이 언제 좋아질지도 모르는데! 수영씨 붙잡아요? 내가 그럴 수나 있어요?

수영 해요! 기다려달라고! 붙잡기라도 하라구요! (글썽해져서 보

는데)

종현 (감정 추스르고)...은행은 휴가 끝나고 정리할게요.

수영 (표정)

종현 수영씨 마음이 그래야 편하다면. 그렇게 할게요.

수영 (눈물 참는데)

상수, 심각해 보이는 수영과 종현을 잠시 보다가, 돌아선다.
아무 말도 하지 못한 채 덩그러니 서있는 수영과 종현의 모습에서.

S#50. 은행 객장(N)

수영, 내색 없이 시재 마감 중이다.
상수, 수영이 신경 쓰이는데...수영의 너머로 미경이 보인다.

미경 (상수와 시선이 마주치자, 주변 몰래 생긋 웃어 보이는)

상수 (미경과 마주 웃고...수영에게 마음 쓰면 안 된다 싶은...수영에게 다가가 시재서류 넘겨주며)부탁드립니다.

수영 (사무적인 미소로)네.

상수 (표정 있다가, 자리로 돌아와 가방 챙기는데)

미경 (수영에게 다가와)다 했으면 이제 갈까?

수영 (아무 일 없다는 듯 미소로)네. 거의 다 했어요.

S#51. 터프팅 공방(N)

수영과 미경, 앞치마를 입고 6부 S#19의 작품에 이어서 작업 중이다.
터프팅 캔버스 뒤집어놓고 라텍스 작업 중인 수영과 미경.

수영 (어지러운 마음 잊듯 몰입하는데)

미경 우리 청계산 갈 때 같이 갈까?

수영 전 버스 타고 가면 돼요.

미경 다리 하나 건너면 금방인데 뭐. 가면서 수다도 떨구.

수영 네. 그럼...

미경 주소 하나 찍어줘. 아침에 데리러 갈게.

수영 (옅은 미소로)네.

미경 (툭 뱉듯)나 상수선배랑 사귄다?

수영 ! (작업하던 손 멈추고 미경 보면)

미경 수영씨한텐 말해야 할 거 같아서. 수영씨도 종현씨랑 사귀는 거 말해줬잖아.

수영 (표정 있다가)...축하드려요.

미경 (좋은)퍼즐 한 조각 같아. 인생에서 아쉬웠던 딱 하나가 꼭 맞게 채워진 느낌.

수영 (아쉬웠던 '딱 하나...', 표정 있다가)그렇게 좋아요?

미경 너무. (라텍스 작업 마친 캔버스 뒤집어 보며)내가 바라던 그림.

수영 (행복해 하는 미경을 보는데)

S#52. 서울고속버스터미널 – 승차장(N)

버스 트렁크에 짐을 싣고. 버스에 올라타려는 종현.

버스에 오르려다 멈칫. 차마 발길이 안 떨어지고.

쥐고 있는 핸드폰을 보며 수영에게 전화를 걸까 말까 망설이는데...

기사 안 타요?

종현 (표정)

종현, 핸드폰 그대로 주머니에 찔러 넣고 버스에 오른다.

수영N **숫자는 많은 걸 말해준다.**

S#53. 은행 객장(D)

접객 중인 수영. 고객에게 보여주는 통장에 찍힌 거액의 숫자들 위로,

수영N **재산.**

S#54. 몽타주

/은행 PB룸(D)

미경에게 자산관리 설명을 듣고 있는 VIP 고객. 여유가 넘쳐 보인다.
가방부터, 입고 있는 옷, 신발, 시계와 액세서리까지 모두 명품이다.

수영N **사회적 지위.**

/은행 남자탈의실(D)

잘 개인 채 놓인 종현의 청경 유니폼. 위에 놓인 명찰.

수영N **가능성의 모든 것.**

/종현의 옥탑방(N)
수영, 옥탑방으로 올라오는데,
활짝 열린 방에서 집주인이 빗자루와 쓰레받기 털면서 나온다.

수영 (표정)저...여기, 살던 사람은.

평상에 혼자 앉아 있는 수영. 옥상을 찬찬히 둘러보는데...
한쪽에 그물망으로 덮인 종현의 짐박스, 조금 떨어진 곳에 쓰레기와 함께 섞여있는 종현의 책들. 수영, 평상에 앉아 S#34에서 주웠던 종이를 주머니에서 꺼내본다. 명세표다.

집주인E 보증금을 당장 빼달래요. 급하다고 어찌나 사정을 하던지. 집 구하면 가져가겠다고 짐도 저렇게 두고 갔어요.
수영N **(옥상의 모습과, 명세표를 내려다보는 위로)그리고 알게 한다.**

/인서트. 동. 과거(N)
종현, 돈뭉치 든 봉투를 열어 찾아온 돈을 세어보더니, 안에서 명세표를 꺼낸다. 잔액표시 19,800원. 허망한 표정의 종현, 명세표를 구겨 버린다.
/인서트. S#34의 추가씬.
앞 몽타주씬과 이어지는 느낌으로 수영, 종현이 버린 종이를 주워서 본다. 잔액을 확인하는 수영의 모습 현재로 이어지는 위로,

수영N **미래가 힘든 사람이라는 거.**

/지방종합병원(N)
종현, 소변통을 자리에 두고 자고 있는 종현부 곁에 앉는다. 문득 병실을 둘러보는데 누가 환자고, 누가 보호잔지 모를 만큼, 지치고 퀭해 보이는 사람들. 꼭 자신의 미래를 보는 것 같아 종현의 가슴이 덜컥 내려앉는다. 마음이 무거워진다.

수영N　　**내가 감당하기 어려운 상대라는 거까지.**

S#55.　수영의 집 – 방(D)

등산가는 날. 캐주얼한 차림으로 짐을 챙기고 있는 수영.
모든 것에 초연해진 사람의 차분한 표정이고.

S#56.　미경의 집 앞 + 상수의 차 안(D)

아파트 현관 앞. 미경, 멋을 낸 차림으로 서있다.
상수, 미경을 발견하고 그 앞에 차를 세운다.

미경　　(차에 올라타며)좋은 아침!
상수　　(미경의 신발을 보고)...그게 운동화야, 하이힐이야?
미경　　하이힐 같은 운동화...?
상수　　너 그러다 발목 나가, 인마.
미경　　그거 노린 건데. 발목 나가면 선배한테 업히려고.
상수　　(픽 웃고)타.
미경　　내 차 타고 가자. 선배 차 여기 두고.
상수　　(표정)

S#57. 도로 + 미경의 차 안(D)

상수, 운전 중이고.

미경, 핸드폰 메시지를 보며 내비게이션에 수영의 주소를 입력한다.

미경 (거리 뜨는 거 보고)생각보다 더 가깝네. 금방 가겠다.

상수 나도 가는 거 알아?

미경 그건 몰라도 우리 사귀는 건 알아. 내가 어제 말했거든.

상수 (표정)

미경 수영씨도 나한테 종현씨랑 사귀는 거 말해줬잖아. 괜찮지 선배?

상수 ...그래. 잘했어.

미경 (핸드폰 보며 콧노래 부르는데)

상수 (망설이다가)...뭐래?

미경 (핸드폰에 시선 두고)응? 뭐가?

상수 (짐짓 태연히)너랑 나, 사귄다고 하니까...안주임이. 뭐래? (긴장하는데)

미경 (대수롭지 않게)축하한다 그러지. 너무 잘 어울린다고.

상수 (표정)

S#58. 수영의 집 앞(D)

상수가 수영과 종현의 포옹을 목격했던 그 자리에, 수영이 기다리고 서 있다. 수영의 시선으로, 골목길을 올라오는 미경의 차가 보이고. 수영을 조금 지나쳐서 정차하는 차. 수영, 다가가서 조수석 문을 열려고 하는데,

미경 (창문 내리며)뒤에 타. 상수선배도 같이 왔어.

수영 ! (미경 너머로 보이는 상수 일견하는)

상수 (수영과 눈이 마주치자 어색한 목례)안녕하세요.

수영 (표정 수습하며)네. (하고 뒷좌석 문 여는)

S#59. 도로 + 미경의 차 안(D)

수영, 뒷좌석에 앉아 상수와 미경을 바라보고 있다.
상수, 백미러를 보면 수영이 보이는. 다소 경직된 채 운전에 집중하는데.

미경 (초콜릿을 까서 상수 입에 넣어주는)

상수 (백미러로 흘깃, 수영을 일견하고 받아먹는데)

미경 이거 맛있지. 요새 핫한 샵에서 일부러 주문했어.

상수 어. 그러네.

상수, 백미러로 뒷좌석의 앉은 수영의 기색을 살피는데...
수영, 고개를 돌리다 백미러 속 상수와 눈이 마주친다.

미경 (뒤를 돌아보며)수영씨도 먹을래?

수영 (상수의 시선 피하며)...아뇨. 전 괜찮아요.

수영, 상수와 미경을 가만히 바라본다. 그 위로,

미경E 퍼즐 한 조각 같아. 인생에서 아쉬웠던 딱 하나가 꼭 맞게 채워진 느낌.

수영 (누군가에게는 참 쉬운 사랑인데...)

미경 수영씨. 우리 나중에 더블데이트 같은 거 할까? (상수에게)

어때 선배?

상수　(당황)더블데이트는 무슨. 학생이냐.

수영　(묵묵히 있는데)

미경　비밀연애하는 사람들끼리 재밌잖아. (수영에게)그치?

수영　네, 뭐...(얼버무리는데)

적신호에 멈춰 서는 미경의 차.
수영, 차창 밖을 보고 있는데, 건너편으로 고속버스터미널 건물이 보인다.
그때 어디선가 들려 오는 요란한 호루라기 소리. 분주하게 오가는 사거리 한복판에, 교통경찰이 차량 통제 중이다.

플래시백 > 6부 S#54.

종현, '경찰 되면 첫 번째 경례는 수영씨한테 해줄 거예요.'

수영의 흔들리는 마음이 그대로 낯빛에 드러나고...
종현이 선물해줬던 신발을 내려다보는데...

플래시백 > 6부 S#36.

종현, '힘든 일 있으면 아끼지 말고 나 팍팍 불러요.'

수영　(그랬던 종현을 내버려둘 수 없다...천천히 문고리로 향하는 손)...저,

미경　(못 듣고)주말인데 차가 많네.

상수　주말이니까 많지.

미경　늦지 않겠지?

수영　저기,

상수/미경 (그제야 수영의 목소릴 듣고)
수영 죄송한데, 저 여기서 내릴게요.
상수/미경 ?
수영 죄송해요. (하고 황급히 차에서 내린다)
미경 (창문 열고 수영 뒤에다)수영씨!
상수 (횡단보도를 뛰어 건너는 수영을 보는)
미경 뭐지. (갸웃)뭔 일 있나.
상수 (표정)
미경 선배, 신호!
상수 어?
미경 신호 바뀌었어.
상수 어어. (출발하면서도 수영에게 시선 가는)

S#60. 청계산 입구(D)

지점장과, 부지점장, 수영을 제외한 모든 행원들이 가벼운 차림으로 몸을 풀고 있다.

마대리 다들 안 온다더니.
지윤 결혼식 파토 났어요. 예비신랑이 바람이 나서.
은정 지나친 관심은 사양요.
경필 제사보단 이쪽이 더 재밌을 거 같아서.
석현 (혼자 심각)그렇게 됐어요.
서팀장 묻지 마. 또 승질 뻗치려고 하니까. 수영씨는?
미경 수영씨는 일이 생겨서 못 온대요.
상수 (표정)

플래시백 >S#49. 심각해 보였던 수영과 종현. 그 모습을 바라보는 상수.

상수　　(자신도 모르게 생각이 자꾸 가는데)
이팀장　　(투덜)노부지는 아직인가? 왜, 자기가 오재놓고 안 와.
부지점장E　　어이!

일동, 부지점장이 부르는 쪽을 보는데. 헉....짙은 녹색 바지에 새빨간 등산셔츠. 흡사 크리스마스트리가 걸어오는 것 같은 차림의 부지점장이 웃으며 다가온다.

미경　　(상수 옆에서 기겁하는)저게 뭐야. 성탄절 특집이야?
상수　　(애써 웃으며)그러게.

S#61.　청계산 등산로(D)

우거진 숲길, 옆으로 계곡의 시원한 물소리가 들려온다. 부지점장, 에베레스트라도 등반할 기세로 스틱까지 들고 선두로 부지런히 산을 오르고. 그 뒤로 자신의 페이스대로 조금씩 떨어져 걷고 있는 행원들.

미경　　(신발이 영 불편하다)
상수　　힘들어?
미경　　(미소로)아니. 하나두.
상수　　(미경의 가방 가져가며)이리 줘.
미경　　(주변 확인하고 가방 넘기는)고마워.

/서팀장 뒤로 이팀장이 땀을 뻘뻘 흘리며 오고 있다.

서팀장 (이팀장 짠하게 보더니 손수건을 건네는)
이팀장 지금 나 챙겨?
서팀장 (이팀장 턱을 보며)그 턱주가리에 침 좀 닦으셔. (가고)
이팀장 (표정)

/천천히 걷는 은정, 한숨 쉬고 뒤를 돌아보면, 제일 꼴찌로 오고 있는 마대리가 보인다. 숨이 턱 밑까지 차서 헉헉거리는 마대리를 한심하게 보더니, 아예 그 자리에 멈춰서 기다린다.

마대리 (헐떡이며 올라오다 은정의 앞에서 주저앉는)
은정 아예 드러눕죠. 왜.
마대리 (가방에서 물병을 꺼내 꿀떡꿀떡 마시고)하...다들 너무 빨라. 산악동호횐가 봐.
은정 본인이 느린 거란 생각은 안 드나봐.
마대리 난 틀렸어, 배계장 먼저 가.
은정 (으휴...마대리 가방을 들어 앞으로 매고 가는)
마대리 (가는 은정을 감동으로 보다가, 자리에서 일어나 쫓아가며) 배계장, 같이 가!

S#62. 종현의 고향집 + 앞(D)

지친 표정의 종현모, 여러 번 사용해 낡은 KCU은행 쇼핑백에 종현부의 짐을 챙기고 있다. 다 챙긴 짐을 들고 일어서는데. 종현모의 시선으로 집 앞에 서있는 수영이 보인다.

종현모 (누군가 싶어서 보는데)

수영 (핸드폰 메모장의 주소와 일치하자, 앞을 보다, 종현모와 시선 마주치고)

종현모 (사투리)어떻게 왔어요?

수영 아...(어색한 미소로)여기가 정종현씨 댁이 맞나요?

종현모 맞기는 맞는데...누구세요?

수영 (표정)..아, 저 종현씨랑 같이 일하는 사람인데요.

종현모 (그 말에 화색으로)KCU은행에서 왔어요?

/종현모는 자리를 비운 사이. 수영, 천천히 집을 둘러본다. 종현부의 부재가 드러나듯 어지럽게 놓인 농기구들, 소는 없는 텅 빈 우사, 깨진 슬레이트 지붕, 간이빨랫줄에 걸린 해진 옷들, 마당 한 켠에 방치된 농작물 등. 생활이 드러나는 풍경이고.

수영 (복잡해지는데...)

종현모 (부엌에서 작은 양은상 들고 나오고)

수영 (얼른 일어나 종현모에게서 상 받아 평상에 놓는)

종현모 (수영을 살피며)우리 종현이랑 같이 일한다꼬요?

수영 네. 근데 어디 급하게 가시는 거 같던데. 괜히 저 때문에,

종현모 우리 종현아부지 병원에 갈라캤는데. 아무리 급해도 도리가 있지.

수영 (표정)

종현모 (손톱 밑에 흙때가 낀 주름진 손, 수영 손 덥석 잡으며)고맙십니다. 종현이한테 얘기 들었어요. 종현아부지 수술비 은행에서 대출 해줏다고.

수영 (그럴 리가 없는데. 종현이 거짓말했구나 싶으면서도)아...네.

종현모 그리 큰돈을 빌리주는 거 보니까는 우리 종현이가 일을 억

수로 잘하는가 봐요.

수영 …네. 잘해요. 은행에서 인정받고 있어요.

종현모 아이고. 손님한테 권하지도 않고. (동색에 가까운 포크로 사과 집으며)농사지은 사과예요. 모양은 좀 이래도 무농약. 껍질째 무도 돼요.

수영 (양은상을 내려다보면, 사은품으로 받은 이가 깨진 유리컵, 딱딱해 보이는 백설기, 껍질째 깎인 사과 있고…)감사합니다. 잘 먹을게요.

종현모 내가 내 아라서가 아니라 종현이는 너무 이쁘다이까. 내 자식 안 같게 억수로 똑똑하제, 착하제, 잘생깄제.

수영 (잔잔히 웃으며)네. 맞아요.

종현모 (사과 먹는 수영 보며)피부가 뽀얀 게…요 백설기보다 더 하얗네. 근데 서울아가씨가 여기까지 웬일로…

수영 (아…)그냥, 근처에 왔다가.

종현모 근처? 이 근처에 뭐가 없을낀데. (그때 2G 핸드폰 울리자, 받고)네, 네. 갑니다. (끊고)내가 병원에 가봐야 해서. 손님 대접도 제대로 못 하고 미안해서 우짜지.

수영 아니에요. 괜찮아요. 저, 종현씨는 지금…

종현모 옛날에 일하던 데 인사하러 간다캤는데. (하다)근처니까 가 볼래요?

수영 (표정)

S#63. 세차장(D)

기름때 묻은 작업복 입은 종현, 세차 중이다.

스펀지에 세차용 세제를 묻혀 거품칠을 하고, 거품이 튄 작업복 대충 털어내고, 휠의 갈변을 제거하는데 잘되지 않자 손가락으로 휠에 박힌 이물질을 제거하는 모습 컷컷으로. 의자에 올라가 차의 천장 부분까지 꼼꼼히 닦아내는 종현. 고압 분사기로 거품을 제거하는데...분사기에서 나오는 물줄기 너머로 보이는 사람, 수영이다. 가만히 서서 종현을 지켜보고 있는 수영.
플래시백>6부 S#43. 지점장의 차를 세차하던 종현의 모습.

수영 (종현의 처지가 마음 아프고...)

종현, 수영 발견 못한 채, 젖은 머리카락 털어내고 있는데. 다가와서 지폐를 건네고 가는 손님. 꾸벅 인사하고 한 장 한 장 펴서 금액을 확인하는데...손에 묻은 검은 때가 지폐에도 묻는다.

수영 (한 켠에 서서 그 모습을 가만히...본다)
종현 (고개를 드는데, 자신을 보고 있던 수영을 발견하며 표정이 굳는)
수영 (부러 밝게 웃으며, 어색하게 손을 흔들어 보이는데)
종현 (표정)

S#64. 세차장 앞(D)
옷을 갈아입고 나오는 종현. 앞에서 기다리던 수영의 앞에 선다.

종현 (놀라기도, 민망하기도, 그 와중에 반갑기도 한 복합적인 감정이고)
수영 ...놀랐죠.

종현 여긴 어떻게.
수영 그러는 종현씬, 여기서 뭐 해요?
종현 일하던 곳인데 잠깐 도와달라고 해서.
수영 그랬구나.
종현 (수영이 온 건 어떤 의미인 걸까...)
수영 ...난 할 말 있어서 왔어요.
종현 (긴장으로 보면)
수영 종현씨.
종현 ...네.
수영 나.
종현 (표정)
수영 배고파요.
종현 !
수영 (웃는)

S#65. 청계산 정상(D)

가운데 부지점장을 필두로, 단체 사진 대열을 갖추고 선 행원들.
마대리, 삼각대 위에 핸드폰을 세팅 중이다.

미경 (사람들 힐끔거리다 몰래 상수 손을 잡고)
상수 (보면)
미경 (씨익 웃고)
경필 (그걸 또 봤다, 작게 동요하는데...)
마대리 (타이머 누르고)자, 찍습니다.
부지점장 (혼자 마냥 신나)자, 김치!

S#66. 청계산 등산로(D)

다른 행원들은 앞장서서 출발하고.

후발대로 상수와 미경, 마대리와 은정이 뒤따르는 상황.

은정 (뭔가 허전함을 느끼고, 목을 만지며)어, 내 스카프?

미경 뭐 없어졌어요?

은정 (주변 둘러보며)스카프요. 아까까지만 해도 있었는데...

미경 (같이 둘러보며)무슨 색깔이에요?

마대리 (OL)핑크색에 줄무늬 맞죠?

은정 (어떻게 그걸...벙쪄서 끄덕)

마대리 나는 배계장이랑 스카프 찾아서 얼른 내려갈 테니까, 두 사람은 먼저 가.

미경 (잘됐다 싶어, 얼른)그럴게요 그럼. 선배, 가요.

상수 어, 그래.

S#67. 청계산 등산로 다른 일각(D)

나무가 울창하게 진 숲길을 나란히 걸어 내려가는 상수와 미경.

미경 (주위를 한 번 살피더니, 주머니에서 핸드폰을 꺼낸다)선배, 잠깐만!

상수 (멈춰 서, 돌아보고)발 아파?

미경 아니. 사진 찍게.

상수 (핸드폰 들고 미경 찍어주려)거기 서 봐.

미경 (으이구)같이 찍자구. 단체 사진 말고 우리 둘만.

상수 (어색)난 사진 잘 안 찍는데...

미경　　옆에 와서 그냥 웃으면 되거든요.

미경, 핸드폰을 쥔 손을 쭉 뻗어 프레임 안에 얼굴을 넣는다.

상수　　(미경의 옆으로 붙는데)
미경　　더 가까이 붙어봐.
상수　　(좀 더 붙으면)
미경　　좀 더.
상수　　(바짝 붙는다)
미경　　(각도를 잡으려는데 키 차이 때문에 버겁고)

그 모습을 본 상수, 미경 손 위로 덥석, 핸드폰 대신 잡아주면.
미경, 스킨십에 심쿵. 제 손을 천천히 내린다.

상수　　(아무렇지도 않게)찍는다. 하나, 둘...
미경　　(웃으며, 핸드폰을 보고)
상수　　셋. (찰칵, 사진이 찍히고)
미경　　(살짝 얼굴 붉어진)
상수　　(핸드폰 내밀다가)너 더워? 얼굴 빨갛다.
미경　　(몰라서 물어?)그러게. 내가 왜 빨개졌을까. (상수에게 한걸음 더 다가가면)
상수　　(그제야 눈치채고)박미경. 넌 대체 뭘 먹고 그렇게 저돌적이냐.
미경　　(장난 반)선배? 이리 와봐.
상수　　(놀리듯 뒷걸음질 치며)싫은데?
미경　　(따라가며)잡히면, 가만 안 둔다.

상수　　(장난 섞인)잡을 수나 있고?

미경　　(갑자기 속력을 내며 뛰어들 듯 상수에게 다가서고, 그 바람에 중심 잃으면)

상수　　(반사적으로 미경의 허리를 감아 세워주는데...!)

미경　　(엇...! 하는 사이 밀착해있는 상수의 얼굴 보고 긴장...!)

상수와 미경, 잠시 서로를 바라보는데...
당혹스러움에 가까운 상수와 달리, 미경은 설렘을 담아 상수를 본다.

미경　　(가만히 보다, 돌연 상수의 얼굴을 두 손으로 감싸고 쪽! 뽀뽀를 날리고)

상수　　! (굳는)

미경　　(쑥스러움에 얼른 몸을 떼는데)

상수와 미경이 몸을 떼면, 막이 열리 듯 보이는 공간 사이로 놀란 표정의 은정, 마대리가 보인다.

마대리　　(입을 떡 벌린 채 할 말을 잃은)

은정　　헐...대박!

상수/미경　　! (놀라서 보고)

마대리　　두 사람.

은정　　(경악)사겨요?!

미경　　(어쩌지 싶다가, 툭)네. (상수 손깍지 끼고 보여주며)우리 그렇고 그런 사이예요.

상수　　(난처하기도, 마냥 명쾌한 미경 때문에 웃음이 나오기도)

마대리　　(흥분을 주체 못 하고, 앞서 달려가며)이팀장니임! 대박대박!

은정 (마대리 따라가며)같이 가요!

상수 (곤란해서 미경을 보는)다 말할 기센데?

미경 (상수에게 씩 웃으며)어떡해. 이미 들켰는데.

상수 (따라 웃으면서도 걱정되는)

서팀장E 축하해!

S#68. 청계산 일각 식당(D)

테이블 위로, 도토리묵에, 모듬전, 닭백숙까지 거하게 차려져 있고. 상수와 미경, 주인공처럼 가운데 테이블에 앉아 있다. 행원들, 상수와 미경이 사귀는 사이라는 얘기를 듣고 놀라면서도 축하해주는 분위기.

부지점장 (상수에게 술 따라주며)우리 상수가 일만 하는 줄 알았더니, 다방면으로 뛰어나.

상수 (받으며 민망한)

부지점장 (미경에게 술 따라주며)두 사람 아주 잘 어울려. 결혼까지 가봐. 은행원 둘이 벌어서 모으면 집도 금방 사.

이팀장 모을 필요도 없죠. 박대리는 지금도 강남 한복판에 집이 있는데.

미경 (아...난감한데)

경필 (상수와 미경 흘깃 보고 술 마시는)

부지점장 그래? 넌 그걸 어떻게 알아.

이팀장 웬만한 사람들은 다 알아요.

은정/지윤 (대박...)

부지점장 (상수에게)야. 상수야. 다시 한번 축하한다. 꼬옥 결혼까지 가라.

상수 (어색하게 웃는데)

서팀장 둘이 사내대회 준비할 때부터 촉이 오긴 했어. 내가 말했지? 삼신할매 동창이라구. 딱보면 척이라구.

부지점장 양석현대리 결혼식 때 박대리가 부케 받으면 되겠네. 안 그래, 양대리?

석현 (술 마시다가 건성으로)네? 네. 드릴게요.

미경 (기분 나쁘지 않은)그만 놀리세요. 이래서 비밀로 했는데. (하고 상수 보는데)

상수 (마냥 웃을 수 없는 상황이고)

미경 (상수의 표정이 신경 쓰이는데)

마대리 (경필 툭 치며)야. 넌 왜 조용하냐. 영포점 공식 오지라퍼가.

경필 (상수와 미경에게)축하합니다.

미경 (미소로)고마워요 소계장님.

상수 (멋쩍어서 음료 마시고)

S#69. 국밥집(D)

시장 골목에 위치한 오래된 식당.

동그란 원형 테이블에 마주 보고 앉아 있는 수영과 종현.

국밥 두 그릇, 손도 대지 않은 채 있고. 소주 두 병만 비어있다.

종현 (애틋하게 수영 보다가)...배고프다면서요. 왜 하나도 안 먹어요.

수영 (조용히 종현을 보면)

종현 여기...왜 왔어요. 이렇게 멀리.

수영 그러게요. 나 싫다고 도망 온 종현씨. 뭐가 예쁘다고.

종현 (미안하고, 고맙고...면목이 없는)

수영 (종현의 마음을 알겠고)

종현 (마음 다잡듯)...곧 막차 끊겨요. 이제 일어날까요?

수영 (서글픈 미소)...술 좀 깨구요.

S#70. 어느 강가(D)

한적하고 평화로운 강가 위로 노을이 지고 있고.

그 앞에 나란히 선 수영과 종현.

수영 여기 좋네요. 여름엔 수영해도 되겠다.

종현 어릴 때 많이 했어요. 보기보다 물이 깊어서 튜브타고...그랬는데..

수영 귀여웠겠다.

종현 (수영을 보내기 힘들지만)...이제 가야해요. 차 놓쳐요.

수영 ...아버지는 괜찮으세요?

종현 (표정 있다가)네.

수영 ...수술비는 어떻게 됐어요?

종현 (체념한 얼굴로 순순히)보증금 빼고 그동안 모은 돈으로 일단 해결했어요.

수영 이제 여기서...사는 거예요?

종현 (맥없는)아뇨. 엄마는 은행 일 계속 하는 줄 알아요.

수영 (표정)그럼...어디서 지내려고...

종현 전에 일했던 곳에서요. 숙소가 있어요. 야간일 하면 팁도 받고요. 보증금 모일 때까진 그렇게, 지내야죠.

수영 시험은...정말 포기할 거예요?

종현 ...내가 선택할 수 있는 문제가 아니니까.

수영 그래서, 나랑도 헤어지는 거고?

종현 (눈물 참는 얼굴로 수영 외면하는데)

수영 정말...괜찮겠어요?

종현 말했잖아요. 나 지금 수영씨 만날 처지 아닌 거.

수영 (OL)나랑 헤어지는 거 말구요. 종현씨 꿈이요. 경찰 되고 싶다는 꿈, 이렇게 포기하는 거. 정말 괜찮아요? 종현씨가 택한 길엔...종현씨가 바라는 미래가 있어요?

종현 ...괜찮아야죠. 봤다면서요, 우리집.

수영 (표정)

종현 꿈도 사치예요.

수영 (차분한 미소로)내가 아는 어떤 사람은 5년 후를 봐요. 다른 사람들이 어떻게 보든 스스로를 인정할 줄 아는 멋진 사람이라.

종현 !

플래시백 > 4부 S#58. 은행 옥상

종현 난, 나 하나도 안 우스워요. 꿈이 있으니까.
점점 더 나아질 거니까.
5년 후의 안주임님은 더 근사해질 거예요.
지금은 상상도 안 될 정도로.

수영 그 말, 종현씨한테 빌려줄게요.
5년 후의 종현씨는 더 근사해질 거예요.

종현 (눈가가 붉어지는데)

수영 종현씨가 그랬잖아요. 노력하면, 나아질 거라고.

종현 (표정)

수영 (종현을 직시하며 확신 주듯)우린 더 행복해질 거예요.

종현 (그 말을 했던 자신과, 지금의 자신 사이의 괴리감에 더 괴로운)어떻게...그렇게 확신해요.

수영 (부러 밝게)미래에서 보고 와서. 누구처럼.

종현 (수영의 마음을 알지만...끝내 외면하는데)

수영 (결심 굳힌 얼굴로)아직 선택할 수 있는 게 있어요.

종현 (보면)

수영 은행에서 계속 일해요. 시험, 포기하지 말고.

종현 (무슨 뜻이냐는 듯 보면)

수영 (뭔가를 꺼내 종현에게 건네는, 버스 승차권이고)

종현 (! 해서 받는데)

수영 종현씨 거예요.

종현 (보면)

수영 종현씨 인생이 마이너스라고 했죠. 아무리 노력해도 0조차 되지 못하는 그 기분. 나도 잘 알아요, 그거. 희망이 절망이 되고 앞이 안 보이고. 오기가 나서 차라리 다 놔버리고 싶은 그런 기분. 누구도 내 손을 잡아주지 않는 외로운 기분.

종현 (표정)

수영 그래서 종현씨 이렇게 내버려 둘 수가 없어요. 내가 잡아줄게요.

종현 (보면)

수영 나랑 같이 살아요.

종현 !

수영 은행에서 일하면서 다시 시험 준비해요. 당장 먹고 사는 거 해결한다고 달라지는 게 없다는 거 알잖아요, 종현씨도.

종현　　(표정)

수영　　시험...포기하지 말아요. 그리고 나한테 보여줘요.
노력해서 행복해질 수도 있다는 거.

종현　　(표정)

수영　　터미널에 먼저 가 있을게요.
안 오면...종현씨 말대로 진짜 헤어져요 우리.

종현　　!

수영　　(종현 직시하면)

종현　　(고개 돌리고)...난, 같이 못 가요.

수영　　(평온한 미소로)그래도 어쩔 수 없구요. 갈게요, 먼저.

수영, 종현을 뒤로한 채 덤덤하게 돌아서서 걷는다.
홀로 남은 종현, 손에 쥔 승차권을 꼭 쥔다.

S#71.　청계가든 입구(N)

먼저 식당 앞에 나와 있는 은정, 지윤.

은정　　(샐쭉해서)하상수 사내연앤 절대 안 할 거 같더니.

지윤　　근데 뭐랄까...두 분은 급이 맞는 거 같아요. 인정하긴 싫지만 좀 잘 어울림.

식당에서 우르르 나오는 행원들.

마대리　　(취한)상수 너...형한테 말도 안하고. 섭섭하다.

서팀장　　뭐가 섭섭해. 상수가 마대리랑 안 사겨줘서?

이팀장 니들, 애정행각 내지 사랑싸움은 은행 십 리 밖에서 해라.

부지점장 (신나서 나오며)자! 우리는 노래방으로 3차 가고!
하상수랑 박미경이는 특별우대! 둘이 먼저 집으로 고!

행원들 (그런 게 어딨어요! /억울하면 니가 부지점장 해! /왁자지껄하고)

경필 (일행에 섞여 의미 없이 웃고 있는)

미경 (밝게 웃으며 상수 보는데)

상수 (너무 오픈된 상황이 걱정되기도 하는데)

미경 (상수의 기분 눈치채는)

S#72. 도로 + 미경의 차 안(N)

상수, 조용히 운전 중이고. 미경, 핸드폰을 보며 웃고 있다.

미경 (산에서 찍은 사진 상수에게 보여주며)선배 이거 봐.

상수 (보면)

미경 잘 나왔지?

상수 어...잘 나왔다.

미경 괜히 차 가져와서 선배 술도 한 잔 못 마셨네. 우리 축하준데.

상수 괜찮아.

미경 (보다가, 툭)선밴 싫구나. 우리 사귀는 거 사람들 아는 게.

상수 ...조심스러운 거지. 은행은 말이 많잖아. 너무 오픈되면 나중에라도,

미경 (OL)헤어지면 서로 곤란할까 봐?

상수 (어쩔 수 없이 웃음 나오는)넌 그런 말을 막 한다.

미경 그런 게 걱정되면 안 헤어지면 되잖아. 헤어지지 말자 우리.

상수 (표정)

미경 뭐야. 나랑 헤어질 거야? 언제? 언제 헤어질 건데?

상수 야.

미경 (웃고, 핸드폰 보는)근데 수영씬 왜 문자에 답도 없지? 그러고 가서 걱정되는데.

상수 (표정)

S#73. 시외버스터미널 전경(N)

S#74. 시외버스터미널 – 대합실(N)

낡은 버스터미널 대합실. 수영, 할 만큼 했다 싶고...차분하게 앉아 있다. 대합실 밖으로 서울행 버스가 도착하는데...핸드폰 문자 알림 소리.

수영 (얼른 확인하는데)

미경E 수영씨. 괜찮아? 문자 보면 연락 좀 해봐. 걱정돼.

수영 (종현이 아니다. 허탈해지는데...다시 알림이 울리고. 건조한 표정으로 확인하는데, 달라지는 수영의 표정...! 보면, 이번에는 종현에게서 문자가 와있다. 기대로 확인하는데)

종현E 미안해요. 조심히 올라가요.

수영 ! (기어이...)

터미널직원 서울행 10분 뒤 출발이요!

수영 (핸드폰을 가방에 넣고, 자리에서 일어나는)

S#75. 고속버스 앞(N)

사람들 버스에 오르고 있다.

수영, 버스를 타려다...못내 마음이 걸리는 듯 뒤돌아보는데...

종현의 모습은 보이지 않는다.

수영 (체념하고 버스에 오르는)

S#76. 미경의 집 앞(N)

상수와 미경, 차에서 내린다.

미경 고마워 선배. 덕분에 편하게 왔다.

상수 잠깐만. (가방에서 숙취해소제 꺼내 미경에게 주는)

미경 나 술 별로 안 마셨는데.

상수 한 병 넘게 마셨잖아. 그게 많이 마신 거야.

미경 세심하긴. 언제 또 봤대. 이건 또 언제 사구.

상수 (웃고)간다.

미경 (보다가)...선배!

상수 (보면)

미경 ...같이 올라갈래?

상수 !

미경 ...싫어?

상수 (표정)

S#77. 고속버스 안 + 앞(N)

수영, 자리에 앉아 생각에 잠긴다.

수영 (결국 이렇게 종현과는 끝이다 싶자, 씁쓸한데...)

기사E 출발하겠습니다!

수영 (표정)

수영, 미련을 닫듯 고개를 숙이고...천천히 후진하는 버스.
그때, 출발하는 버스를 황급히 뒤쫓아 뛰는 남자의 뒷모습, 종현이다...!
종현을 기다려주지 않는 버스가 빠른 속도로 멀어지고...

종현 (떠나가는 버스를 보며 허탈한 듯 숨을 몰아쉬는데...)

버스가 코너를 돌아 사라지면...흙먼지 사이로 보이는 사람의 그림자.

종현 (헉헉거리며 그 모습을 바라보면)

먼지 사이로 뚜렷해지는 수영의 모습...!
수영, 종현을 발견하고 내린 듯, 멀리 서있는 종현을 가만히 보고 있다.

종현 !

종현, 잠시 멈칫하다, 수영의 앞으로 빠르게 달려가고.
그대로 수영을 와락 안는다.

수영 (기쁜 듯 슬픈 듯 옅은 미소 짓고)

종현 (수영을 꼭 껴안은 채 많은 감정이 오가는)

종현의 품에 안긴 채...눈물이 차오르는 수영의 표정과
/미경의 말에 흔들리는 상수의 표정이 이분할 되면서 엔딩...!

The Interest of Love

The Interest of Love

8부

Ep 8

S#1. 도로 + 서울행 고속버스 안(N) – 과거 + 현재

6부 S#1의 확대. '통영⇔서울' 행선판 붙은 버스가 어두운 도로를 달리고 있다. 불 꺼진 버스 안, 대부분의 승객들이 잠들어 있고. 왼쪽 머리에 흰색 리본핀을 달고 있는 앳된 얼굴의 수영, 옆자리에는 커다란 짐가방이 놓여있고. 무릎에 올려둔 손을 꾹꾹 누르는 모습이 불안해 보인다.

종현E　처음 서울에 올라올 땐...솔직히 무서웠어요.
두렵기도 하고.

/서울 톨게이트를 지나치는 버스.
수영, 등받이에 기댔던 몸을 일으켜 창밖을 바라본다.
도심으로 들어서며 환해지는 창밖. 불빛들이 반짝이고 있다.
무언가를 다짐하듯 그 모습을 바라보는 수영 위로,

종현E　그래도 자신 같은 게 있었어요.
몇 년 후엔 뭐라도 돼 있을 거라는 자신.

/도심에 들어서는 버스. 현재의 수영, 옆을 보면 종현이 앉아 있다.

수영　(조용히 들어주는)
종현　(수영을 차마 보지도 못한 채)근데 그때 했던 다짐들,
하나도 못 지켜서.
수영　(종현의 손을 가만히 잡는데)
종현　(그제야 수영 보며)...사실은 시험도...수영씨도...포기하기 싫었어요.
수영　(표정)

종현 염치없지만...고마워요. 나 잡아줘서.

수영 (씁쓸한 미소)

종현 열심히 할게요. 다음 시험엔 꼭 붙어서...
수영씨한테 어울리는 사람 될게요.

수영 믿어요. 종현씨는 해낼 거예요. 꼭, 될 거예요.

종현 (수영이 고맙고, 미안하고...)

수영, 창밖을 보면 어느새 한강이 보인다. 한강의 야경이 확대되며, 수영과 종현이 탄 버스가 멀어지면 그 위로 뜨는 타이틀, **〈사랑의 이해〉**

S#2. 미경의 집 – 거실(N)

앞씬의 야경이 연결되며, 한강을 내려다보고 있는 상수. 생각에 잠긴 표정이다. 상수의 뒤로 보이는 거실 테이블에 탄산수, 와인, 안주 등이 놓여있고. 소파에는 미경이 7부 S#76의 옷차림 그대로 와인잔 들고 눕듯이 앉아 있다.

미경 좋다. 선배랑 이러고 있으니까.

상수 그만 마셔. 소맥에 와인에. 내일 어쩌려고.

미경 선배 이야기 좀 더 해봐.

상수 (미경 쪽으로 와서 앉으며)무슨 이야기.

미경 음...아무거나 선배랑 관련된 이야기. 군대 얘기도 오케이.

상수 (웃는)됐거든.

미경 어릴 때 어떤 아이였는지, 뭘 좋아했는지, 꿈은 뭔지.

상수 애냐. 꿈 타령은.

미경 뭐야. 인생 다 살았어? 선밴 대체 누굴 닮아서 그래.

상수　　(웃다가)...엄마 닮았어 난.

미경　　어떤 분이신지 궁금하다.

상수　　(표정 있다가)우리 엄만...강한 사람이지. 흔들리는 걸 본 적이 없어. 한 번도...

미경　　우리 엄만 어떨 땐 내 딸 같은데. 내가 크는 동안 엄만 다시 소녀가 됐어. 선밴 좋겠네. 어머님도 멋지셔서.

상수　　(씁쓸한 미소)그래서 걱정했어. 엄마가 언제 힘들었는지, 아팠는지, 알 수 없어서. 아버지 돌아가셨을 때도 엄만 내 앞에서 안 울었거든. 말 안 하고 혼자 감당하는 게 좀.

미경　　(미소로)선배랑 비슷하시네. 선배도 그러잖아.

상수　　(표정)그런가.

미경　　(하품하며 와인잔 두고 소파에 누우며)나한테 하상수는 일곱 살 같으면 좋겠다. 떼도 부리고 뭐든 솔직하게 다.

상수　　나...니가 생각하는 것만큼 좋은 사람 아니야.

미경　　(졸린 눈 감으며 중얼거리듯)나도. 선배가 생각하는 것만큼 좋은 사람 아니야.

상수　　(픽 웃는)

상수, 잠시 미경의 방에 들어갔다 나오는데, 손에 담요가 들려있고. 미경이 깨지 않도록 조용히 담요를 덮어주고...자신의 외투를 챙겨 현관으로 나가는 상수.

S#3.　　골목길(N)

앞서 걷던 수영이 뒤를 돌아보면, 짐가방을 든 종현이 땅만 보며 힘없이 걸어온다. 그 모습이 안쓰럽기도 속상하기도 한 수영, 부러 밝은 표정을 하고서 종현에게 다가오는.

수영 (종현 손 잡아끌며)얼른 와요.

종현 (걸음 멈추고)수영씨, 아무리 생각해도 이건 아닌 거 같아요. 나 그냥,

수영 (OL)보증금 뺐다면서요. 고시원보단 지내기 괜찮을 거예요. (밝게)아님, 내가 싫은 건가?

종현 (그럴 리가...)

수영 (미소로)들어가요.

S#4. 수영의 집 – 현관 앞(N)

종현, 머쓱하게 서있고.
수영, 도어락 비밀번호를 누르다 멈칫, 뒤를 돌아본다.

수영 일공삼일이에요.

종현 ...네?

수영 비밀번호요.

종현 (아...)

띠리릭 — 도어락 해제소리 나면, 수영 현관문을 열고 종현을 본다.
종현, 차마 들어가지 못하고 서있는데...수영, 들어오라는 듯 문을 더 열어 보인다. 종현, 살짝 머뭇대다 먼저 집 안으로 들어서고. 수영, 짧게 심호흡을 한 뒤 들어가는데...

S#5.　　　수영의 집 – 거실 + 종현방(N)

수영, 종현을 앞질러 거실로 들어와 방 안의 불을 켜고.

종현, 벗은 신발을 가지런히 모아서 정리한다.

종현　　　(가방을 둔 채 어색하게 서있는데)

수영　　　(부러 부산스레 움직이며)거실에 잠깐 앉아 있어요.

종현　　　(표정)

/수영, 종현이 지낼 방의 문을 열고 훑어본다.

철 지난 이불, 행거에 걸린 옷, 수납형 정리박스 등으로 좁아 보이는 방.

수영, 행거부터 옮기기 시작한다.

/종현, 소파에 어색하게 앉아 있는데, 종현방에서 행거 들고 나온 수영 자신의 방으로 향하고.

종현　　　(엉거주춤 일어서며)내가 도울게요.

수영　　　안 무거워요. 종현씬 앉아서 쉬고 있어요. 잠깐만요.

종현　　　(그 모습 보며, 여기 온 게 옳은 선택인 걸까...아직도 망설임이 남은 얼굴인데)

/다시 종현방에서 정리박스 들고 자신의 방으로 들어가는 수영. 종현, 은근슬쩍 다가가 수영의 손에서 박스 뺏어든다. 그런 종현을 보며, 애써 밝게 미소 짓는 수영. 부산스레 짐 옮기는 두 사람의 모습 보여지고.

/수영, 종현방 문을 열면 작은 사이즈의 방이 정리되어 있다. 좌식책상과 이불세트가 놓인 단출한 방. 책상에는 7부 S#54의 문제집들 노끈 채 놓여있는.

수영　　치운다고 치웠는데...방이 좀 좁죠?

종현　　(책상 위 문제집들에 시선이 가는)저거...

수영　　종현씨 옥탑방에서 챙겨왔어요. 잊어버리고 간 거 같아서.

종현　　(수영의 마음 알겠는)...고마워요.

수영　　(밝은 텐션으로)나 먼저 씻을게. 천천히 짐 풀고 있어요.

혼자 남은 종현, 방 안에 서서 감정이 복잡하다.

S#6.　　수영의 집 – 화장실(N)

화장실 문을 닫고 들어오는 수영, 문을 닫자마자 등을 기대고 선다. 자신에게도 쉬운 결정은 아니었지만, 어색해할 종현을 배려해 부러 밝게 행동했었던, 그제야 긴장이 풀리며 표정이 굳어지는 수영.

수영　　(후...옅은 한숨 내쉬는)

S#7.　　상수의 집 + 미경의 집 교차(N)

상수, 들어와서 불을 켜자마자 울리는 핸드폰. 액정에 '박미경' 떠있다.

상수　　(외투 벗으며 받는)왜 깼어.

미경　　(실내복으로 갈아입고 침대에 누워서 통화)언제 갔어.

상수　　방금 들어왔다. 너 우리집에 씨씨티비 달았지.

미경　　그럼 범죄지.

상수　　왜 안 자.

미경　　선배가 가서 그런가. 잠이 안 오네.

상수　　　　자장가는 못 불러준다.

미경　　　　(배시시 웃다가)...큰일 났다.

상수　　　　왜.

미경　　　　선배가 보고 싶어.

상수　　　　(표정)내일 아침에 보잖아.

미경　　　　(치...하는 표정 짓고)알겠다. 그래.

상수　　　　숙취해소제 먹고 자라.

미경　　　　응. 잘 자.

상수, 전화 끊고 잠시 있다가, 상념을 떨쳐내듯 욕실로 들어가고.
/미경, 협탁에 놓아둔 숙취해소제 보다, 문득 장난기 도는 미소. 침대에서 벌떡 일어난다.

S#8.　　　　수영의 집 – 화장실(N)

막 샤워를 마친 수증기 가득한 욕실 안. 한 켠에 걸어둔 옷을 갈아입는 수영. 습기 때문에 빽빽하게 잘 안 들어가는 옷을 겨우 갈아입고 거울을 본다. 붉게 상기된 얼굴. 어색함을 풀어보려 후...깊게 심호흡을 한 뒤 밖으로 나간다.

S#9.　　　　수영의 집 – 거실(N)

소파에 정자세로 빳빳하게 앉아 있던 종현, 수영이 욕실에서 나오자 엉거주춤 자리에서 일어난다.

수영　　　　오래 기다렸어요? (말해놓고 보니 말이 이상하다...더 어색

해지는)

종현 (쑥스럽고 불편하고)...아니요.

수영 피곤할 텐데...종현씨도 얼른 씻어요.

종현 ...네.

수영 (어색함 감추며)그럼 난...먼저 잘게요.

종현 ...네. 잘자요.

수영 종현씨도요. (하고 얼른 방으로 들어가는)

종현 (표정)

S#10. 수영의 집 – 수영방 + 앞(N)

/수영방.

종현방에서 옮겨둔 짐이 방 한 켠에 두서없이 쌓여있다. 침대에 누워있는 수영, 잠이 오지 않는 듯 한참을 뒤척이다 결국 몸을 일으키는데, 문 밖으로 인기척이 느껴진다. 숨죽이고 앉아 문 밖의 소리에 집중하는데...

/방문 앞.

종현, 노크하려던 손을 내리고, 잠시 망설이다...조용히 욕실로 향한다.

/수영방.

탁, 닫히는 문소리가 나자 긴장이 풀리는 수영.

수영 (표정)

S#11. 수영의 집 – 작은방(N)

씻은 얼굴로 방에 들어오는 종현, 한 켠에 가지런히 깔린 이부자리를 본다. 수영이 정성껏 치워놓기는 했으나 고시원과 다를 바 없이 느껴지는 좁은 방. 마음이 복잡한 듯, 자리에 눕지 못하고 책상에 앉아 책장에 꽂힌 문제집들을 훑어본다. 빽빽한 문제집들 사이, 한 권을 꺼내 찬찬히 넘겨보면, 보이는 노력의 흔적들. 생각이 깊어진다.

종현 (이제까지의 순수하기만 했던 모습이 아닌, 어떤 결심을 하는 남자의 얼굴)

S#12. 상수의 집 + 앞(N)

샤워를 마친 상수, 수건으로 머리를 털며 거울 앞에 서는데. 거울 아래 책장에 놓인 오백 원 동전에 시선이 간다. 상수, 미경과의 일이 생각나 피식 웃다가...복잡한 감정이 되어 동전을 바라보고 있는데. 초인종 소리가 울리더니 이내 쾅쾅쾅 문 두드리는 소리까지 난다. 상수, 고개 갸웃하며...현관으로 가서 문을 살짝 열면, 상기된 표정의 미경이 서있다.

상수 (놀라서 보는데)
미경 (현관문 안에 발을 넣고 반쯤 몸을 들이밀며)서프라이즈.
상수 (황당해서)야, 너.
미경 (민망함 감추려는 당당함)보고 싶어서 왔어.
상수 (표정)

미경, 문 안으로 완전히 들어서면 등 뒤로 현관문이 쿵...닫히고.

미경 (떨림 감추며)...나. 오늘 집에 안 갈 거야.

상수 !

상수를 빤히 바라보는 미경과 그런 미경을 내려다보는 상수의 표정에서.

S#13. 운동장(N/D)

아직 해가 뜨지 않은 푸르스름한 새벽, 빈 운동장을 달리고 있는 종현. 턱걸이, 윗몸일으키기, 팔굽혀펴기 등 체력검정 종목의 운동을 횟수를 채워 한다. 숨소리가 거칠어지지만, 집중한 눈빛에서 오기마저 느껴지고.

S#14. 수영의 집 – 수영방(D)

침대에서 자고 있는 수영. 방 밖에서 달그락 소리가 들린다.

수영 (천천히 눈을 뜨는데...)

다시 들려 오는 그릇 부딪히는 소리. 정신이 든 수영, 얼른 몸을 일으킨다. 그대로 방 밖으로 나가려다, 화장대 쪽으로 가 부스스한 머리를 손으로 빗는.

S#15. 수영의 집 – 주방(D)

수영, 주방으로 들어서는데. 앞치마를 입은 종현의 뒷모습이 보이고.

수영 뭐해요?

종현　　(밝아진 얼굴로)아침이요. 거의 다 됐어요.

수영　　(시계 보고)왜 이렇게 일찍 깼어. 잠, 못 잤어요?

종현　　(미소로)아뇨. 오랜만에 너무 푹 잤더니 몸이 가벼워서요. 운동도 다녀왔어요.

수영　　(밝아진 종현의 모습에)...다행이네요.

종현　　얼른 씻고 와요. 출근해야죠, 우리.

수영　　(미소로)네.

S#16.　　상수의 집(D)

S#12에서 상수가 입었던 티셔츠 입고 자고 있는 미경. 쏟아지는 햇살에 눈이 부신 듯 천천히 눈을 뜨는데...상수의 집, 상수의 침대 위다.

미경　　(아...쑥스러운 미소를 짓는데)

상수　　(출근 준비 마친 상태로 밥 차리다가, 미경 깬 것 보고는)일어났어?

미경　　응. 선배 왜 이렇게 일찍 일어났어?

상수　　너 코 고는 소리 때문에.

미경　　(씨..)나 코 안 곤다니까!

상수　　(웃고)밥 먹자.

/식탁에 마주 앉은 상수와 미경.
자신의 옷으로 갈아입은 미경, 상수가 차린 밥을 맛있게 먹는다..

미경　　반찬 맛있다. 선배 어머님이 해주신 거야?

상수　　(웃고)산 거야. 엄마도 내가 반찬 사면 얻어가.

미경 좋다. 나중에 나 요리 못해도 구박 안 받겠어.

상수 (미경과 선을 넘었지만, 미래를 말하는 상황이 편치만은 않은)

미경 (상수 기색 못 느끼고)근데 나 쌩얼로 출근하게 생겼네. 다음엔 화장품 좀 갖다놔야겠다.

상수 아. 이거. (옆에 둔 편의점 비닐 미경에게 건네는)

미경 (받아서 보는데, 여행용 화장 키트고. 놀라는)뭐야?

상수 편의점에서 사왔어. 뭘 사야할지 몰라서 직원한테 물어봤는데.

미경 (표정)뭐야. 감동. 선배 선수 아냐? 뭘 이렇게까지. 나 쌩얼도 이뻐서 괜찮은데.

상수 (진지한 얼굴로 농담)남들 눈도 생각해야지. 보는 사람들은 무슨 죄야.

미경 (씨...째려보면)

상수 얼른 먹어. 늦겠다.

미경 (밥 먹는 상수를 보는, 이 남자가 너무 좋다)

S#17. 도로 + 버스 안(D)

출근길 버스 안. 버스가 흔들릴 때마다 여기저기서 짜증 섞인 탄식이 터져 나온다. 종현, 수영을 자신의 앞에 세우고 품 안에 안듯 사람들에게서 보호하고 있다. 수영의 앞에 앉아 있던 여자가 버스에서 내리면, 종현, 그 자리에 얼른 수영을 앉힌다.

수영 가방 줘요.

종현 괜찮아요.

수영 책 때문에 무겁잖아요. 얼른요.

종현 (가방을 수영에게 건네면)
수영 (종현의 가방을 무릎 위에 올려두고, 창밖을 내다보는데)

버스 창문에 비친 수영의 얼굴, 미소 짓고 있다.

S#18. 은행 일각 + 상수의 차 안(D)

상수, 운전 중이고. 미경, 카 오디오 버튼을 조작하고 있다.

미경 왜 안 나오지?
상수 아...가끔 그래.
미경 저번엔 시동도 막 꺼지더니. (대수롭지 않게)차 바꿀 때 됐나보다.
상수 (표정 있다가 그냥 웃는데)

창밖으로 시선을 주던 상수, 뭔가를 발견한다.
보면, 인도에서 나란히 걷고 있는 수영과 종현이다. 다정한 모습이고.
이야기하다 환하게 미소 짓는 수영.

상수 (아무렇지 않아야 하는데, 그 모습에 시선이 박힌다)

S#19. 은행 일각(D)

수영과 종현, 나란히 걷고 있다.

종현 스터디 나가려구요.

수영 공부하려면 학원이 더 낫지 않아요?

종현 학원에서 배울 건 이미 다 배웠으니까. 스터디 하면서 플랜도 같이 짜고. 교류하고 그러려구요.

수영 (힘내라는 미소 짓는데)

종현, 문득 걸음을 멈춘다.

수영 (의아한 얼굴로 보면)

종현 ...수영씨 먼저 들어가요.

수영 왜요?

종현 사람들이 보면...(수영이)불편해질 거예요.

수영 (잠시 보다)알겠어요 그럼. 먼저 들어갈게요.

종현 (미소로)

수영, 돌아서서 걷는데, 씁쓸하다.

S#20. 은행 객장(D)

수영, 객장으로 들어서는데 환호와 함께 박수 소리가 쏟아진다.
보면, 상수와 미경이 행원들 사이에 서서 축하를 받고 있다.

마대리 (과장된 박수)영포점 공식커플 1호 입장하셨습니다.

상수 (민망하고 난감한데)그만하세요, 진짜.

미경 (장난스레 화답)감사합니다. 저희 행복할게요.

경필 (서류 정리하다가 힐긋)

이팀장 이러다 양대리보다 먼저 가는 거 아냐. 하루에 결혼식 두 탕

뛰는 일 없게 미리미리 깜빡이들 넣어.

은정/지윤 (뾰로통한 표정으로 치...)

미경 그만들 놀리세요.

서팀장 마대리는 박대리한테 마음 있는 거 아니었어?

마대리 (은정 슬쩍 보고)제가 언제 또, 전 두 사람을 진심으로 축하하는데요.

상수 (머쓱하게 웃다가 고개 돌리는데 수영과 눈이 마주치는)

수영 (상수와 미경이 공개선언을 했구나, 싶고)

상수 (먼저 시선을 피하는데)

부지점장 오늘 다 같이 저녁 하지. 총무팀 양석현 대리가 청첩장 돌리며 밥을 쏘겠다네!

석현 (왠지 어두운)바쁘시겠지만 참석 부탁드립니다.

행원들 (오오 / 소고기로 쏘는 거지 / 사랑이 꽃피는 영포점이구만)

종현E (힘차게)안녕하십니까.

수영 (돌아보면)

종현 (유니폼 입고 밝은 얼굴로 들어오는)

지윤 (화색)오랜만이에요 종현씨!

이팀장 (농담 반으로 비꼬는)이게 누구야. 잘 다녀왔어? 어디 좋은데 다녀왔나봐.

종현 (수영 흘깃 보고 미소로)네. 휴가가 길어져서 죄송합니다.

마대리 (불만이었던)죄송하긴. 덕분에 내가 번호표 종이도 계에에속 갈고, 고객들 커피도 계에에속 타고, ATM기도 계에에속 고치고 그러긴 했지만 죄송할 일인가 그게.

종현 (표정)

수영 (종현을 마음 쓰는 얼굴로 보고)

상수 (수영의 시선을 읽은, 마대리의 주의를 환기하듯)마대리님.

회의 때 보고할 자료말인데요.

마대리 어어. (상수 쪽으로 가면서 종현에게 기어이 한 마디)담부턴 휴가 길게 낼 거면 미리미리 얘기 좀 해줘.

종현 네. 그러겠습니다.

그때, 객장 안으로 들어서는 지점장.
지점장을 본 행원들, 순식간에 긴장으로 싸해지는 분위기다.

이팀장 (정적 깨며)지점장님 휴가 잘 보내고 오셨어요?

마대리 (이팀장 뒤에 숨으며)오셨어요...

지점장 (행원들 분위기 읽었고)30분 뒤에 월례회의 시작합시다. (지점장실로 가고)

수영 (제자리 지키고 서있는 종현을 보고, 옅은 미소)

S#21. 은행 갱의실(D)

수영, 갱의실 비품을 채워 넣고 있는데. 상수, 커피 타러 들어온다. 수영이 있는 것을 보고 살짝 멈칫하던 상수, 자연스럽게 수영 곁으로 와 커피 캡슐을 찾는데.

수영 (커피 찾아주며)제가 타드릴게요.

상수 아닙니다, 제가.

수영 (말없이 커피 캡슐머신에 넣으면)

상수 (어색하게 옆에 서있는데)

윙 돌아가는 커피머신 소리만 시끄럽게 울리고.

두 사람은 서로를 쳐다보진 않지만 의식한 채로 서있다.

수영 ...축하드려요.

상수 (보면)

수영 박대리님이랑요.

상수 (표정)...네. 고맙습니다.

수영 다른 분들도 다 아시나봐요.

상수 ...네. 그렇게 됐어요. 어쩌다...

수영 (커피잔 상수에게 건네며 산뜻하게)여기요.

상수 (받고)아, 네. 감사합니다.

수영 (잠시 상수를 본다. 이제 더 멀어진, 마음에 두었던 남자를 작별인사하듯 보는)

상수 (그 시선에 마음이 일렁이고...그런 스스로를 다잡듯 목례하고 돌아서는데)

지점장, 손에 구두 든 쇼핑백 들고 들어온다.

지점장 (갱의실 휙 둘러보며)정청경 여기도 없어요?

수영 (경직돼서)어떤 일로 찾으세요?

지점장 구두를 안 맡겨놨길래. (수영 시키려다 망설이는데)

상수 (얼른)제가 맡기겠습니다. 주세요.

지점장 (업무추진비 고발했던 상수, 떨떠름히 보다)그러든가요, 그럼. (주고 돌아서려다)참. 하계장. 박대리랑 만난다며.

상수 (표정)

수영 (그런 상수를 보는데)

지점장 (뼈있는)난 하계장이 안주임 일에 그렇게! 까지 나서길래,

안주임한테 마음이라도 있는 건가 했는데...

상수 ! (흠칫해서 수영 의식하고)

수영 (의아해서 상수 보는데)

지점장 (꼬는)내가 괜한 걱정을 했네. 어디 한번 잘 해봐요. 언제 박 대표님이랑 다 같이 해서 라운딩이나 한번 하지. (하고 나가고)

수영 (지점장이 나가자 상수 직시하며)방금 지점장님 말. 무슨 뜻이에요? 하계장님이 뭘 그렇게까지 했단 거예요?

상수 (시선 돌리며 얼버무리는)글쎄요. 저도 잘...

수영 (뭔가 있는 거 같지만)아, 네...(상수에게 손 내밀고)주세요.

상수 (표정)

수영 ...그 구두요. 제가 맡길게요.

상수 아뇨. 저도 갈 일이 있어서. (얼른)커피 잘 마실게요. (하고 가고)

수영 (표정)

경필 (상수와 교차하며 갱의실로 들어오는데)

수영 (경필 보다가)소계장님.

경필 네, 안주임님.

수영 (표정)

S#22. 식당(D)

상수, 경필, 석현, 점심 먹는 중이다.

상수 (석현이 건넨 청첩장 보고 있는)니가 진짜 결혼을 하긴 하는구나.

석현 (깨작깨작 밥 먹는데)

경필 (석현 보더니)넌 새신랑 될 사람 얼굴이 왜 죽상이냐.

석현 나 지은씨한테 정은이라 그랬다. 것도 세 번이나.

경필 (헉)...미친 놈.

상수 (으이구 하는 시선)

석현 (허공 보며 감상적인)4년의 시간이 몸에 배였나봐. 머리로는 지은씨가 답이란 걸 알면서도 자꾸 정은이가 생각나고. 이 정도 마음으로 결혼해도 되나 싶고.

상수 (표정)

석현 얘들아. 사는 게 왜 이렇게 힘드니.

경필 대출 없이 40평 신혼집 마련한 니 입에서 나올 얘긴 아닌 거 같다. (손 번쩍)엄마! 여기 고들빼기 좀 더 주세요!

상수 (석현의 컵에 물 따라주는)마셔라. 물이라도.

상수, 물을 마시며 생각이 복잡해지는.

S#23. 시장통 + 구두수선집 앞(D)

앞서 걷는 경필, 석현. 상수, 쇼핑백 들고 뒤에서 걷는다.

상수 먼저들 가.

석현 너는.

상수 (쇼핑백 들어보이며)지점장님 구두 좀 맡기고.

경필 (절레절레)육지도 참 안 바뀌어.

상수 (웃는)

/상수, 구두수선집에서 나오는데 생선 상인 다짜고짜 상수에게 다가오는.

생선상인　　(급한)아이고 잘 됐다, 상수야! 지금 시간 되지!
상수　　(얼떨떨)네?

S#24.　　시장통 + 생선가게(D)

상수, 어색하게 서있는 장소. 보면, 생선 파는 가게 안이다.
손님 와서 얼마예요 물으면, 어설프게 '세 마리 만 원이요' 등 대답해주고.
오기로 한 시간이 이미 지난 듯, 시계를 연신 쳐다보는데.
수영, 조금 떨어진 곳에서 그런 상수를 바라보고 서있다.

수영　　(복잡한 감정으로 상수를 보는 얼굴 위로)
경필E　　지점장님 징계 건, 하계장이 그런 거예요.

플래시백 인서트>S#21. 갱의실 연결씬.

경필　　(태연히)지점장님 입장에선 상수가 뒤통수 친 거죠. 제일 믿으니까 서무 맡긴 건데, (수영 일견하며)안주임님 일에 그렇게.
수영　　(쿵...하는 표정으로 있는데)
경필　　(수영 꿰뚫듯 보며)부담 갖거나 그러진 마세요. 안주임님 아니라 다른 사람이었어도 그렇게 했을 거예요. 상수는 그런 사람이니까.

수영　　(몰랐던 상수의 도움, 자신에게 서툴렀던 상수의 진심을 알게 되고 동요하는데...)

/손님2　　요거 세 마리만 주세요.

상수　　(어설픈 손길로 비닐봉지 툭 잡아당기는데)

손님2　　아니아니. 내장 빼고 손질해서요.

상수　　(당황)아, 그럼 조금만 기다려주시겠어요? 지금 사장님이 잠깐 자릴 비우셔서.

손님2　　그냥 대충 해주세요, 빨리.

상수　　제, 제가요? (난감한데)

수영E　　제가 해드릴게요.

상수, 놀라서 보면. 수영, 상수에게 편한 미소 보이고.
/앞치마 맨 수영, 도마 위에 고등어를 올리고 무쇠칼로 머리를 툭! 잘라내더니 배를 쭉 가르고, 내장 제거한 뒤, 탁! 탁! 탁! 경쾌한 소리를 내며 삼등분 하는데 군더더기 없는 깔끔한 동작이다.
벙찐 얼굴로 수영을 바라보고 있는 상수.
수영, 생선을 비닐에 차곡차곡 담아 손님에게 건네고. 더러워진 도마에 바가지로 물을 뿌리더니 칼등으로 도마를 싹 긁으며 물기를 제거한다.

상수　　(놀라서)이런 것도 할 줄 알아요?

수영　　(웃고, 가볍게)조기교육의 효과죠.

상수　　(웃는데, 수영과 편해진 분위기...좋다고 해야 할지...)

수영　　...고마워요.

상수　　(보면)

수영　　들었어요. 소계장님한테. 지점장님 징계 받은 거...

상수　　(아...)

수영　　(고맙고, 어쩌면 미련일 수도 있는 감정 잘라내듯)하계장님 덕분에 잘 해결된 거였네요.

상수 부담 같은 거...갖지 마세요. 누구였어도 그랬을 거예요.

수영 알아요. 하계장님, 좋은 사람이니까.

상수 (수영 보면)

수영 (웃고, 상수 너머 보며)사장님 오시네요.

상수, 생선 상인에게 웃으며 인사하는 수영 보는데...뭔가가 다 끝났다는 느낌에 마음이 이상하다.

S#25. 한우집(N)

꽤 고급스러운 분위기의 식당 단독룸. 행원들, 한우를 산처럼 쌓아놓고 신난 얼굴로 굽는다. 수영, 안쪽 테이블에서 조용히 고기를 굽고 있고. 상수, 수영과 대각선 자리에서 경필과 얘기하며 간간이 미소 짓는. 그때, 드르륵 문이 열리면 안으로 들어오는 지점장과 부지점장. 지점장, 수영을 흘깃 보더니, 보란 듯이 다른 테이블에 앉는다.

부지점장 오늘의 주인공은 어디 가셨어?

마대리 양대리는 부원장님 따님 모시고 온다고 갔습니다.

이팀장 뭘 모시기까지. 웃전이냐.

부지점장 금감원 부원장 따님인데 모셔야지. 양대리는 원래 집안도 빵빵하다면서 이제 로열패밀리 입성이 따로 없네. (조용한 지점장 챙기며)안 그렇습니까 지점장님?

지점장 부지점장님 부러우신가 봅니다. 결혼식에 본부장님도 오신다니까 열심히 한번 해보세요.

부지점장 (떨떠름해서)네, 뭐.

은정 (상수에게)근데 박대리님은 왜 안 보이세요?

상수 (아...)집에 일이 좀 있다네요.

경필 (상수 흘깃 보며, 소주 마시고)

수영 (조용히 고기만 굽는)

S#26. 미경모의 집 – 주방(N)

상석에 앉은 미경부, 마주 앉은 미경과 미경모. 한 마디도 나누지 않고 조용히 밥을 먹고 있다. 숨 막히는 분위기에 미경모, 한 숟가락 먹고 물 마시고, 한 숟가락 먹고 물 마시고 반복.

미경부 (미경에게 툭)선, 봐. 푼돈 번답시고 밖으로 돌지 말고.

미경 (쳐다보지도 않고 툭)싫어요.

미경모 (시작이구나..휴...싶은데)

미경부 니 엄만 니 나이에 이미 널 낳았어.

미경 그러니까요. 아빠 눈엔 엄마가 행복해 보여요?

미경모 어머. 나 행복해, 얘.

미경 사귀는 사람 있어요, 저.

미경모 (헉)정말? (미경부에게)있대요, 남자.

미경부 (그제야 미경 직시하며)누구. 제대로 된 물건이야?

미경 (물건?)지금까지 한 번도 인정하신 적 없고, 저 못 믿으시는 거 알겠는데요. 내가 만날 사람 정돈 내가 정해요.

미경모 (열심히 눈 찔끔거리며, 미경에게 그러지 말라는)

미경 약속이 있어서요. (하고 일어나 나가는)

미경부 (물 마시며)알아봐.

미경모 뭘요.

미경부 어떤 물건인지는 알아야 할 거 아니야.

미경모 (골이 띵하다)아줌마! 나 냉수.

S#27. 한우집(N)

석현, 예비신부와 함께 룸 안으로 들어온다. 단아한 느낌의 예비신부, 곧은 자세나 깊이 숙이지 않는 목례 등에서 기품이 느껴지고. 행원들, 자리에서 일어나 요란한 환호를 보낸다. 석현과 예비신부, 지점장 테이블에 착석하는데...부지점장과 마대리, 예비신부 술잔에 잔 채워주며 살뜰하게 챙긴다. 지점장마저 예비신부에게 메뉴판 건네며 다정한 눈인사 건네는 분위기고.

수영 (그 모습을 가만히 보다 집게 내려놓고, 조용히 일어선다)

S#28. 도로 + 미경의 차 안(N)

운전 중인 미경, 옅은 한숨을 내쉰다. 그때, 디지털 계기판에 충전 알림 들어오고.

미경 (표정)

S#29. 전기충전소(N)

미경, 충전을 기다리며 핸드폰을 보고 있다. 연락처에서 상수의 이름을 찾고, 전화를 걸려던 미경. 좋은 생각이 난 듯 장난스레 씩 웃는.

S#30.　　한우집 앞(N)

문을 열고 나오는 수영. 핸드폰을 열면 종현에게서 문자가 와있다.

문자 인서트 >'맛있게 먹고 와요. 난 열심히 공부하고 있을게요.'

수영, '저녁은 내가 해줄게요' 답 문자를 보내는데. 상수, 안에서 나온다.

상수　(수영 보고 멈칫 했다가)왜 나와 있어요?

수영　배불러서요. 하계장님은 왜 나오셨어요.

상수　안이 좀, 시끄러워서.

수영　좀 시끄럽긴 하더라구요. (웃는)

상수　(머뭇거리다)...어젠, 무슨 일 있었어요?

수영　(보면)

상수　차에서 갑자기 내릴 정도로 급한 일이 뭔가...걱정했어요. (덧붙이는)박대리도요.

수영　(잠깐 있다, 말 돌리는)양대리님 연애 오래 하셨다고 들었는데 아직도 되게 풋풋해 보이네요. 4년 넘게 만났다고 들었는데.

상수　(아...)헤어졌어요. 그 사람이랑은.

수영　...그럼 오늘 오신 분은.

상수　선봤대요. 집안끼리 잘...아는 사이라고.

수영　아, 집안. (픽 웃는)정략결혼 뭐 이런 건가?

상수　(어색하게 웃어 넘기는데)

수영　결혼은 그런 건가 봐요.

상수　(보면)

수영　비슷한 사람끼리 만나서 해야 행복한 거.

상수　(표정)

수영　양대리님도 힘드셨겠네요. 오래 사귄 분이랑 그렇게 헤어져서.

상수 (씁쓸히)네. 좀.

수영 그래서 이해가 가요.

상수 (수영 보며)양대리가요?

수영 (상수 직시하며)아뇨. 하계장님이요.

상수 !

수영 그날, 하계장님이 왜 그랬는지. 이해한다구요.

상수 (초연한 수영의 모습에 오히려 더 쿵...내려앉는데)

수영 (편한 미소로)그러니까 이제 나한테 미안해하지도 말고, 어제 내가 그러고 가든 걱정 같은 것도 하지 말고. 지점장님한테 괜히 밉보일 행동도 하지 마시구요.

상수 (표정)

수영 (상수 너머로 뭔가를 보며)오네요.

상수 ?

수영 (웃는)하계장님이 걱정해야 할 사람요.

상수 (돌아보면)

뒤에서 다가오는 차 한 대, 미경의 차다.

상수 (아...)

수영 (웃고)저 먼저 들어갈게요. 같이 들어오세요. (하고 가고)

상수 (주차하고 다가오는 미경을 기다리는데. 덤덤하려는 표정이고)

미경, 짐짓 진지한 얼굴로 상수 앞에 선다.

상수 못 온다더니.

미경 차 충전하는 김에, 나도 선배 보고 충전 좀 하려구.

상수 왜. 무슨 일 있어?

미경 (빤히 상수를 보는)

상수 ?

미경 선배. 아빠가 나 선보래.

상수 (표정)...어?

미경 그래서 말인데. (주머니에서 뭔가를 꺼내 상수 눈앞에 내미는)

상수 (보면, 반지 케이스로 보이는 네모난 케이스고. 설마...해서 표정 굳으면)

미경 우리.

상수 (OL, 당황으로)미경아, 이건 좀.

미경 왜. 싫어?

상수 너무 갑작스럽잖, (하는데)

미경 (상수를 향해 케이스를 열어보이면)

상수 !

케이스 안에 든 것, 반지가 아니라 '하상수 바보'가 적힌 골프공이다.
상수, 상황파악 못하고 띵...해서 서있는데, 푸하하 웃음 터트리는 미경.

S#31. 스크린골프장(N)

'하상수 바보'가 적힌 골프공을 힘차게 날리는 미경. 스크린에 뜨는 점수 보고 환호하고. 상수, 아직도 황당하다는 표정으로 타석에 서는데,

미경 아직도 삐졌어?

상수 누가 삐졌다고.

미경 (놀리는)왜. 내가 프러포즈하는 줄 알았어? 선배 되게 섣부르다. 나 아직 그 정도로 선배 좋아하는 거 아닌데.

상수 (황당해서)누가 뭐래? (하다가)넌 무슨 골프연습장 가잔 얘길 그런 식으로 하냐.

미경 재밌잖아. (씩 웃고)진짜로 해줄까? 프러포즈?

상수 됐거든. (어드레스 잡으면)

미경 지는 사람이 여기 회원권 쏘기다! 자신 없음 저기서 레슨 받고 오든가.

상수, 보란 듯 멋지게 드라이브샷 날리고.
미경, 오오오! 하면서 박수 쳐주는. 골프데이트 즐기는 두 사람의 모습.

S#32. 몽타주(N)

/거리 + 갤러리 앞
쓸쓸해 보이는 수영, 거리를 걷고 있다. 1부 S#32의 갤러리 앞에 도착하자, 쇼윈도 안을 보는데. 핀 조명이 비친 자리에 있어야 할 그림이 없다. 텅 빈 메인 쇼윈도를 잠시 보던 수영, 다시 걷기 시작한다.

/와인바 앞
늘 오던 와인바. 익숙한 듯 들어가려던 수영이, 걸음을 멈춘다.
잠시 생각하더니, 뒤돌아서는 수영.

/동네마트 안
양손에 각기 다른 회사 제품을 들고 가격을 꼼꼼히 비교한 뒤, 바구니에 넣는 수영. 계산대 앞에서 차례를 기다리며 핸드폰 문자를 작성한다.

S#33. 스터디카페 단체룸(N)

스터디원들과 공부 중인 종현.

스터디원들은 20대 후반에서 30대 초반 남녀 세네 명, 그리고 선재(20대 초반/女). 커피와 케이크를 먹으며 자유롭게 공부하는 분위기다. 발랄한 느낌의 선재, 종현의 옆에 앉아서 기출문제집 내밀며 가르쳐 달라는 듯 문제 가리킨다. 선재를 대할 때 종현은 수영과 있을 때와 달리 연장자의 능숙함이 보이는 모습.

종현 (쓱 보더니)이 문제는...잠깐만. (하더니 가방에서 다른 문제집 꺼내며)이거 먼저 봐. 개념정리부터 해야 이해가 쉬운 과목이야.

선재 (천진하게 감탄)와. 오빠 완전 대단하다.

종현 ...어? 뭐가?

선재 뭘 물어봐도 다 알잖아요! 나 또 물어봐도 돼요?

종현 어떤 문제?

선재 여자친구 있어요?

종현 (어이없어 보다가)어. 있어.

선재 (치)예뻐요?

종현 어. 완전.

선재 (김새서 중얼...)그럴 줄 알았어.

종현 (픽 웃는데)

그때 종현의 핸드폰 진동음. 확인하는 종현 위로,

수영E　　아직 멀었어요? 맛있는 거 해놓을 건데.

종현　　(웃는...웃으면서도, 어딘가 무거워지는 마음이고)

S#34.　　수영의 집 – 주방(N)

가스레인지 앞에서 분주한 수영, 막 완성된 찌개 뚜껑을 덮고 주방 벽시계를 본다. 식탁 위, 얼추 차려진 저녁상 위로 덮개를 살짝 덮어 놓고, 겉옷을 챙겨 입는.

S#35.　　골목길(N)

수영, 천천히 골목길을 걸어 내려가는데...
저 멀리 언덕길을 올라오고 있는 종현의 모습이 보인다.

수영　　(종현을 부르는)종현씨!

종현　　(수영을 발견하고 달려오는)

수영　　힘들게 왜 뛰어와요. 천천히 와도 되는데.

종현　　(숨을 고르며)왜 나왔어요?

수영　　그냥. 배고프죠. 내가 맛있는 거 해놨어.

종현　　(고맙고 미안한)수영씬 저녁도 먹고 왔으면서. 난 그냥 대충 먹음 되는데.

수영　　모르는 거 같은데, 나 요리하는 거 되게 좋아해요. (웃는)

종현　　(씩 웃으며, 수영에게 손을 내밀면)

수영　　(종현의 손을 잡으며 잔잔히 웃는)

언덕길을 천천히 올라가는 수영과 종현의 뒷모습에서.

S#36. 은행 갱의실(D)

미경, 커피 두 잔을 타고 있는데. 탈의실 쪽에서 나오는 상수.

미경　　이게 누구야. 어제 내기골프에서 나한테 진 하상수씨 아냐.
상수　　그게 어떻게 진 거야. 내가 벙커샷 대신 쳐줘서 이긴 건데.
미경　　누가 대신 쳐주래? (웃다가, 참!)오늘 시간 있지?
상수　　오늘? 왜.
미경　　중요한 일이 있거든. (생긋 웃는)
상수　　(표정)

S#37. 은행 객장(D)

자리에서 업무 중이던 수영, 핸드폰 문자 소리에 확인하는데.

수영　　(문자 보며 표정이 살짝 굳는)
미경　　(수영에게 다가오는)수영씨. 혹시 오늘 시간 돼?
수영　　(굳었던 표정 풀며)왜요?
미경　　터프팅 공방에서 연락 왔어. 작품 가져가라구. 내가 일이 있어서 그런데 혹시 픽업해서 저녁에 우리 집으로 갖다 줄 수 있을까?
수영　　(아...)
미경　　왜. 약속 있어?
수영　　...아뇨. (미소로)그럴게요.
미경　　고마워. (왠지 들떠 보이는 모습으로 자리로 가고)
수영　　(그런 미경을 잠시 보다, 핸드폰을 다시 확인하는 위로)
경숙E　　수영아. 미역국 끓여놨는데...점심에 들를래?

S#38. 인재네 식당(D)

점심시간이 지난 식당. 한두 명의 손님만 있다. 경숙, 쟁반 가득 반찬을 담아 테이블로 향하는데, 덤덤한 표정의 수영이 앉아 있다. 꼬막무침, 갈비, 생선구이 등 거하게 차려진 상.

수영 (다리를 절고 오는 경숙 보고 있다가, 상 차리는 경숙에게 툭)병원 가요.

경숙 (수영의 앞에 미역국 놔주며)엄만 괜찮아.

수영 ...신경 쓰여.

경숙 ...(숟가락 손에 쥐어 주며)얼른 먹어. 케이크는, 일부러 안 했어. 요란하다고 싫어할까 봐.

수영 (초라한 행색의 경숙을 보다가)...잘 먹을게요.

경숙 생일 축하해. 수영아.

수영 (담담한 얼굴로 미역국을 먹는)

인재, 구석에서 딸이 밥 먹는 모습을 바라보고 서있다.
수영이 보면 불편해할까 봐 눈에 띄지 않는 곳에 숨어있는 느낌.

인재 (애틋한 시선으로 수영을 보는)

S#39. 터프팅 공방(N)

직원, 수영에게 완성된 작품 두 개를 보여준다.

수영 (근사하다, 마음에 들고)

직원 마음에 드세요?

수영　　네. 벽에 걸어놔도 되겠어요. 예뻐서.

직원　　(포장하기 시작하고)

수영　　(핸드폰을 꺼내 종현에게 전화 거는)

종현F　　네, 수영씨.

수영　　종현씨. 오늘 늦어요?

종현F　　(망설이다)아...일이 좀 있어서요. 왜요. 무슨 일 있어요?

수영　　오늘...(하다, 픽 웃고)아니에요. 나도 박대리님 집에 들렀다 늦을 거 같아요. 집에서 봐요. 응.

수영, 전화를 끊고 직원에게서 쇼핑백을 받아든다.

S#40.　　도로 + 버스 안(N)

퇴근 중인 사람들 사이에 쇼핑백 두 개를 들고 힘겹게 서있는 수영.
수영의 시선이 케이크 상자를 무릎에 올리고 앉아 있는 승객에게 향한다.

수영　　(씁쓸한 미소)

S#41.　　미경의 집 엘리베이터 + 현관(N)

수영, 엘리베이터에서 내려 현관으로 다가온다.
현관 앞에 서서 쇼핑백을 고쳐 들고 벨을 누르는데...벌컥! 열리는 현관문.
그와 동시에 생일 모자를 쓴 미경이 '서프라이즈!'를 외치며 튀어나오고.
미경의 뒤로 생일 모자를 쓴 종현이 폭죽을 터트린다.

수영　　(놀라서 보는데)

미경 생일 축하해!

종현 생일 축하해요.

수영 (벙찌는데)

미경 (수영의 팔을 안으로 잡아끌며)생일인 거 모르는 줄 알았지? 종현씨랑 짰어.

수영 (감동이기도, 놀랍기도 한데, 뒤늦게 어정쩡하게 서있는 상수가 보이고)

상수 (수영과 눈이 마주치자 어색하게)생일 축하해요, 안주임님.

수영 (표정)

미경 선배도 왔어. 우리 사내커플들끼리 생일파티 하자!

수영 (상수의 존재에 동요하는 표정 수습하고, 미경에게 쇼핑백 건네면)이거.

미경 아. (대수롭지 않게 러그를 꺼내 현관 발판으로 툭 던지는)

수영 (표정)

미경 (수영 팔짱끼며)이리와. 오늘의 주인공.

수영 (애쓴 미소로)네.

S#42. 미경의 집 – 주방(N)

고급식기에 담긴 배달음식들. 케이크, 와인, 촛불 등 신경 쓴 듯한 세팅. 상수와 미경의 맞은편으로 수영과 종현이 앉아 있다.

미경 (큰 사이즈의 쇼핑백 건네며)이건 선물.

수영 (얼떨떨해서 받는데)

미경 음식은 다 배달이지만, 이건 선배랑 내가 직접 가서 고른 거야.

수영 어떻게 된 거예요. 제 생일은 어떻게 알고...

미경 나 육지, 노부지 생일도 다 알아. 원치 않아도 아는 게 많은 은행원.

수영 (웃고, 종현에게)일 있다더니. 이거였어요?

종현 (웃는)미안해요. 비밀이래서.

미경 내가 종현씨한테 절대 들키면 안 된다고 그랬거든.

수영 고마워요, 다들. (상수를 보며)하계장님까지 고생하셨네요.

상수 (이 자리가 불편하지만)아닙니다. 전 한 거 없어요.

미경 (상수의 니트 보더니)선배 옷 불편하지 않아? 방에서 옷 갈아입고 와. 서랍에 선배 옷 빨아서 넣어놨어.

수영 (표정)

상수 (수영 의식되는)아니, 괜찮아.

수영 ...저, 잠깐 화장실 좀.

S#43. 미경의 집 – 화장실(N)

수영, 세면대에 물을 틀어놓고 정신 차리듯 손을 씻는다.
예상치 못한 상황, 그리고 미경의 집에서 상수와 함께 있는 것이 불편하다.
마음을 진정시키듯 오랫동안 손을 씻는데, 거울을 보던 시선이 어딘가에 멎는다. 돌아보는 수영의 시선에, 변기 위에 걸린 그림이 보이는데.

플래시백 인서트 >4부 S#17. 갤러리 앞(D)

미경 (수영이 보던 그림 보고)와. 좋다.

수영 (잔잔히 웃으며)좋죠.

수영 ! (이 그림이 왜...)

구입할 엄두도 못 내고 그저 눈으로 바라만 봤던,
어떤 마음과 닮은 그림이 이곳에 있다.

수영 (표정)

S#44. 미경의 집 – 주방(N)

상수, 미경, 종현, 수영이 자리를 비운 사이 이야기 중이다.

미경 (종현 잔에 와인 따라주며)누가 먼저 고백했어요?
상수 (자신은 묻지 못하는 얘기...종현의 대답을 기다리는데)
종현 (쑥스럽게 웃는)제가요. 많이 쫓아다녔어요.
미경 오오. 연하의 패기. 수영이 어디가 그렇게 좋았어요?
종현 (망설임 없이)다요. 전부, 다.
상수 (표정)
미경 와. 종현씨 너무 멋지다. (상수 툭 치며)선배도 좀 배우지?
상수 (쓰게 웃고, 와인 대신 탄산수 마시는데)

그때 주방으로 돌아오는 수영. 자리에 앉고.

미경 (수영에게 와인 따라주며)수영씨가 좋아하는 와인. 맞지?
수영 (경직된 미소로 받으며)네. (잠시 망설이다)근데...화장실에 있는 그림요.
미경 봤어? 저번에 너랑 봤을 때부터 자꾸 생각나길래 사버렸어. 딱 저기에 걸면 좋겠다 싶어서. 잘 어울리지.
수영 (표정)네. 그러네요.

미경 (종현에게)종현씬 대학 때도 인기 많았겠다. 그쵸.

종현 아뇨. 동기 중에 또래가 별로 없었어요.

미경 왜요? 과가 뭐였는데요?

상수 (수영은 겪지 못한 대학 얘기...마음이 쓰여 보면)

수영 (덤덤히 와인 마시는)

종현 농업 축산학과요. 농기계 실습수업 때는 경운기랑 트랙터도 몰고, 농사도 짓고요.

미경 (까르르 웃고)너무 재밌다. (상수에게)우리과 수업은 진짜 하나 같이 다 수면 고문이었는데. 경영학원론, 조직행위론, 회계학원론. 또 뭐더라. 진짜 어려웠던 거.

상수 ...상법.

미경 어! 맞어. 그거. (치를 떨며)난 다시 대학 다니라고 하면 죽어도 못 다닐 거 같아.

상수 (수영을 힐긋. 신경 쓰이는, 말 돌리려 입 떼는데)

미경 (먼저)근데 왜 경찰 준비해요? 과랑 너무 다른데.

종현 대학은 성적 맞춰 가까운 데로 가다 보니까...원래 꿈이 경찰이었어요.

미경 참! 시험 결과 나왔어요? 나 좀 응원했는데.

종현 (멈칫)

수영 (표정)

미경 (종현 표정에, 실수한 것 같아 민망해지는데)

종현 (밝게)떨어졌어요.

미경 아...미안해요. 내가 괜한 얘기를,

수영 (OL)몇 점 차이로 떨어진 거예요. 아깝게. 다음엔 꼭 붙을 거예요. 그쵸 종현씨?

종현 (짧게 표정 있다가)네. (웃는)다음엔 꼭 붙어야죠.

상수 (수영을 보고)

수영 (상수를 외면하는데)

미경 (분위기 풀어보려)이것도 좀 먹어요. 우리집 근처에서 제일 맛있는 데예요.

종현 (미소로)네. 감사합니다. (수영에게 덜어주며)먹어봐요.

수영 (웃으며)종현씨도 먹어요.

상수 (두 사람의 다정한 모습에 가슴이 화끈거리는 느낌. 식탁 아래 주먹 꾹 쥐는데)

미경 (상수에게)선밴 왜 이렇게 조용해. 오늘따라 말도 없구.

상수 (표정)어...? 아닌데. 나 원래 이러잖아.

미경 (수영에게 푸념)봤지? 종현씨랑 달라도 너무 다르지.
나 너무 재미없겠지.

상수 (수영 보지 않으려 시선 돌리고)

수영 (상수 보는데)

상수 (표정 숨기며, 미경 접시에 음식 담는)너도 좀 먹어.

수영 (상수가 미경을 챙기는 모습...)

미경 (흐뭇하게 보며)두 사람 이렇게 같이 앉아 있는 거 보니까, 어른들이 선남선녀 보면 왜 2세 얘기부터 하는지 알 거 같아. 너무 잘 어울린다. 그치 선배.

상수 (표정)

수영 (상수를 보는데)

상수 (수영 외면하며, 미경에게 미소)어, 그러네.

수영 (그런 상수 쳐다보며)...두 분도 그래요.

상수 (다시 수영을 보는데)

수영 (미경을 향해 시선 돌리며 생긋)잘 어울려요. 두 분도.

상수 (표정)

S#45. 미경의 집 – 거실 + 현관(N)

현관으로 나가는 수영과 종현을 배웅하는 미경과 상수.

미경 (수영에게 쇼핑백 건네며)이거 미리 포장해둔 거야. 야식으로 먹어.

수영 (생일선물, 터프팅 쇼핑백 이미 든 채로)감사해요, 오늘.

미경 (다정한 미소로)다시 한번 생일 축하해.

수영 고마워요, 오늘.

종현 (수영의 손에서 쇼핑백 들려하며)내가 들게요.

수영 (종현을 만류하며 자신이 드는)괜찮아요. 안 무거워요.

미경 짐이 너무 많다. (잠깐 생각하다)두 사람 같은 동네 산댔지. (상수 돌아보며)선배가 데려다주고 오는 건 어때?

상수 (표정 있다가)그럴게.

미경 (현관에 놓인 키 보관함에서 자신의 차 키 꺼내며)차키.

상수 (수영과 시선 부딪히자 피하며 받는)

수영 괜찮아요. 저희 그냥 가면 돼요.

미경 버스보다 금방 가잖아. 타고 가.

수영 (아...)

미경 우리 종종 이렇게 만나자. 너무 재밌다.

종현 (미소로)오늘 감사합니다. 잘 먹었어요.

수영 (의식되는 상수 외면하듯 종현 보며 미소 짓고)

상수 (표정)

S#46. 미경의 집 – 엘리베이터(N)

상수의 앞으로 수영과 종현이 서있다.

종현　(수영의 손에서 기어이 쇼핑백을 다 뺏어드는)줘요.

수영　(웃고)괜찮다니까요.

종현　내가 안 괜찮다니까요.

수영　(미소 짓는데)

상수　(그 모습을 뒤에서 보는 표정)

그리고 정적이 흐르는 엘리베이터 안.

수영　(앞을 보는데 엘리베이터 문에 비치는 상수와 눈이 마주치는)

상수　(수영과 시선이 마주치지만 피하지 않는데)

엘리베이터 문을 통해 서로를 바라보는 상수와 수영에서.

S#47.　미경의 집 앞(N)

상수, 차 리모컨을 누르면, 바로 앞에서 삑삑 소리 내는 미경의 차.

수영　(미경의 차다...보는 표정이 살짝 굳는)

상수　(차를 향해 걸어가려는데)

수영　저희, 그냥 갈게요.

상수　(표정)...타고 가세요. 짐도 많은데.

수영　아뇨. 종현씨랑 둘이 할 얘기도 있고 해서요.

상수　(표정)...네, 그럼.

수영　고마웠어요, 오늘. 은행에서 봬요.

상수　들어가세요.

수영　(종현에게 미소로)가요, 우리.

상수　('우리'...)

종현　(상수에게 목례하고 가는)

수영과 종현, 상수를 뒤로 한 채 걷기 시작하고.
상수, 홀로 남아 종현과 나란히 걷고 있는 수영의 뒷모습을 바라본다.
한참을...

S#48.　도로 + 버스 안(N)

한산한 버스 안. 2인석 자리에 앉은 수영과 종현.

수영　(종현 무릎 위 쇼핑백 들어주려 하며)줍죠.

종현　(다시 가져오고)그래서 더 좋은데. 자리가 좁아서 더 붙어 앉잖아요.

수영　(웃다가)오늘 뭐예요 진짜. 놀랐어요.

종현　박대리님이 수영씰 되게 챙기는 거 같아요.

수영　그러게요. 난 해준 것도 없는데.

종현　수영씨가 예쁜 사람이라, 막 잘해주고 싶게 만드니까요.

수영　(픽 웃는)

종현　박대리님이 말씀해주셔서 알았어요. 미안해요, 생일은 내가 챙겼어야 했는데.

수영　뭐가요. 생일이 뭐 별건가. 공부해야 하는데 괜히 시간 뺏은 거 아니에요?

종현　공부가 뭐 별건가. 수영씨 생일인데.

수영　(웃다가, 창밖으로 고개 돌리는데...유리창에 비친 자신의 웃

는 얼굴 보이고...잠시 보다가, 스스로에게 보여주듯 다시 미소 짓는)

S#49. 수영의 집 – 거실 + 현관(N)

머리에 수건 두른 채, 거실에서 미경이 준 선물을 풀어보는 수영. 포장지를 풀어내면 큰 사이즈의 크리스탈 스탠드가 나온다. 한눈에 봐도 고가의 제품. 수영, 거실 장 위에 스탠드를 놓는데, 가구와 섞이지 않고 이질적으로 보이는.

수영 (자신도 모르게 옅은 한숨이 나오는데...)

플래시백 인서트 >S#44. 미경의 집 – 주방

미경 너무 잘 어울린다. 그치, 선배.
상수 ...어. 그러네.

수영 (상수에 대한 미련인지, 미경을 향한 열등감인지, 표정이 어두워지는)

수영, 생각을 떨치듯 또 다른 쇼핑백에서 S#39의 터프팅 작품을 꺼낸다. 벽을 흘긋 보던 수영, 이내 현관 쪽으로 가더니 미경처럼, 발판 위치에 툭! 하고 던진다.

수영 (가만히 보고 있는데)
종현 (방 안에서 나오며)수영씨. 다 씻었어요?
수영 (표정 수습하고 미소로)네.

종현 그럼 이리 와봐요.
수영 (표정)

/종현, 거실 소파에 앉아 수영의 젖은 머리를 말려주고 있다.
드라이기 온도를 중간중간 확인하며 정성스럽게 말리는.

수영 (종현에게 머리를 맡긴 채, 중얼)...따뜻하다.
종현 (드라이기를 끄고, 머리를 빗겨주는)
수영 내가 앤가. 머린 혼자서도 말리는데.
종현 수영씨 내일 반차 쓸 수 있어요?
수영 왜요.
종현 (머리 빗기며)오늘 생일인데 데이트도 못 했잖아요.
수영 괜찮아요. 파티, 했잖아. 오늘.
종현 (다 말린 수영의 머리를 조심스레 움켜쥐더니, 예쁜 머리끈으로 묶어준다)
수영 (그 손길 느끼고)어? 뭐 해요?
종현 (수영의 손에 거울 들려주며)생일선물요.
수영 (표정, 거울 비춰보면, 머리끈이고)
종현 내년엔, 더 좋은 선물 해줄게요.
수영 (뭉클한데...)
종현 그러니까 내일 나랑 데이트 해줘요.
수영 (미소로)네.

S#50. 도로 + 상수의 차 안(N)

운전 중인 상수, 복잡한 얼굴로 생각에 잠겨있는데...

플래시백 인서트>S#44. 미경의 집 – 주방

수영 ...잘 어울려요 두 분도.

상수 (표정)

플래시백 인서트>S#46. 엘리베이터에서 시선이 부딪히는 상수와 수영.
/S#47. 종현과 다정히 걸어가던 수영의 뒷모습.

상수, 안 되겠는지 비상등을 켜고 갓길에 차를 세운다.

상수 (마음이 어지러운)

등받이에 몸을 기대며 눈을 감는 상수고...

S#51. 은행 일각(D)

수영과 종현, 함께 출근 중이다.

수영 (종현이 선물한 머리끈 하고 있는)잘 어울려요?
종현 (웃는)네. 예뻐요.
수영 (미소로)알아요, 나도.
종현 (은행과 가까워지자, 이내 멈춰 서서)먼저 들어가요.
수영 (끄덕이고 돌아서다, 다시 종현을 보며)우리도 사귄다고 말할까요?
종현 (보면)
수영 사람들한테요. 박대리님이랑 하계장님처럼, 우리도 그냥 다...

말할까요?

종현 (잠시 보다가)...아뇨.

수영 왜요?

종현 우린 하계장님 박대리님이랑 좀 다르잖아요

수영 (무슨 말 하는지 알지만)뭐가 다른데.

종현 (망설이다가)...우리에 대해서 쉽게 얘기하는 거 싫어서 그래요. (웃는)

수영 (표정)

S#52. 은행 객장(D)

영업 준비 중인 객장. 수영, 자리에 앉아 준비하고 있는데.
경필, 석현, 마대리, 청첩장 들고 대화 중이다.

석현 정청경한테도 줘야 할까요?

마대리 애매하긴 하네. 엄연히 따지면 은행 사람은 아닌데.

수영 (표정)

경필 뭐 어때. 잔칫날 북적이면 좋지 뭘.

마대리 얘네 호텔 결혼식이잖아. 축의금을 얼마 낼진 모르겠지만 식비가 더 비쌀걸.

수영 (종현이 받는 이런 대우가...불편한)

/석현, 종현에게 청첩장 주고 돌아서는데.
석현과 교차하며 들어온 지점장, 쓰레기가 있는 바닥을 흘깃 보더니,

지점장 정청경.

종현 네, 지점장님.

지점장 (바닥 턱짓하면)

종현 (알아듣고)네. 바로 치우겠습니다.

지점장 환경미화도 정청경 일이에요. 고객들 보기 전에. 미리미리.

종현 네, 지점장님.

수영, 그 모습을 바라보면서...어두워지는 표정.
그런 수영을, 상수가 바라보고 있다.

S#53. 은행 PB룸(D)

미경, 못마땅한 표정으로 앞을 보면, 새침한 표정의 미경모가 앉아 있다.

미경 일하는 데까지 불쑥불쑥. 이건 반칙이지 엄마.

미경모 왜 이러세요? 나 고객으로 온 사람이에요?

미경 아아. 그러세요? 어떤 업무 보시게요. 고.객.님?

미경모 제 딸자식이 사귀는 남자가 있는데, 누군지 좀 알아봐 주시겠어요?

미경 (하!)그건 개인정보 보호법 위반이라 말씀드리기 어렵겠는데요.

미경모 (성질 뻗쳐서)너 빨리 말 못 해?

미경 (차분히)엄마. 내가 말할 거 같아?

미경모 아니! 안 해줄 거 같아!

미경 그러니까.

미경모 (약 올라서)있긴 있는 거야 진짜?

미경 (서류 정리하며 대답 안 하는데)

미경모 혹시 여기서 일해? 은행 사람?

미경 (뜨끔하지만)나 은행원 남자로 안 보는 거 몰라?

미경모 그럼 어떤 놈인데!

미경 엄마. 좋아하시는 교양 좀 찾아봐. 딸 사생활 그만 파시구.

미경모 (답답해 죽을 노릇인데)

미경 (핸드폰 문자 알림에 확인하더니, 배시시 웃는)

미경모 (딸의 모습 유심히 보며)있긴 있네.

미경 (표정 관리하고 핸드폰 내려두면)저녁 같이 못 먹어. 퇴근하고 약속 있어.

미경모 누구. 그놈이랑?

미경 또.

미경모 (샐쭉해져서 가방 챙기며)너, 두구봐. 내가 한다면 하는 성격이거든? (나가고)

미경 (웃는)

S#54. 은행 일각(D)

종현, 수영을 기다리고 있다.

수영 (종현을 발견하고 다가가는)

종현 (수영을 보고 환히 웃으며)갈까요? 뭐 하고 싶어요?

수영 (문득 종현의 허름한 옷차림을 보고)...쇼핑가요 우리. (미소 짓는)

S#55. 백화점 의류매장(D)

남성 캐주얼 매장. 수영, 종현에게 이 옷, 저 옷을 대보며 비교 중이고. 종현, 불편한 듯 주위를 의식하며 수영의 손길을 만류한다.

종현 나 옷 필요 없어요.

수영 내가 사주고 싶어서 그래요. 난 종현씨 생일도 못 챙겼구.

종현 그땐 우리 사귀기 전이잖아요. 그리고...(머뭇대다)여긴 너무 비싸요.

수영 그래도. (다른 옷 대보며)이건 어때요?

종현 (잠시 있다, 수영 손잡으며 진지하게)수영씨. 정말 괜찮아서 그래요.

수영 (표정)

S#56. 백화점 전자제품 매장(D)

수영과 종현, 어색하게 걷는다.

종현 (수영 눈치 보며)화났어요?

수영 네.

종현 내년에. 내년 생일에 사주면 그땐 받을게요.

수영 (종현 흘겨보다, 풀어지며)됐어요. 안 사줘. (픽 웃는데)

판매사원 냉장고 안 필요하세요? (하며 수영에게 팸플릿 건네는)

수영 (얼떨결에 받으면)

판매사원 신혼부부 대상으로 특가행사 중인데 보고 가세요.

종현 (당황스러워서)아니, 저희는.

판매사원 아, 혼수품 보시는 거 아니셨어요?

수영 (장난기)아뇨. 맞아요. 보여주세요. (종현 보고 씩)

종현 (마주 웃는)

수영과 종현, 직원의 안내를 받아, 냉장고도 열어보고, 청소기로 밀어 보고...TV /드럼 세탁기 /스타일러 /건조기까지 차례로 보면서 직원의 설명을 듣고 있다. 직원, 견적서 종이에 이것저것 체크한 뒤 건네면 받아서 보는 수영.

수영 (가격을 보는 표정)

S#57. 백화점 옥상 하늘공원(D)

벤치에 나란히 앉아 아이스크림 먹는 수영과 종현.

종현 (견적서 보며)와...공이 몇 개야. 결혼할 때 원래 이렇게 돈이 많이 들어요?

수영 더 들죠. 가전제품만 이 정돈 거고, 집도 구해야 하고, 집에 둘 가구도 사야하고, 그리고 결혼반지 같은 예물도 해야 하니까.

종현 (아...)비싼 거네요, 결혼이.

수영 (부러 밝게)난 알이 이따만한 결혼반지 할 거예요.

종현 (웃는)그만한 반지가 있어요?

수영 구해오라고 해야죠. 남편 될 사람한테.

종현 (잠시 보다)잠깐 손 줘볼래요?

수영 (표정)

종현, 수영의 약지에 사인펜으로 반지를 그린다.
보석이 있을 자리에 커다란 동그라미 모양.

수영 (미소로 보다)애개. 이게 뭐야. 반짝여야 반지지.
종현 있어 봐요.

종현, 수영의 손을 하늘을 향해 들어 올린다. 각도를 맞추듯 이리저리 수영의 손을 움직이는데...뭐 하는 건가 싶어 보는 수영의 눈에, 동그라미 안으로 반짝! 들어오는 햇빛이 보이는.

수영 (표정)와.
종현 (웃으며)세상에서 제일 반짝이고 제일 알이 큰 반지.
수영 뭐야...(하면서도, 종현의 마음이 예쁜)

웃으며 아이스크림을 먹는 두 사람의 모습에서.

S#58. 은행 일각 + 미경모 차 안 + 지점차량 안(D)

미경, 주차된 자신의 차로 걸어가며 통화 중이다.

미경 나 지금 출발해.
/상수 (지점차량 운전 중이고)난 차량만 반납하고 출발할게.
미경 그래. 그럼 거기서 보자. (끊고)

미경, 주차된 차를 향해 걸어가는데.
미경모, 차 뒷좌석에서 벼르는 표정을 하고 미경의 모습을 보고 있다.

미경모 (벼르는 표정으로)내가 두구보랬지? 누군지 내가 꼬옥 잡는다. (급한 마음에 밖을 살펴보며 중얼)김기사는 화장실을 왜 이렇게 오래 가 있어. 큰 거 싸나봐.

창밖으로 보이는 미경, 자신의 차에 거의 도착해간다.

미경모 (안 되겠다, 얼른 차에서 내리며)이러다 놓치겠네.

미경모, 미경보다 한 발 빨리 도로에 나가 택시를 잡는데. 미경모를 휙휙 지나치는 택시들. 그 사이 주차장을 빠져나가기 시작하는 미경의 차량.
미경모, 그 모습을 보고 조급해져서 발을 동동 구르는데...!
도로에서 주차장으로 들어오는 KCU은행 차량이 눈에 보인다.

미경모 ! (저거다 싶은!)

/지점차량 안.
상수, 주차장 앞에서 속도 줄이는데, 갑자기 벌컥! 열리는 조수석 문.

미경모 (세상 다급하게)저 차! 저기 저 차! 빨리 좀 쫓아가줘요!
상수 (당황해서)네?
미경모 나 여기 은행 VIP예요! 내가 너무 급해서 그래!
저 차 좀 빨리!
상수 (얼떨떨해서 기어 바꾸는데)

S#59. 도로 + 지점차량 안(D)

상수, 미경의 차를 쫓아가고 있는 이 상황이 이해가 가지 않는데.

미경모 좀 더 밟을 수 없어요? 붙어붙어! 놓치겠네 아유.

상수 저기...고객님, 저 차량은 왜...쫓으시는지.

미경모 (그제야 교양 찾고)아, 나 이상한 사람 아니에요. 오해하지 말구. 저 차는 내 딸의 차량, 즉 나는 저 차주의 엄마.
그쪽 이름이 (상수의 명찰 보고)하상수 계장? 박미경 대리 알죠?

상수 (표정)네.

미경모 내가 박미경 대리 엄마되는 분이에요. (번뜩 생각이 들어)혹시 우리 애랑 친해요?

상수 아, 네...친합니다.

미경모 그럼 우리 애가 만난다는 남자 누군지 알아요?
사귄다는 놈.

상수 ! (헉...싶은데)

미경모 알아요 몰라요?

상수 (당황하는데)

미경모 (앞을 보면서 재촉)아유 출발한다. 가면서 가면서.

상수 아, 네. (속도 내는데)

미경모 (벼르듯 혼잣말로 중얼중얼)꽁꽁 숨겨둔다고 내가 못 찾을 거 같애? 아주 그냥 어떤 놈인지 잡히기만 해봐라. 얼마나 잘난 노무 면상인지 내가 확인하고야 만다.

상수 (침 꿀꺽...넘어가는데)

미경모 (답답해서)아유 더 밟으라니까! 차가 왜 이렇게 안 나가요.

상수 이게 다 밟은 거라서요.

미경모　　(답답해서 한숨만)

상수　　(표정)

S#60.　레스토랑 앞 + 상수의 차 안(D)

미경의 차가 먼저 들어가고, 잠시 후 도착하는 상수의 차.

상수　　(미경모에게 어떻게 말을 꺼내야 하나 곤란한데)

미경모　　(다급하게 안전벨트 풀며, 그 와중에 우아한 말투로)고마워요. 내가 원래 경황없고 그런 사람이 아닌데, 오늘 실례가 많았어요?

상수　　(어쩌나 싶지만 일단)...아닙니다.

미경모가 차에서 내리려던 바로 그 순간...! 블루투스로 연결된 핸드폰이 요란하게 울린다. 차 액정에 크게 뜨는 이름 '박미경'. 상수, 당황해서 머뭇거리는 사이 액정을 이미 본 미경모.

미경모　　(당황하는 상수와 액정을 번갈아보며...뭔가 촉이 오는)

상수　　(눈치 보고 거절 버튼을 누르려는데)

미경모　　(상수보다 빨리 통화 버튼을 꾹! 누르면)

미경E　　선배! 나 도착했어. 빨리 와. 보고 싶으니까?

상수　　! (헉)

미경모　　! (헉)

상수　　(난감함에 표정 굳는데)

S#61. 레스토랑 앞(N)

미경, 자신의 차에서 내린다.

레스토랑으로 들어가려던 미경, 다시 뒤를 보면 은행 지점차량 보이고.

미경 (갸웃, 하더니 지점차량 쪽으로 다가가는데)

상수 (굳은 표정으로 운전석 쪽에서 내리고)

미경 (반가워서 다가가는)왜 이 차 타고 와?

그때. 조수석 문이 열리고, 매서운 표정의 미경모가 내린다.

미경 !

상수 (면목 없는 얼굴로 고개 숙이는)

미경모 내가 두고 보랬지?

미경 (하...! 당황스러운데)

S#62. 레스토랑(N)

상수와 미경, 나란히 앉아 있고.

맞은편에 앉은 미경모, 상수를 천천히 뜯어본다.

미경모 그래. 양친은 하시는 일이 어떻게 되시나요?

미경 엄마.

미경모 (미경을 확 째려보면)

미경 (한숨 쉬는)

상수 ...어머니는 작은 샵을 운영하고 계십니다. 아버진, 돌아가셨구요.

미경모 (중얼)홀어머니. (상수에게)우리 미경인, 언제부터 만났어요? 지점 바뀐 지 얼마 되지도 않았는데.

미경 대학교 선배야. 안진 오래 됐어.

미경모 ...공분 좀 했나 보네. 우리 애랑 같은 학교 나온 걸 보면.

상수 (정중하게)아닙니다.

미경모 (상수를 찬찬히 보는데, 첫눈에 마음에 들지만 부러 새침하게)뭘 잘해요?

미경 엄마. 지금 면접 봐?

미경모 (미경 무시하고)난 신조가 있어요. 취미생활을 보면, 그 사람이 어떤 사람인지 알 수 있다는. 경제수준, 교양수준, 두루두루 나오는 거거든요. 취미란 게.

미경 선밴 다 잘해. 엄마가 좋아하는 골프, 아빠가 좋아하는 등산, 암튼 스포츠는 다.

미경모 너한테 안 물었어.

상수 ...아이스하키를 즐겨합니다.

미경모 아이스하키? (끄덕)괜찮은 취미지. 미경이랑 스케이트도 타고 그랬겠네?

미경 (뜨끔)

상수 (의아해서 보면)

미경모 우리 애가 피겨로 아마추어선수권 대회도 나갔는데.

상수 (표정)

플래시백 인서트 >3부 S#59. 스케이트 못 타는 척하는 미경.

상수 (시선은 미경에게)...미경이가 스케이트를 잘 타나 봐요.

미경 (거짓말 들켜 민망한, 물 마시는)

미경모 나 닮아서 두루두루 능한 편이죠. 우리 애가.

상수 (웃음 참는데)

미경 (미치겠고)

미경모 (단도직입)그래서, 결혼할 생각이에요?

상수 !

미경모 적지 않은 나이에 만나는 거니까, 어디까지 진지하게 생각하고 교제하는 건가, 궁금해서.

미경 (상수의 표정에 긴장하는데)

상수 ...만난 지 얼마 되지 않았습니다.

미경 (내심 서운하지만, 웃으려 하며)그렇다니까, 엄만 왜,

상수 (OL)하지만 가볍게 만나는 건 아닙니다. (곧은 표정으로 미경모 보면)

미경모 (그 시선에 약간 심쿵...미소 누르며)촉새 같은 타입은 아니네. 일단 20프로 통과.

미경 (상수의 대답에, 설레는)

미경모 당분간 아빠한텐 비밀로 해줄게. 엄마 입 무거운 거 알지?

미경 (퍽이나...)

S#63. 수영의 집 – 화장실(N)

세면대에서 손을 씻는 수영, 손가락에 그려진 반지 보면서 피식 웃고... 반지 그려진 데 피해서 조심히 비누칠하는.

S#64. 수영의 집 – 종현방(N)

종현, 통화 중이다.

똑똑, 노크 소리 나고 과일 접시 든 수영 들어오는데.

종현 (수영 보며 통화 마무리)그건 만나서 설명해줄게. 체크해놔. 어어. (끊고)

수영 통화 방해했어요?

종현 아니요. 같이 스터디 하는 동생인데. 이거저거 물어봐서.

수영 잘 돼가요? (과일 접시 밀어주면)

종현 안 이래도 되는데. 잘 먹을게요.

수영 (짐이 들어와서 더 좁아진 방을 둘러보며)방이...좀 많이 좁죠.

종현 아니에요. (말 돌리듯 반지 그림 그대로인 수영 손 보며)반지, 안 지웠네요.

수영 너무 진하게 그려서 안 지워지던데.

종현 나중엔 진짜로 사줄게요.

수영 (장난 섞인)나중에 잘 나가고 이래도 나 안 버리고?

종현 수영씨도 나 안 버렸잖아요. 나 이렇게 됐는데.

수영 (가만히 웃다가)종현씨는 아주아주 부자였어도... 나랑 여기서 살았을 것 같아요?

종현 (가만히 생각하다가)아주아주 부자였으면 달랐겠죠.

수영 (표정)

종현 (씩 웃더니)만약 그랬으면...

S#65. 미경의 집 – 종현의 상상

/ 고급식기들이 가득한 넓은 주방.

종현, 요리를 하고. 수영, 식탁에 앉아 행복하게 미소 짓는다.

종현E　　수영씨 아침도 더 근사하게 만들어 주고...

/넓은 베란다.
각종 허브들이 예쁘게 놓여있는. 함께 화분에 물을 주는 수영과 종현.

종현E　　수영씨가 좋아하는 화분도 베란다에 가득 채워주고...

/거실. 빔 프로젝트 틀어놓고 영화 보는 두 사람.

종현E　　매일 저녁, 수영씨가 좋아하는 영화도 이렇게 보고...

S#66.　수영의 집 – 종현방(N)
상상하면서 빙그레 웃는 종현.

수영　　(종현의 마음이 예쁜)난 지금도 좋은데.
종현　　난 아니에요. 얼른 성공해서 수영씨 더 행복하게 해주고 싶어요.
수영　　(뭉클해서 보다가)또요? 또 뭐 하고 싶어요?
종현　　(행복한 상상하듯)음...한강 내려다보면서 수영씨 좋아하는 와인도 마시구.
수영　　(함께 웃는)좋다. 지금 말한 거 꼭 다해요 우리. (새끼손가락 내밀며)약속.
종현　　(손가락 건 채, 수영의 입에 쪽 입을 맞추는)
수영　　(잠깐 놀란 눈으로 보다가, 픽 웃는.)

S#67. 미경의 집 – 거실(N)

종현의 상상처럼 한강을 내려다보며 와인 마시고 있는 상수와 미경.

미경 오늘 미안 선배. 당황했지.

상수 어머님, 귀여우시더라.

미경 차라리 잘 됐다 치자 선배. 우리 엄마, 철은 좀 없어도 내 편이야.

상수 (웃는)

미경 (상수보며, 마냥 좋고)

상수 (와인을 마시는데...점점 되돌릴 수 없는, 자신의 선택의 무게가 무겁게 느껴지는)

S#68. 결혼식장 외경(D)

S#69. 결혼식장 피로연장(D)

입식으로 진행되는 피로연장. 입구에는 '양석현♥최지은' 안내문 적힌 조각상 보인다. 석현과 예비신부가 하객들에게 감사 인사를 전하고 있고. 행원들, '축하해/잘 살아/잘 어울린다' 등 덕담 건네는 떠들썩한 분위기. 상수와 미경, 수영과 종현, 거리를 둔 채 사람들 사이에 섞여 핑거푸드를 먹고 있다. 상수와 수영, 서로를 의식하지 않는 듯 각자의 연인과 웃고 있는 모습 위로,

상수N **눈앞에 있다.**

수영, 문득 상수에게 시선이 가는데...

수영N　　**가질 수도 있었던 사람이.**

상수, 미경에게 미소 짓다가, 수영을 쳐다보는데.
찰나의 순간 시선이 어긋나는 두 사람 위로,

상수N　　**그러나 놓쳐버린 사람이.**

상수가 시선을 돌린 뒤. 수영, 다시 미경과 다정히 대화 나누는 상수를 잠시 보다 고개를 돌린다.

수영N　　**쳐다보지 않는다.**

상수, 미경에게 음식을 챙겨주다가, 일순 수영에게 시선이 가지만,
고개 숙이며 외면.

상수N　　**생각하지 않는다.**

종현, 주변을 의식하며 수영의 손을 슬쩍 잡는다.
종현을 마주 보는 수영 위로,

수영N　　**날 선택해준 마음을 지키기 위해.**

상수, 와인잔을 건네는 미경을 바라보며,

상수N **내가 선택한 마음에 책임지기 위해.**

종현을 보며, 환하게 미소 짓는 수영.

수영N **바라보지 않는다.**

상수, 따뜻한 미소로 미경 보는 위로,

상수N **또다시 원하게 될까 봐.**

그러다...허공에서 마침내 부딪히는 상수와 수영의 시선 위로,

상수N **마음을, 속이지 못하게 될까 봐.**

많은 하객들 속. 서로를 깊이 바라보는 상수와 수영의 얽혀드는 시선.
미련, 애틋함, 간절함, 온갖 것이 뒤섞인 두 사람의 모습에서 암전.

S#70. 호텔 로비(D)

또각또각. 높은 구두를 신고 걷는 사람, 평소와 달리 차려입은 수영이다.
로비를 가로질러 프런트에 서는 수영.

수영 ...객실 예약했는데요.

S#71.　　상수의 차 안(D)

슈트를 차려입은 상수, 평소와 다른 느낌이다.

손목시계를 보고 시간을 확인하더니, 긴장된 표정으로 후…숨을 뱉는데.

S#72.　　호텔 룸(D)

문이 열리고, 수영이 들어온다. 수영의 등 뒤로 닫히는 문.

방 안을 둘러보던 수영, 핸드폰 벨소리가 울리자 움찔하며 놀라는데.

수영　　(확인하면 종현이고, 받는)네, 종현씨. 나…오늘 친구 집에서 자고 갈 거예요.

수영, 죄책감 어린 표정으로 핸드폰을 내려놓는데.

수영　　(한숨을 쉬고. 마음을 다잡듯 천천히 방을 둘러보는. 침대가 시선에 잡힌다)

S#73.　　호텔 로비 + 엘리베이터(D)

수영이 걸었던 로비를 걷는 상수. 엘리베이터의 버튼을 누른다.

상수　　(앞을 직시하는 눈빛, 굳게 다문 입술…)

S#74.　　호텔 복도(D)

엘리베이터에서 내린 상수, 망설임 없이 복도를 뚜벅뚜벅 걸어간다.

S#75. 호텔 복도 + 룸 안 교차(D)

/룸 안.
딩동, 초인종 소리가 나자, 문 쪽을 향해 돌아보는 수영.

/복도.
기다리고 서있는 상수, 떨리는 듯 주먹을 꽉 쥔다.

/룸 안.
수영, 천천히 문 앞으로 다가가고.

/문 앞.
상수, 숙이고 있던 고개를 들면...문이 열린 듯 상수의 얼굴 위로 빛이 쏟아진다.

/마치 마주 보고 선 것 같은 상수와 수영의 모습이 이분할 되며 엔딩...!

The Interest of Love

작품의 이해

배우 문가영 • 안수영 역

"기회를 쥐는 게 아닌 놓아줌에도,
나서는 용기만큼이나 물러섬에도 용기가 필요하다는 거.
누군가에게는 잘못된 선택으로 보일지라도 그게 자신을 지키는
유일한 방법이었음을, 난 이해한다고요.
어쩌면 수영이가 가장 자신을 잘 알고 있는,
용기 있는 사람이지 않을까요."

1. 〈사랑의 이해〉를 어떻게 만나게 되었나요?

바쁜 막바지 드라마 촬영 중 오랜만에 하루 휴차를 받았어요. 환기를 하고 싶은 마음에 읽어야 할 새로운 대본을 들고 가장 좋아하는 집 앞 카페에 갔어요. 시놉만 읽고 하기로 결정했죠. 대본을 다 읽고 바로 인터넷으로 원작 도서를 주문했어요. 서점에서 직접 책을 사야 하는 제 루틴을 깰 만큼 호기심이 앞섰어요. 이렇게 만났네요. 〈사랑의 이해〉를.

2. 작품에 대한 해석이 궁금합니다. 내가 생각하는 〈사랑의 이해〉는 어떤 작품인가요?

'판타지가 하나도 존재하지 않는 사람 사는 이야기.' 그렇기에 불편하고 아리다고 생각해요. 지나 보낸 나의 이야기일 수도 있고, 어디서 들은 친구의 이야기일 수도 있고, 남의 이야기일 수도 있어요. 비록 드라마지만, (연기하는) 우리를 보고 한 번쯤 사랑의 의미를, '무엇이 사랑인가?'라고 스스로 떠올리고 곱씹게 되는 작품이었음 좋겠다고 생각했어요.

3. 배우 문가영이 분석한 '안수영'이라는 캐릭터는 어떤 인물인가요?

비교적 선명하게 사랑의 방향성이 잘 보이는 상수, 미경, 종현과 다르게 수영이는 흐릿해요. 그래서 답답하실 수도 있고요. 수영이의 감정을 명확히 읽기 힘들다는 거 잘 알아요. 끊임없이 나의 배역을 설득해야 하는 게 저의 일이지만 수영이는 달랐어요. 전 수영이를 누군가에게 이해시키고 설득하고 싶지 않았어요. 예를 들면 수영이의 감정씬들도 정도를 고민하게 되더라고요. 얼마나 울 것이고, 감정을 어디까지 보여줄 것인가. 조금의 이해와 후련함을 드릴 수 있지만, 소리 내어 울어본 적 없는 사람은 그 방법을 모르거든요. 참는 자는 늘 참는다는 거. 흔들리면 흔들리는 대로 수영이의 존재를 기준으로 사람들이 많이 토론해주길 바랐어요.

4. 캐릭터를 연기하기 위해 노력한 것들이 있다면 무엇이 있을까요?

노력보다도 사실 울음을 참아내느라 몇 번이고 침을 삼키고 혀를 깨물고 있었는지 몰라요. 눈물이 흘러버려서 닦고 다시 찍은 적도 있고요. 무언가를 표현하고 쏟아내는 것보다 참을 때 몸에 이렇게 힘이 많이 들어간다는 걸 알게 됐어요.

5. 〈사랑의 이해〉는 다양한 생각을 하게 하는 드라마였는데요, 멜로를 띠고 있지만 우리 인생에서 결정적 역할을 하는 타이밍, 엇갈림, 선택에 대한 이야기를 계속 이어갑

니다. 그리고 각자의 민낯인 현실에 대해서도요. 배우 문가영에게 '선택'과 '현실'은 어떤 의미인가요?

틀린 선택은 존재하지 않아요. 모두 그 상황에서 본인이 생각한 최선의 선택을 해요. 그 결과가 어떠하든 이미 지나간 일이고 수영이의 말대로 지나간 건 다시 못 찾아요. 이왕 지나간 거 후회보다 다음에는 이보다 나은 선택을 하리라 다짐해야 하지 않을까요. 타이밍은 언제나 다시 오잖아요. 이 엇갈림이 쌓일수록 비로소 맞물리는 타이밍이 다시 찾아왔을 때 그 소중함을 배로 알게 해준다고 생각해요. 이 모든 과정이 끊임없이 반복되는 게 현실이지 않을까요. 벗어날 수 없는 동그라미.

6. 작품 속에서 특별히 기억에 남는 대사가 있을까요?

카페에서 "다들 그렇게 살지 않나. 하루치의 불행을 견디면서."라고 쓸쓸하게 말하던 수영이의 대사도 좋아하고, "사랑은 연민이 가장 무섭다"고 말하던 경필과 미경의 장면도 좋아해요. 가장 좋아하는 장면은 10부 아이스하키장 엔딩인데요, 감독님께서 수영이가 웃을수록 상수는 맘이 아플 거라고 말씀해 주셨던 게 생각나네요. 그 말이 그렇게 힘이 됐어요. 나의 행복을 응원해 주는 사람이 있다는 기분이랄까.

7. 내가 맡은 캐릭터, 안수영에게 해주고 싶은 말이 있을까요?

기회를 쥐는 게 아닌 놓아줌에도, 나서는 용기만큼이나 물러섬에도 용기가 필요하다는 거. 누군가에게는 잘못된 선택으로 보일지라도 그게 자신을 지키는 유일한 방법이었음을 난 이해한다고요. 어쩌면 수영이가 가장 자신을 잘 알고 있는, 용기 있는 사람이지 않을까요.

8. 인간 문가영에게 '사랑'의 의미란 무엇일까요?

사랑에는 너무나 많은 종류가 있죠. 그중 인간 간의 사랑이라면... 음 이해할 수 없음을 아는데도 그 옆에 있어주는 거? 전 누군가를 이해한다는 건 불가능하다고 생각하거든요. 그런데 이해하기 힘든 날 이해하려고 하고, 이해하는 척이든 아니든 포기하지 않고 내 옆에 있어주는 사람들이 있잖아요. 그래서 가족들이나 친구들에게 가장 잘해줘야 한다고 생각해요. 그 어려운 걸 하니까요. 나도 나를 모르고 끊임없이 알아가고 있는데, 나만큼이나 혹은 나보다 더 그 과정을 궁금해하고 응원해 주는 사람의 마음이 얼마나 예뻐요.

9. 〈사랑의 이해〉를 사랑해주신 분들께 인사 부탁드립니다.

이 작품을 위해 백 명이 넘는 우리 멋있는 스태프분들 모두가 애써주셨어요. 그리고 우리 작품을 향한 시청자분들의 애정 덕분에 큰 힘을 얻었습니다. 무엇보다 수영이의 행복을 응원해 주셔서 감사합니다.

배우 금새록 • 박미경 역

"미경아. 진심으로 마주하는 너의 마음들, 참 멋있었어.
너를 처음 만났을 때 두렵기도 했지만 한편으로는 자신 있었거든,
박미경이랑 잘 해나갈 자신. 진심으로 사랑했다.
안녕, 나의 박미경."

1. 솔직하고, 당차고, 사랑스럽고, 안쓰럽고... 모든 걸 다한 미경을 연기하느라 고생하셨습니다. 드라마 〈사랑의 이해〉는 배우 금새록에게 어떤 작품인가요?

푸르렀던 봄에 〈사랑의 이해〉라는 작품을 처음 마주하게 되었고, 배우들의 열정만큼 뜨거웠던 여름, 첫 촬영을 시작했어요. 가을이 지나 촬영이 끝날 때즈음이었던 겨울의 끝자락은 정말 추웠는데, 마치 미경의 시린 마음을 대변해주는 주는 것 같았습니다. 6개월이라는 짧고도 긴 시간동안 미경의 마음으로 지내온 순간들이 저에겐 선물 같은 시간이었는데요, 사랑했고, 사랑받고 싶었고, 불안했고, 외로웠던 감정들을 저는 다 '사랑'이라고 생각했어요. 〈사랑의 이해〉와 함께한 모든 순간을 저는 진심으로 '사랑'했던 것 같습니다. 그래서

그 순간들이 참 소중했습니다.

2. 가장 많은 걸 가졌지만, 정작 가장 갖고 싶었던 '사랑하는 사람'은 끝내 갖지 못한 인물이라 너무 안쓰럽고, 안타까웠는데요. 무려 생일날 이별 통보까지 받고요. 결핍과 풍요를 정말 잘 표현했다고 느꼈습니다. 미경을 가장 잘 나타내는 대사를 소개해주실 수 있을까요?

3회에서 수영에게 이런 대사를 해요. "나 또 급했어요? 내가 이런다. 맘에 들면 액셀부터 밟아요. 좋은데 머뭇거릴 이유가 없잖아요." 이 대사는 박미경 캐릭터가 저와 닮았다고 생각하게 된 대사인데요, 저도 좋아하는 사람한테 먼저 다가가고 표현하는 편이라서 공감되기도 했고, 이렇게 표현하는 미경이 멋있다고 생각했어요. 그리고 6회에서 상수에게 고백했던 대사도 좋아해요. "1퍼센트만 줘. 나머진 내가 채울게. 난 자신 있거든. 선배랑 잘 해나갈 자신." 정말 멋있는 대사라고 생각했어요. 미경을 연기하는 데 있어서 중요하게 생각하고 계속 곱씹었던 대사이기도 해요. 어느 날 감독님께, "상수선배가 절 많이 안 좋아하는 것 같은데 저는 왜 이렇게까지 좋아하는 걸까요?"라고 여쭤본 적이 있는데, 감독님께서 "이 대사에 답이 있지 않을까?"라고 힌트를 주셨어요. 미경이란 사람과 그 마음을 아주 잘 표현한 소중한 대사였다고 생각해요. 그리고 마지막으로 14회에서 상수와 마지막 이별 대사인데요, "난 즐거웠어. 다치고 힘들었지만, 그래도 좋았어. 고마워, 하상수. 잘 가." 하고 돌아서요. 상처받고 아팠지만, 행복했고 고마웠다고 끝까지 진심을 전한 후 이별하는 미경이가 멋있어서 좋아하는 대사입니다. 왜 사랑과 이별은 항상 공존하는지, 마음이 아파요.

3. 〈사랑의 이해〉를 사랑해주신 분들께 인사 부탁드립니다.

미경이를 사랑하고 이해한 모든 순간들이 참 소중했습니다. 드라마 〈사랑의 이해〉와 미경이를 아껴주신 많은 시청자분들과 온 마음 다해 만들어 주시고 집필해주신 조영민 감독님, 이서현, 이현정 작가님께 감사의 인사를 전하고 싶습니다.

4. 미경이에게 해주고 싶은 얘기가 있을까요?

미경아. 진심으로 마주하는 너의 마음들, 참 멋있었어. 너를 처음 만났을 때 두렵기도 했지만 한편으로는 자신 있었거든, 박미경이랑 잘 해나갈 자신. 진심으로 사랑했다. 안녕, 나의 박미경.

만든 사람들

극본 이서현, 이현정
연출 조영민, 김다예
출연 유연석, 문가영, 금새록, 정가람, 문태유, 윤유선, 서정연, 정재성, 이화룡, 박형수, 양조아, 이시훈, 조인, 오동민, 오소현, 박윤희, 박미현, 박성근

제작 박성은
총괄 프로듀서 송경수
기획 프로듀서 최지은, 안지은
촬영감독 최윤만[C.G.K] 김동수 (B) 이효재, 한휘수
포커스 풀러 구본승, 이보람 (B) 한상우, 권기현
촬영팀 김석수, 추승룡, 김현우, 이주영, 유근상, 김동호
촬영팀 B 이나라, 박종수, 김기태, 강경빈, 고병학, 이재욱
조명 [광합성] 김희태
조명팀 조장호, 최수영, 진서형, 이진명, 방태정
발전차 [인제파워]
조명 B [플레어] 문일호
조명팀 B 이범희, 이정우, 고대영, 유성현
발전차 B [예원]
동시녹음 [솔하사운드] 나경운
동시팀 현병호, 정원길, 윤성우
동시녹음 B [사운드박스] 옥승훈
동시팀 B 김민호, 장유일, 정석용
그립 [센그립]
그립팀 김현철, 최상원, 박영준
DIT [데이터컴퍼티 오온] 조수호, 김연준, 문지호, 권미연
캐스팅 [액터스뱅크] 김우종, 김주남, 고은민, 소규원
아역 캐스팅 [티아이] 노태민, 이준성
보조출연 [브로캐스팅] 김영탁, 이재평, 박현우
미술감독 [오늘의 미술] 고재영

아트디렉터 신선화

미술팀장 이고운

미술팀 김채원

미술지원 신별나, 김건희, 김선우, 장정미

세트 [아트레이드]

세트대표 남성주

세트팀 유재영, 고봉주, 신계식, 김면철, 전창희, 이봉석, 김정민, 왕주원, 김정화, 정세훈, 정재원, 박민석

세트작화 [옐로우]

작화실장 양훈섭

작화팀 윤성용, 성상욱, 김열린이

소품 [(주)어픽스데코]

소품대표 노민창

소품팀장 권석훈, 하태욱

소품팀 차혜리, 김혜빈, 박성진, 이련옥, 김은옥, 김단아, 이아영

그래픽 이지현

소품지원 김도희, 김태형, 김현열, 홍유진, 송다영

분장, 미용 [TOTAL MAKE-UP] 박희정

분장A 팀장 김주연

분장A 팀원 김다솔

분장B 팀장 황예린

분장B 팀원 노은지

의상실장 김은영

의상팀장 조은, 곽리원, 김지희, 주하윤

의상제작 정영관

의상 탑차 박평규

스태프 버스 [지혜여행사] 이현석

승합차 배차 [빵빵]

연출 승합차 한성준, 임흔희

제작 승합차 최정의, 조성강

카메라 승합차 [건아이글스] 이규봉, 박인서 [빵빵] 정해기, 고만득

소품 특수차량 [액션카]

특수효과 [SF] 민창기

편집 이상록, 이해민, 황이슬

편집보 여태현, 육소정

음악감독 김장우

오퍼레이터 고성필

작곡 김성현, 안지예, 심인용, 김범주, 김시혁, 남기문, JKM

노래 정흠밴드

기타 장재원, 황명흠

베이스 김예인

음악효과 박현경

OST 제작 및 유통

[SLL] 이아름, 이철원, 김주리, 천단비, 심효식, 윤승열, 백란

[드라마하우스 스튜디오] 김사무엘, 김채은, 박수진

VFX [IOFX]

Executive Visual Effects Producer 이종원

Visual Effects Supervisor 지명구, 조명재

VFX On-Set Supervisor 김태우

Visual Effects Producer 이민아

Visual Effects Project Manager 유수빈, 엄채은, 민지원

Senior Compositor 김민영, 김진영,

장재혁, 김민철

Compositor 이세미, 최종대, 황주은, 전선미

Digital Matte Painting Artist 김유림

Lead 3D Generalist 김영수

3D Generalist 김상호

Audio Post Production [STUDIO SH]

Sound Designer 최고은, 이가영, 김은광, 김의선, 이초희, 김애정, 성지영, 홍예영

Foly Editor 안기성, 이민섭, 정찬우, 김현욱

DI [DEXTER THE EYE]

Colorist 김일광

Assistant Colorist 채가희, 김자남

타이틀 제작 [나인컨셉] 최준구, 김은진, 김두한, 황연경

티저 제작 [유의미] 노영건, 김현우

하이라이트 / 예고 이민희

종합 편집 [JTBC 미디어텍] 이용직

기술 지원 [JTBC 기술기획팀] 박연옥, 김석본, 김보경, 박진우

JTBC 홍보 채주연, 노지수, 정준영

JTBC 마케팅 이혁주, 명미선, 이희원

JTBC 웹기획 이성미, 이호진, 강인선

JTBC 웹운영 윤다원, 류재은, 이소영

JTBC 웹디자인 UX/UI 팀

JTBC 메이킹 김민기, 서현수, 방준호

JTBC 온라인 서비스 디지털서비스팀 인코딩실

JTBC 미디어컴 2S솔루션팀 이종민, 박혜수

온라인 홍보대행 [프리엠컴퍼니] 안희수, 김혜림, 우미나, 정민희, 김한송이, 최유빈, 허지애, 박은수

홍보대행 [한남언니]

스틸 한성경

포스터 디자인 [프로파간다]

포스터 사진 표기식

대본 인쇄 [슈퍼북]

은행자문협조 표혜정, 최무화, 김도희, 김가영, 문인순

마케팅 총괄 캠프엠엔씨

마케팅 신현이, 고윤나, 박지은

SLL 제작사업국 방진호, 정해은, 임근수

SLL 콘텐트 솔루션 오승환, 김민기

SLL 제작관리팀 유한아, 손보경

제작 프로듀서 이가현, 김다흰, 최문혁, 조성현, 박초아, 박세은

장소 섭외 [내로남불 로케이션] 이동국, 김태경, 안승준, 이관호, 이정은, 이경우

SCR A 김규희

SCR B 민유화

FD A 박승남, 구본민, 김지탁, 박승현

FD B 곽진규, 김민영, 유선우, 이종현

조연출 한서은, 김진호, 고희원

사랑의 이해